PIRANIA

Powieści Clive'a Cusslera

z serii *Oregon*

DŻUNGLA
KORSARZ
MILCZĄCE MORZE
MIRAŻ
STATEK ŚMIERCI
ŚWIĘTY KAMIEŃ
TAJNA STRAŻ
WYBRZEŻE SZKIELETÓW
ZŁOTY BUDDA

z Dirkiem Pittem

AFERA ŚRÓDZIEMNOMORSKA
ATLANTYDA ODNALEZIONA
CERBER
CYKLOP
CZARNY WIATR
LODOWA PUŁAPKA
NA DNO NOCY
ODYSEJA TROJAŃSKA
OPERACJA „HF"
POTOP
SAHARA
SKARB
SKARB CZYNGIS-CHANA
SMOK
STRZAŁA POSEJDONA
ŚWIT PÓŁKSIĘŻYCA
VIXEN 03
WIR PACYFIKU
WYDOBYĆ „TITANICA"
ZABÓJCZE WIBRACJE
ZŁOTO INKÓW

z Samem i Remi Fargo

ZŁOTO SPARTAN
ZAGINIONE IMPERIUM
KRÓLESTWO
SKARBY GROBOWCÓW
PIĄTY KODEKS MAJÓW
OKO NIEBIOS

Z archiwów NUMA

ARKTYCZNA MGŁA
BIEGUNY ZAGŁADY
BŁĘKITNE ZŁOTO
DIABELSKIE WROTA
MEDUZA
OGNISTY LÓD
PODWODNY ZABÓJCA
SZTORM
WĄŻ
ZAGINIONE MIASTO
ŻEGLARZ

z Isaackiem Bellem

POŚCIG
SZPIEG
WYŚCIG
ZAMACHOWIEC
ZŁODZIEJ
SABOTAŻ
PRZEMYTNIK

oraz

PODWODNI ŁOWCY
PODWODNI ŁOWCY 2

CLIVE CUSSLER

Boyd Morrison

PIRANIA

Przekład
MACIEJ PINTARA
JACEK ZŁOTNICKI

AMBER

Redakcja stylistyczna
Barbara Nowak

Korekta
Barbara Cywińska
Hanna Lachowska

Projekt graficzny okładki
Małgorzata Cebo-Foniok

Ilustracje na okładce
© Andreas Poertner/Shutterstock
© Melkor3D/Shutterstock

Tytuł oryginału
Piranha

Druk
POZKAL

ISBN 978-83-241-6311-3

Warszawa 2017. Wydanie I

Wydawnictwo AMBER Sp. z o.o.
02-954 Warszawa, ul. Królowej Marysieńki 58

www.wydawnictwoamber.pl

Prolog

Parowiec SS „Roraima" płynął ku apokalipsie.

Z mostka kanadyjskiego statku towarowo-pasażerskiego pierwszy oficer Ellery Scott patrzył przez padający szary śnieg brudniejszy niż zimą w Londynie. Choć było wpół do siódmej rano, wschodzące słońce ledwo przenikało przez popiół nad portem w Saint-Pierre. Zarys Małego Paryża Indii Zachodnich, jak nazywano centrum handlowe Martyniki, bardziej przypominał niewyraźne akwarele impresjonistów modne ostatnio w stolicy Francji niż dobrze prosperujące trzydziestotysięczne miasto.

Scott przygładził bezwiednie siwe wąsy i odwrócił się w stronę wulkanu Montagne Pelée górującego nad portem. Zwykle był jowialny, za to właśnie lubili go oficerowie, załoga i pasażerowie, ale dziś minę miał zatroskaną. Pływał od dwudziestu lat na wszystkich rodzajach statków towarowych przy morderczych wichrach i monstrualnych falach. Ale ten twardy wilk morski jeszcze nie widział czegoś tak groźnego i złowieszczego, jak góra zaledwie trzy mile morskie na północ.

Grzmoty wydobywały się spod jej głębin z regularnymi przerwami, jakby w środku leżała jakaś wielka rycząca bestia. Ciemność otulała szczyt, a siarczany odór wypełniał powietrze. Scott wyobrażał sobie, że sam diabeł mieszka w takim miejscu.

– Co pan sądzi o tej pogodzie, sir? – zapytał swobodnie w nadziei, że nie zdradzi to jego niepokoju.

Wąsaty kapitan George Muggah z twarzą pomarszczoną przez lata słońca i soli zerknął zmrużonymi oczami znad dziennika okrętowego na nieziemską scenerię.

– Niech pan trzyma kurs, panie Scott – odrzekł pewnym głosem. – Rzucimy kotwicę, chyba że kapitan portu zdecyduje inaczej.

– Ten popiół może zapaskudzić nam urządzenia i opóźnić naszą żeglugę dziś wieczorem.

– Więc zostawię panu dopilnowanie, żeby załoga oczyściła pokłady i maszynerię. Osiemnaście innych statków stoi na kotwicy. Gdyby nie było bezpiecznie, dawno by odpłynęły.

Gruba warstwa popiołu na wodzie sprawiała, że statki po obu stronach wyglądały jak zacumowane na suchym lądzie.

Scott nie ustępował.

– A co z eksplozją, którą słyszeliśmy dwie noce temu? – spytał, ryzykując, że zabrzmi to impertynencko.

Stali na kotwicy u wybrzeża Dominiki pięćdziesiąt mil morskich na północ, gdy wybuch o czwartej rano zakołysał statkiem tak mocno, że filiżanki i talerze roztrzaskały się o pokład.

Muggah wrócił do pisania w dzienniku.

– Zgadzam się z telegrafistą w Portsmouth, że to zmniejszyło ciśnienie w środku wulkanu. Może dalej dymić, ale na pewno nic z tego nie wyniknie.

Scott nie był taki pewny, ale trzymał język za zębami.

Kiedy znaleźli swoje miejsce postoju i rzucili kotwicę, kapitan portu i lekarz weszli na pokład. Musieli sprawdzić statek i upewnić się, że załoga i pasażerowie nie są chorzy zakaźnie i nie zarażą mieszkańców wyspy. Obaj bagatelizowali aktywność wulkanu i potwierdzali przypuszczenia

Muggaha, że pomruki Pelée nie są groźne. To tylko ostatnie tchnienie góry.

Było Święto Wniebowstąpienia i wszyscy robotnicy portowi poszli na poranną mszę, więc Scott i Muggah zeszli do mesy oficerskiej na śniadanie. Rozmawiali o planie dnia – rozładunku tarcicy i potasu z Nowego Brunszwiku, załadunku rumu i cukru dla Bostonu – ale ani słowem nie wspomnieli o wulkanie, choć jego dudnienie nie pozwalało go ignorować.

Po śniadaniu Scott wyszedł na pokład, żeby przyjąć lokalnego agenta nadzorującego dokerów.

Stumetrowy statek miał prostą konstrukcję – ładownie przed i za śródokręciem z mostkiem zwieńczonym pojedynczym kominem. Maszty w jednakowej odległości od dziobu i rufy służyły do podnoszenia ciężkich ładunków. Każdy centymetr kwadratowy pokrywał grubo popiół z Pelée. Podeszwy Scotta zostawiały ślady na pokładzie.

Pasażerowie tłoczyli się przy relingach, żeby zobaczyć groźne tło Saint-Pierre. Niektórzy zbierali popiół do kopert i puszek po tytoniu na pamiątkę. Dwie kobiety otworzyły parasolki, żeby suknie się im nie ubrudziły.

Znany już Scottowi pasażer, dobroduszny Niemiec Günther Lutzen, ustawiał nawet trójnóg, żeby sfotografować scenerię. Wsiadł na statek dwa dni wcześniej na Gwadelupie i Scott rzadko widywał go bez aparatu fotograficznego.

– Ładny dzień na zdjęcia, panie Lutzen – zagadnął.

– Tak, jestem bardzo zainteresowany – odrzekł Niemiec łamaną angielszczyzną.

– To do pana ekspedycji naukowej?

– Nie, tamto jest zakończone. Ale będę zadowolony dodać to zdjęcie do mojego… – urwał i wyjął słownik niemiecko-angielski z kieszeni. – Ach, jakie jest słowo na *Sammlung*?

Przerzucił kartki.

– Kolekcja? – podsunął Scott.

Lutzen się uśmiechnął i przytaknął energicznie.

– Tak, oczywiście. Kolekcja. Angielski to mój nowy język. Uczę się ciągle. Moja siostra w Nowym Jorku daje mi książki dla dzieci do czytania.

Scott poklepał go po ramieniu.

– Dobrze panu idzie. Lepiej niż mnie niemiecki.

Lutzen się roześmiał i odłożył słownik, żeby coś zapisać w notesie, z którym nigdy się nie rozstawał. Scott poszedł dalej, kłaniając się innym mijanym pasażerom.

Kiedy dotarł do dziobówki, zobaczył, że monsieur Plessoneau, lokalny agent, wchodzi po trapie, który opuszczono do jego łodzi. Chudy mężczyzna w białym garniturze i słomkowym kapeluszu uścisnął dłoń Scottowi.

– Miło pana znów widzieć, monsieur – powiedział Scott. – Widzę, że wasza gniewna góra nie szkodzi interesom.

Wskazał głową inne statki w półkolistym porcie.

Francuz dmuchnął przez zaciśnięte wargi.

– *Oui*, ale mamy nadzieję, że najgorsze za nami.

Scott zmarszczył brwi.

– Co się stało?

Agent zachichotał.

– Słyszymy Pelée od ponad miesiąca. Mrówki i skolopendry w cukrowni w Usine Guérin pierwsze zaczęły nam sprawiać kłopoty.

– Co takiego?

Plessoneau się skrzywił.

– Nie będę za nimi tęsknił po powrocie do Francji. Nazywamy te mrówki *fourmis-fous*, szalonymi mrówkami. Roi się od nich na wszystkim, gryzą jak opętane. Skolopendry są jeszcze gorsze. Mają trzydzieści centymetrów długości i są czarne. Kilka ukąszeń zabija człowieka. Wszyscy pracownicy cukrowni ratowali konie. Potem pojawiły się węże.

Scott wytrzeszczył oczy. Owady to jedno, ale przerażała go myśl o spotkaniu węża.

8

Plessoneau skinął głową.

– Setki *fer-de-lances*, grzechotników, przypełzło nagle cztery dni temu z lasu na północy Saint-Pierre. Pięćdziesiąt osób zmarło, setki zwierząt padło. Dzień później osuwisko błotne zniszczyło cukrownię. Na szczęście w nocy, ale i tak straciliśmy wielu ludzi.

Brzmiało to bardziej jak nadejście apokalipsy, które Scott sobie wyobrażał, kiedy wpływali do portu.

– Może powinniśmy odpłynąć i zawinąć tu w drodze powrotnej – powiedział.

Plessoneau wzruszył ramionami.

– Chciałem to zasugerować, bo jest święto. Wielu z naszych ludzi nie będzie pracować. Moglibyście popłynąć do Fort-de-France i wrócić jutro. Ale musielibyście mieć pozwolenie kapitana portu, a on może się nie zgodzić.

– Dlaczego?

– Bo gubernator kazał wojsku nie wypuszczać ludzi z miasta. Wybory są za trzy dni i obawia się, że się nie odbędą, jeśli wszyscy znikną. Niektórzy się już stąd wydostali, ale wieśniacy ściągają do Saint-Pierre z gospodarstw na zboczach góry, więc jest taki tłok, jaki zawsze tu widziałem.

– A jeśli i tak odpłyniemy?

– Tylko jeden statek zrobił to do tej pory. Włoski bark „Orsolina". Zabrał wczoraj tylko połowę swojego ładunku cukru. Kapitan portu odmówił pozwolenia na odpłynięcie, dopóki nie skończą załadunku. Zagroził kapitanowi statku, Marinowi Leboffe'owi, aresztem. Być może Leboffe, który jest z Neapolu, powiedział kapitanowi portu: „Nic nie wiem o Montagne Pelée, ale gdyby Wezuwiusz był taki aktywny, jak wasz wulkan dziś rano, to uciekłbym z Neapolu".

– Mógł mieć rację.

– To statek pańskiego kapitana, ale następny odpływający bez pozwolenia może wywołać panikę wśród innych.

Francuski krążownik „Suchet" właśnie przypłynął do Fort-de-France. Mogą go wezwać, żeby was zatrzymał.

– Zobaczmy, co myśli kapitan Muggah – odrzekł Scott i poprowadził Plessoneau na mostek.

Kapitan wysłuchał opowieści agenta, ale pozostał niewzruszony. Pomachał lokalną gazetą „Les Colonies", którą zostawił mu lekarz.

– We wstępniaku piszą, że góra jest bezpieczna. To mi wystarczy. Przygotować statek do rozładunku.

Nie było dyskusji z kapitanem. Jego decyzja była ostateczna.

– Tak jest – odpowiedział Scott i odprowadził Plessoneau z powrotem do jego motorówki.

Pożegnał go i wrócił na pokład rufowy. Trzeci oficer patrzył na miasto jak urzeczony.

– Co pan tam widzi, panie Havers? – zapytał Scott.

– Spokojna sceneria, prawda, panie Scott? Szara, ale skąpana w jasnym blasku słońca.

Scott przyznał niechętnie, że sceneria jest hipnotyzująca. Ale nie wybrałby słowa „spokojna". Jemu wciąż wydawała się złowieszcza.

– Mamy robotę. Kapitan chce, żeby ten pokład lśnił, zanim odpłyniemy.

– Tak jest. Ale mogę zrobić tylko jedno zdjęcie, zanim zaczniemy? Mam aparat na swojej koi.

Scott wyjął zegarek kieszonkowy. Siódma czterdzieści dziewięć. Dokerzy na mszy, kilka minut nie zaszkodzi.

Uśmiechnął się i skinął głową.

– Ale na jednej nodze.

– Dziękuję – odparł uradowany Havers i pobiegł do kwater załogi.

Scott zrobił zaledwie dwa kroki w kierunku mostka, kiedy wydało mu się, że słońce zgasło. Spojrzał ze strachem w stronę Pelée. Widok unieruchomił go tak, jakby miał nogi uwięzione w betonie.

Wielki kłąb czarnego dymu i popiołu wystrzelił w niebo jak z działa okrętowego. Zbocze góry się rozpadło i kolejna masa popiołu ruszyła w dół Pelée w rozżarzonej lawinie gorącego gazu. Zabójczy wypływ zmierzał prosto do Saint-Pierre. Przy swojej prędkości mógł dotrzeć do miasta w niewiele ponad minutę.

Ale Scott wciąż stał jak wryty. Hipnotyzował go przerażający widok. Panowała cisza, dopóki ogłuszająca fala uderzeniowa nie odrzuciła go do tyłu. Pozostałby przyciśnięty do grodzi, skąd zabrałaby go zabójcza chmura, gdyby nie ten straszliwy dźwięk. Otrząsnął się. Jego pierwszym odruchem było ratowanie statku, popędził więc ku dziobowi.

W śródokręciu spotkał Muggaha, który biegł w przeciwną stronę. Kapitan najwyraźniej myślał o tym samym co on.

– Podnieść kotwicę, panie Scott! – krzyknął Muggah, kiedy mijał pierwszego oficera w drodze na mostek.

– Tak jest! – odkrzyknął Scott.

Trzeci oficer, który pobiegł wcześniej po aparat fotograficzny, dołączył do kapitana na mostku i kazał dać kotły na pełną parę.

Scott dotarł do łańcucha kotwicy i uruchomił mały silnik parowy, żeby ją podnieść. Pasażerowie wokół niego wrzeszczeli z przerażenia i biegali we wszystkich kierunkach. Nie wiedzieli, jak się ratować przed nadciągającym deszczem ognia. Większość załogi również biegała w popłochu. Nikt nie reagował na jego krzyki o pomoc.

Naliczył piętnaście sążni wciągniętego łańcucha, gdy zabójcza chmura popiołu przetoczyła się nad północnym krańcem Saint-Pierre. Wywołała pożary i rozwaliła kamienne budowle, jakby były z zapałek.

Przemieściła się nad port, gdzie napotkała kablowiec „Grappler". Nie zdążył się zapalić, zanim przewróciła go ściana wody. Tsunami sunęło ku nim i roztrzaskiwało statki jeden po drugim.

Scottowi zostało piętnaście sążni łańcucha do wyciągnięcia. Wiedział, że nie ma już nadziei na wyprowadzenie „Roraimy" z portu. Poszukał kryjówki. Zanim dosięgnął go ogień, zdążył w ostatniej chwili zerwać duży brezent z osłony wentylatora. Złożył płachtę szybko, żeby miała kilka warstw, i wciągnął ją przez głowę. Rzucił się na pokład i skulił pod brezentem, mając tylko mały otwór do obserwacji. Zobaczył, jak kapitan Muggah wydaje rozkazy na mostku i próbuje uporczywie uratować swój statek.

Scott poczuł potworne gorąco przed uderzeniem fali. Miał wrażenie, że chłodniej byłoby mu w jednym z kotłów statku. Złożony brezent odbił największy żar; Scott był pewien, że bez tego by nie przeżył. Przekonał się o tym, gdy patrzył ze zgrozą, jak wąsy, włosy i ubranie kapitana płoną. Muggah wył w straszliwych męczarniach. Scott na szczęście nie widział niczego więcej. Kapitan zniknął mu z oczu.

Błoto i gorące kamienie zasypały brezent, jedne mniejsze od śrutu, inne wielkości gołębich jaj. Żadne nie spadły z taką energią, żeby zranić Scotta, więc po prostu przeczekał ten grad. Słyszał ich syk, gdy wpadały do wody obok statku.

Chwilę później fala uderzeniowa dotarła do „Roraimy" i omal nie wyrwała mu brezentu z rąk. Ścięła oba maszty pół metra nad pokładem, równo jak piłą, i złamała komin na pół. Ogromna fala przechyliła statek na lewą burtę, a potem gwałtownie na prawą tak mocno, że reling się zanurzył.

W obawie, że wpadnie do wody, Scott krzyknął i usiłował złapać się czegoś. Wciąż pod brezentem, zsunął się w dół pokrytego popiołem pokładu i uderzył stopami w luk ładunkowy. Przez moment myślał, że statek się przewróci jak „Grappler", ale parowiec się podniósł, choć nadal miał duży przechył.

Scott otworzył oczy i wyjrzał przez otwór w brezencie. Zorientował się, że jest naprzeciwko dziobówki. Już miał spróbować dotrzeć do niej, gdy drzwi się otworzyły. Dwóch marynarzy, Taylor i Quashey, wciągnęło go do środka.

Zatrzasnęli drzwi i zasłonili bulaje materacami, kuframi, wszystkim, co udało się znaleźć. Kiedy uszczelnili pomieszczenie, skulili się pod brezentem i kocami w oczekiwaniu na koniec – burzy ognia lub ich życia.

Po jakichś dziesięciu minutach, które wydawały się godziną, Scott poczuł, że żar słabnie. W nadziei, że najgorsze minęło, wstał i otworzył drzwi.

Rzut oka wystarczył, by sobie uświadomił, że najgorsze dopiero się zaczyna.

Na pokładzie leżały zwęglone ciała mężczyzn, kobiet i dzieci. Były przerażająco spalone lub pokryte taką ilością popiołu, że wydawały się zastygłe w betonie. Nie potrafił odróżnić pasażerów od załogi.

Stąpał ostrożnie wokół nich w poszukiwaniu oznak życia i natknął się wreszcie na kogoś jęczącego z bólu, leżącego na brzuchu w spalonym z tyłu ubraniu. Scott ukląkł, odwrócił go delikatnie i cofnął się gwałtownie. To był straszliwy widok.

Całkowicie bezwłosy człowiek miał poczerniałą skórę, a zniekształcony nos i uszy stopione z resztą twarzy. Scott poznał, że to mężczyzna, a nie kobieta, tylko po resztkach marynarki i nietkniętym krawacie pod splecionymi ramionami. Dolna połowa ciała była całkowicie spalona. Scott się domyślił, że mężczyzna leżał na brzuchu, kiedy ogarnęły go płomienie.

– Niech pan mi pomoże, panie Scott – wykrztusił mężczyzna przez popękane wargi.

Scott przyjrzał mu się, zdezorientowany.

– Czy ja pana znam?

– Nie zna mnie pan, panie Scott? – wychrypiał tamten z ogromnym wysiłkiem. – Jestem Lutzen.

Scott wytrzeszczył oczy, zdumiony. Nigdy by nie rozpoznał Niemca.

13

Lutzen się trząsł, gdy wyciągnął ręce do Scotta. Pierwszy oficer sądził, że nieszczęśnik błaga o ratunek. Mylił się jednak. Niemiec trzymał w nich swój cenny notes i chciał mu go wręczyć. Scott uświadomił sobie, że Lutzen musiał się rzucić całym ciałem na notes, żeby go ochronić przed płomieniami.

– Umieram. Niech pan to odda mojej siostrze.

Scott nie chciał oglądać następnej śmierci, więc rozejrzał się gorączkowo w poszukiwaniu czyjejś pomocy. Statek towarowy, który rozpoznał jako „Roddam", skręcał w lewo ku pełnemu morzu z całą rufą w ogniu.

– Proszę, panie Scott. – Lutzen ściągnął wzrok Scotta z powrotem na siebie. – Ingrid Lutzen, Nowy Jork.

Widząc, że nic więcej nie może zrobić, Scott skinął głową. Wziął ostrożnie notes i wetknął za pas.

– Oczywiście, panie Lutzen. Zajmę się tym.

Lutzen nie mógł się uśmiechnąć, ale skinął głową.

– Niech pan jej powie, że byłem tam – wyrzęził żałośnie. – Dokonałem przełomu. To wszystko zmieni. Lśniły jak szmaragdy, wielkie jak pnie drzew.

Zakaszlał gwałtownie i zatrząsł się z wysiłku. Scott chciał wstać, żeby przynieść mu wodę, ale Lutzen chwycił go za rękaw i przyciągnął do siebie tak blisko, że ucho Scotta zawisło nad jego ustami. Wyszeptał dwa słowa, potem puścił Scotta i ręka mu opadła. Znieruchomiał i uwolnił się szczęśliwie od cierpienia.

Scott klęczał przy nim przez chwilę, zdezorientowany tym, co usłyszał. Potem czyjeś jęki zwróciły jego uwagę i podniósł się z kolan. Kapitan był śmiertelnie ranny lub nie żył, więc on teraz dowodził statkiem.

Zebrał tylu ocalałych, ilu mógł znaleźć – zaledwie trzydziestu z sześćdziesięciu ośmiu na pokładzie. Wyglądało na to, że połowa z nich nie przeżyje nocy. Tylko on i trzej inni członkowie załogi nie byli ciężko ranni. Zabrali się do budowy tratwy ze szczątków szalupy, ale ich wysiłek okazał się niepotrzebny. Francuski krążownik „Suchet" przypłynął po południu i wziął ich na pokład. „Roraimę" zostawiono, żeby zatonęła. Oficer, który poczęstował Scotta kawą, powiedział mu, że się obawiali, że nikt w Saint-Pierre nie przeżył kataklizmu.

Nie mając nic więcej do roboty, kiedy on i jego kilku podwładnych byli już bezpieczni, Scott wyjął dziennik Lutzena zza pasa i przerzucił kartki. Jak przypuszczał, nie mógł zrozumieć ani słowa. Nie dość, że każda strona była zapisana po niemiecku, to jeszcze większość tekstu stanowiły równania i naukowa abrakadabra. Miał nadzieję, że siostra Lutzena będzie wiedziała, o co chodzi. Przysiągł sobie, że dotrzyma obietnicy i zwróci jej to.

Zastanawiał się, co jej powie, kiedy się z nią spotka w Nowym Jorku. Czy ma jej oszczędzić przerażającej relacji o cierpieniu brata? Uznał, że kobieta zasługuje na poznanie całej prawdy, łącznie z ostatnimi słowami Lutzena.

Chciał być pewien, że ich nie zapomni podczas podróży na północ. Wycyganił więc ołówek od jednego z marynarzy „Sucheta" i znalazł pierwszą czystą stronę. Zanotował zagadkowe zdania Lutzena, bo wciąż słyszał w głowie jego ochrypły głos.

„Niech pan jej powie, że byłem tam. Dokonałem przełomu. To wszystko zmieni. Lśniły jak szmaragdy, wielkie jak pnie drzew".

Scott przerwał pisanie. Wciąż nie był pewien, czy dobrze usłyszał dwa ostatnie słowa Lutzena. Wzruszył ramionami i zapisał dokładnie dziwną wiadomość Lutzena.

„Znalazłem Oz".

Rozdział 1

Prototypowy dron bojowy X-47B skręcił. Był zaledwie minuty od celu sto trzydzieści kilometrów na północny zachód od Chesapeake Bay Bridge-Tunnel. Frederick Weddell ustawił algorytm przeskoku częstotliwości transmisji zakłócającej. Miał za zadanie zablokować sygnał sterujący operatora drona w bazie marynarki wojennej w kalifornijskim hrabstwie Ventura. Potem musiał zakodować ponownie nawigację pokładową bezzałogowca, żeby maszyna z czterystoma pięćdziesięcioma kilogramami paliwa uderzyła w zdezelowaną barkę.

Nawet bez dwóch inteligentnych bomb, które potrafił przenosić, dron mógł dokonać zabójczego ataku terrorystycznego na Stany Zjednoczone.

Weddell delektował się wyzwaniem.

– Damy radę – powiedział w przestrzeń, choć towarzyszyło mu dwóch mężczyzn.

Siedzieli w małym pomieszczeniu pełnym urządzeń elektronicznych i wyświetlaczy. Na dwudziestoczterometrowej łodzi łączności zakotwiczonej blisko ujścia Potomacu był jeszcze tylko kapitan na mostku. Weddell poprawił okulary w drucianej oprawce i spojrzał na największy monitor, który pokazywał obraz z kamery na pokładzie. Dron wykonywał pierwszy skręt po starcie. Wyglądał jak biały klin na pomarańczowym tle zmierzchu.

Żeby wykonać zadanie, zakłócenie sygnału sterującego nie wystarczyło. Gdyby dron stracił kontakt z operatorem, przeszedłby w tryb autonomiczny i wrócił do bazy lotnictwa marynarki wojennej Patuxent River w Marylandzie, gdzie testowano większość jej broni powietrznej. Należało ustanowić nową autoryzację sterowania, żeby można było wprowadzić współrzędne alternatywnego celu. W tym przypadku bezzałogowiec dostałby instrukcję uderzenia w barkę z szybkością ośmiuset kilometrów na godzinę.

Ten atak był najgorszym scenariuszem dla Pentagonu. Ani konstruktorzy drona, ani Kolegium Szefów Połączonych Sztabów nie zakładali, że można się włamać do systemów pokładowych. Ale odkąd ściśle tajny dron zwiadowczy RQ-170 Sentinel wylądował awaryjnie w Iranie, najwyższe szarże żądały od lotnictwa i marynarki dowodów, że ich protokoły komunikacyjne są nie do złamania. Poza stratą drona, który kosztował setki milionów dolarów, wypadek umożliwił Iranowi darmowy wgląd w najbardziej zaawansowaną technologię amerykańską. Jeśli Irańczycy zdołali sprowadzić go na ziemię, to mogli pozbawić operatora kontroli nad dronem. Wojskowi finansowali program zapobiegający temu.

Dlatego symulowano porwanie.

Zaproszono najlepszych w branży i stworzono zespół udający nieprzyjacielską jednostkę infiltracyjną. Weddell, z wykształcenia inżynier elektryk, skorzystał z okazji i stał się czołowym specjalistą sił powietrznych od telekomunikacji. Był ekspertem w dziedzinie transmisji sygnału, szyfrowania i zakłócania, więc wybrano go na szefa operacji przechwycenia. Jego zespół składał się jeszcze z dwóch wybitnych naukowców.

Lawrence Kensit, myszowaty, zgarbiony facet z bliznami po trądziku, był informatykiem i fizykiem. Zrobił doktorat na Caltechu w wieku dwudziestu lat. Choć każdego, kto w jego mniemaniu nie dorównywał mu intelektem, nazywał „beznadziejnie głupim" – łącznie z oficerami, którzy liczyli na niego – stał się najbardziej błyskotliwym twórcą oprogramowania do wojskowych dronów. Siedział po prawej Weddella i pisał na klawiaturze przed trzema ekranami z danymi.

Drugi mężczyzna nazywał się Douglas Pearson, projektował elektronikę i odpowiadał za technologię w najbardziej zaawansowanych dronach wojskowych. Był wielki, miał tubalny głos i ogromny brzuch. Nieczęsto mówił „nie" i nie lubił słyszeć tego słowa. Rządził swoim lennem żelazną ręką i kłócił się głośno z każdym, kto nie zgadzał się z jego zdaniem. Siedział po lewej Weddella z nogami na blacie. Trzymał tablet w dłoni i kubek kawy w drugiej ręce.

Gdyby tym trzem nie udało się złamać systemu dowodzenia dronem, nikt na świecie by nie zdołał. Po potwierdzeniu, że bezzałogowiec istotnie jest na kursie przechwycenia do zdezelowanej barki, Weddell planował zmienić trasę maszyny i zamachać jej skrzydłami nad Patuxent. To miały być końcowe fanfary przed zwróceniem drona operatorowi w Venturze.

Pearson siorbnął głośno kawę, odstawił ją i postukał tabletem w blat.

– Co się dzieje, Larry? Nic nie mam na łączu.

– Doktorze Weddell – odezwał się Kensit bez odwracania wzroku od swojego ekranu – proszę przypomnieć doktorowi Pearsonowi, że nie reaguję na to przezwisko. Wolę „doktorze Kensit", ale zgodzę się na „Lawrence", mimo że ten przywilej jest zwykle zarezerwowany dla ludzi, którzy mogą być uważani za równych mi.

Urwał i dodał:

– Jeśli to nie jest jasne, nie uważam go za równego mi.

– Równego w jakim sensie, doktorze Kensit? – zapytał Pearson z drwiącym śmiechem. – Na pewno nie jesteśmy równi wzrostem.

– Ani wagą.

Pearson parsknął.

– Może będę cię po prostu nazywał „konus"? Albo „gnojek"?

– Jestem niższy od ciebie, ale mój wzrost jest bliski przeciętnemu – odparł Kensit bez modulacji głosu. – Podobnie jak twój iloraz inteligencji.

– Wystarczy – wtrącił się Weddell. – Zostawmy to teraz.

Miał dosyć ich ciągłych sprzeczek. Przez ostatnie trzy miesiące grał rolę rozjemcy.

– Zaraz zwyciężymy – kontynuował – więc postarajcie się być cywilizowani, dopóki nie skończymy. Bezpośrednią linię celowania będziemy mieć jeszcze tylko przez dwie minuty. Jaki jest twój status, Lawrence?

Kensit nacisnął ostatni klawisz zdecydowanym ruchem.

– Jeśli obliczenia sprzętu doktora Pearsona są właściwe, to jak tylko zdołasz odebrać Venturze sygnał sterujący, będę mógł zrekonfigurować pokładowe protokoły nawigacyjne.

Weddell skinął głową i zaczął realizować swój plan zablokowania transmisji. Spoofing nawigacji GPS nie udałby się, bo wszystkie amerykańskie drony miały nawigację inercyjną, żeby zapobiec takim atakom. Musiał być dużo bardziej kreatywny. Używając anteny własnej konstrukcji zamontowanej na pokładzie łodzi, wysłałby silny impuls do odbiornika X-47B i unieruchomił chwilowo jego systemy pokładowe. Subtelna część operacji polegała na tym, żeby robić to na tyle długo, że odbiornik znów natychmiast przejdzie w tryb poszukiwawczy, ale nie aż tak długo, że rozpozna próbę naruszenia jego protokołów i przełączy go na autonomiczne działanie.

– Przygotuj się. Lawrence – polecił Weddell. – Pamiętaj, że będziesz miał tylko dwadzieścia sekund na uzyskanie sygnału.

– Wiem.

Oczywiście, że wie.

Weddell odwrócił się do Pearsona. On miał unieruchomić automatyczny system samozniszczenia drona, który by zadziałał, gdyby sensory bezzałogowca wykryły, że steruje nim nieautoryzowany sygnał.

– Jesteś gotowy, Doug?

Pearson zatarł ręce.

– Do roboty.

– Okej. Kiedy powiem. Trzy, dwa, jeden, teraz.

Weddell nacisnął „Enter" i impuls uderzył w drona. Ekran potwierdził celność trafienia.

– Dawaj, Lawrence!

Kensit zaczął pisać gorączkowo. Sekundy mijały. Weddell mógł już tylko obserwować. Patrzył na monitor nad sobą. Dron nie zmieniał kierunku.

– Status, Lawrence.

Zegar odliczający w jego laptopie pokazał, że zostało dziesięć sekund.

– Wyizolowuję funkcje sterujące – odrzekł Kensit, czego Weddell się spodziewał.

Zegar tykał. Oczekiwanie było nieznośne. Po raz pierwszy w ciągu całego procesu Weddell czuł się kompletnie bezsilny.

– Pięć sekund, Lawrence!

Znów pisanie.

– Dasz radę, Kensit – powiedział Pearson.

Kensit przebiegł palcami po klawiaturze i cofnął je jak pianista na koncercie po odegraniu menueta.

– Wiem – odparł. – Mamy już sterowanie.

Spojrzał znacząco na Pearsona.

– Postaraj się, żeby moja błyskotliwość nie poszła na marne.

Choć ten dron w rzeczywistości by nie eksplodował, gdyby Pearson nie zdołał unieruchomić jego autodestrukcji, przełącznik w środku X-47B zadziałałby w razie kontynuowania sekwencji samozniszczenia. Inspektorzy badający potem bezzałogowca wiedzieliby, że operacja porwania się nie powiodła. Nie byłoby częściowego uznania.

Pearson użył swojego tabletu tak sprawnie, jak Kensit klawiatury. Weddell skoncentrował się na wprowadzeniu współrzędnych nowego celu do systemu nawigacyjnego. Skończył dokładnie w momencie, kiedy Pearson zawołał triumfalnie:

– Zobacz, Wuju Samie! Mamy twojego drona!

On i Weddell zaklaskali i przybili piątkę. Kensit tylko uniósł brew i wzruszył ramionami, jakby nie powinien świętować tego, czego się spodziewał.

Radość szybko się skończyła, gdy Weddell zauważył na monitorze, że X-47B skręca. Powinien się oddalać od nich w kierunku barki. Zamiast tego leciał prosto na nich.

I zniżał się.

– Co się, do cholery, dzieje, Lawrence?

Kensit pokręcił głową ze zdumieniem.

– To niemożliwe.

Pearson opuścił nogi i popatrzył na niego.

– Co zrobiłeś, Larry?

– Nic, żeby to spowodować.

– Co? – zapytał Weddell.

– Dron naprowadził się na sygnał, który nadajemy.

– Co?

Weddell spróbował przerwać transmisję, ale komputer nie reagował.

– Jak to możliwe?

– Nie… nie jestem pewien.

Weddell spojrzał na monitor w górze. X-47B rósł na ekranie z każdą chwilą. Mieli niecałą minutę do momentu, kiedy dron z ładunkiem paliwa dokończy atak kamikaze i rozerwie łódź na kawałki.

– Możesz go przeprogramować?

Kensit tylko gapił się na ekran, zmieszany i niemy.

Weddell chwycił go za ramiona i potrząsnął.

– Pytałem, czy możesz go przeprogramować?

Prawdopodobnie pierwszy raz w życiu Kensit wymówił słowa: „Nie wiem".

– Musisz spróbować, bo wszyscy zginiemy.

Obrócił się w stronę Pearsona.

– Sprawdź, czy dasz radę uruchomić jego autodestrukcję.

Pearson przytaknął energicznie i zgarbił się nad tabletem. Weddell podbiegł do drzwi z przodu pomieszczenia.

– Dokąd się wybierasz? – spytał Kensit.

– Jeśli nie uda wam się odzyskać kontroli, to przynajmniej odłączę antenę, żeby przestała nadawać.

Otworzył gwałtownie drzwi i wbiegł na mostek. Kapitan wpatrywał się w nurkującego ku nim drona.

– Ruszamy, już! – krzyknął Weddell.

Kapitan nie potrzebował wyjaśnienia i odpalił silnik.

Weddell wdrapał się na pokład nad mostkiem, gdzie była antena. Gdyby odłączył zasilanie, transmisja by ustała. Nawet gdyby dron celował w ich pozycję, jej zmiana oddaliłaby ich od jego kursu.

Dotarł do anteny i już miał sięgnąć do kabla, gdy łódź ruszyła naprzód. Poleciał do tyłu, potknął się o reling i uderzył głową w przegrodę.

Zobaczył gwiazdy, pokręcił głową, żeby się pozbierać, i popełzł ku antenie.

Czarny kabel połączony z jej czaszą leżał odsłonięty na białym pokładzie.

Zerknął w górę i zobaczył, jak białe skrzydło opada ku nim. Czarny wlot powietrza drona przypominał rozwartą paszczę manty. Wycie silnika odrzutowego zwiastowało śmierć w płomieniach, jeśli nie zdoła przerwać nadawania.

Wyglądało na to, że ani Kensit, ani Pearson nic nie zdziałali.

Weddell złapał kabel dwoma rękami i szarpnął. Przewód nie ustąpił. Zaparł się stopami o obrotową podstawę czaszy i pociągnął tak mocno, że zabolały go mięśnie.

Kabel nagle puścił wśród snopa iskier i Weddell się przewrócił.

Uniósł się i zobaczył, że przewód jest całkowicie wyrwany z anteny. Nie było mowy, żeby nadal nadawała.

Rozbryzgi spienionej wody od dziobu wskazywały, że robią już dobre dwadzieścia węzłów. Powinni być daleko od miejsca uderzenia drona.

Weddell wrócił do obserwacji bezzałogowca, żeby móc powiedzieć inspektorom, gdzie spadł. Ale ku jego przerażeniu dron wciąż korygował kurs.

Nadal celował prosto w nich i był najwyżej pięć sekund lotu od łodzi.

Weddell się poderwał, żeby wyskoczyć za burtę, ale o wiele za późno. Czas jakby stanął, kiedy dron uderzył w łódź i eksplodował.

W ostatniej chwili życia, zanim pochłonęła go kula ognia, Frederick Weddell nie myślał o żonie ani o matce, ani o swoim owczarku niemieckim Bandycie. Koncentrował się na tym, że to zdarzenie nie było wypadkiem, i zastanawiał się, kto go zabił.

Rozdział 2

Kapitan portu Manuel Lozada pokręcił głową z niedowierzaniem, kiedy jego łódź zbliżyła się do rdzewiejącego statku. Miał przeprowadzić na nim inspekcję przed rozładunkiem w dokach Guanty. Osłonił oczy przed zachodzącym słońcem, żeby lepiej widzieć. Zielone plamy na kadłubie wydawały się z daleka kamuflażem do rejsu przez dżunglę. Z bliska zobaczył, że to po prostu partackie malowanie. Różne odcienie rzygotliwej zieleni naniesiono byle jak na burty, żeby pokryć gołe miejsca. Nawet świeższa farba już się łuszczyła.

Gdy jego łódź mijała rufę o przekroju szampanki – jedyną elegancką część potwornie brzydkiego statku – Lozada odczytał napis „Dolos" na pawęży.

Liberyjska bandera powiewała na flagsztoku, co zgadzało się z jego informacją, którą uzyskał samodzielnie.

Statek był duży – miał sto siedemdziesiąt metrów długości – ale nie mógł się równać z ogromnymi supertankowcami w terminalu paliwowym Pamatacual zaledwie pięć mil morskich dalej. „Dolos" nie był kontenerowcem, lecz raczej starym trampem do transportu towarów między mniej znaczącymi portami świata. Wyglądał, jakby powinien trafić na złomowisko w ubiegłym wieku. Lozada nie byłby zaskoczony, gdyby nawet podczas niezbyt silnego wiatru stara łajba przełamała się na pół i poszła na dno.

Dwa z pięciu żurawi statku skorodowały tak, że z pewnością nie działały. Śmiecie i zepsute urządzenia walały się na pokładzie. Czarny dym buchał z dwóch kominów. Brudna biała nadbudowa mieściła się między sześcioma dziobowymi i dwiema rufowymi ładowniami. Dwa skrzydła mostka sterczały z niej po obu stronach. Szyby sterowni były tak zapaskudzone, że Lozada widział miejsce, które wytarł pilot, żeby przez nie patrzeć podczas pięciomilowej drogi do portu.

Lozada służył w wenezuelskiej marynarce wojennej dwadzieścia lat. Pozostał rezerwistą, kiedy objął funkcję kapitana portu. Przeciągnęliby go pod kilem, gdyby dopuścił do takiego zaniedbania statku pod swoją opieką. Tylko najtańsi i najbardziej zdesperowani armatorzy powierzyliby ładunek załodze takiego frachtowca.

Pokazał sternikowi łodzi, żeby podpłynął do sfatygowanej schodni opuszczonej z „Dolosa". Potem odwrócił się do siedzącego za nim mężczyzny, byłego żołnierza chińskiej piechoty morskiej nazwiskiem Gao Wangshu. Ostrzyżony na rekruta, szczupły, muskularny Gao wciąż wyglądał na wojskowego.

– I co? – zapytał Lozada po angielsku, bo w tym języku się porozumiewali.

Admirał wybrała go do tego zadania i chciała mieć definitywną odpowiedź.

– Jeszcze nie wiem – odrzekł Gao.

– Nie mogę złożyć meldunku admirał, dopóki nie będzie pan pewien. Pańska zapłata zależy od tego.

– Nie upewnię się, dopóki nie wejdę na pokład.

– Tak czy owak, lepiej, żeby pan miał rację.

– To groźba?

– Ostrzeżenie. Admirał Ruiz nie lubi wychodzić na głupią.

Gao spojrzał na pistolet Lozady i skinął wolno głową.

– Podzielę się z panem wszelkimi wątpliwościami co do identyfikacji.

– Niech pan nie zapomni o tym i pamięta, że udaje pan praktykanta. Co oznacza, że pan milczy.

– Rozumiem.

Kiedy łódź przycumowano do „Dolosa", wspięli się obaj po schodni. Na górze czekał niechlujny załogant w znoszonym kapeluszu kowbojskim. Kosmyki brązowych włosów wystawały na wszystkie strony spod ronda, resztki jedzenia tkwiły w sumiastych wąsach pod kartoflanym nosem. Plamy z kawy i potu widniały na koszuli khaki, którą rozsadzał wielki bebech.

– ¿Habla Español? – zapytał Lozada.

– Nie – zaprzeczył nosowo mężczyzna. – Mam nadzieję, że pan mówi po angielsku.

– Nazywam się Manuel Lozada. Jestem kapitanem portu w Guancie. Proszę mnie zaprowadzić do kapitana.

Mężczyzna pokazał w uśmiechu pociemniałe od nikotyny zęby.

– Ma go pan przed sobą. Buck Holland jestem. Witam na pokładzie „Dolosa".

Wyciągnął rękę i potrząsnął energicznie dłonią Lozady.

Lozada ledwo mógł powstrzymać zaskoczenie, że ten flejtuch dowodzi statkiem. Ale otrząsnął się szybko i przedstawił Gao jako praktykanta, Fernanda Wanga. Nie przypuszczał, żeby rasa Gao wzbudziła podejrzenia, bo w Wenezueli mieszka wielu Chińczyków.

– Muszę przejrzeć listę pańskiej załogi i manifest okrętowy oraz rejestrację i zlecenia spedycyjne.

– Proszę bardzo – odrzekł Holland. – Są na mostku. Za mną. Uwaga na nogi. Mamy kilka płyt pokładu do naprawienia.

Lozada omal się nie roześmiał na to niedomówienie. Rdza tak przeważała na zwichrowanych stalowych płytach, że statek tylko cudem trzymał się kupy, niezależnie od pogody. Łańcuchy wypełniały przerwy w relingach, a nadbudowa wyglądała jeszcze bardziej przerażająco z bliska. Przyśrubowana gnijąca sklejka zasłaniała dziury w przegrodach, jedna trzecia szyb w sterowni popękała.

Mimo swoich informacji o kapitanie Lozada nie spodziewał się aż takiego zaniedbania, nie tylko statku, ale również jego

27

samego. Choć Holland miał czterdzieści lat, picie i słońce dodały piętnaście jego twarzy. Według akt kapitan leczył się z alkoholizmu i osiadł kontenerowcem na mieliźnie blisko Singapuru. Potem mógł już tylko dowodzić zdezelowanym trampem. Sądząc po jego wyglądzie, przestał zupełnie dbać o swoją reputację.

Weszli w wąski korytarz i Lozadę uderzył smród – mieszanina dymu papierosowego, spalin dieslowskich i ścieków. Zakrztusił się.

– No właśnie – odezwał się Holland. – Przepraszam za ten zapach. Kibel znów się zapchał, więc mam nadzieję, że nie będziecie musieli korzystać z niego. Moi chłopcy pracują nad tym. Wiecie, dwa tygodnie temu na środku Atlantyku musieliśmy używać wiader.

Zamiast być zażenowany, roześmiał się na to wspomnienie.

Lozada stłumił pokusę zatkania nosa i poszedł dalej za kapitanem. Gao trzymał się obok niego i przyglądał obskurnemu wnętrzu. Poodrywane linoleum piszczało pod gumowymi podeszwami Lozady. Uważał, żeby nie otrzeć się czystym mundurem o brudne gołe metalowe ściany. Świetlówki w górze migotały tak, że mogły wywołać epilepsję.

Doszli do biura kapitana, gdzie cuchnęło jeszcze bardziej. Prostokątna kabina miała jeden bulaj pokryty solą. Odrażające smutne błazny namalowane neonowymi kolorami na czarnym aksamicie patrzyły na nich ze ściany.

W biurze było jeszcze dwoje otwartych drzwi. Jedne prowadziły do kajuty kapitana z przymocowaną do ściany komodą, lustrem popękanym tak, jakby ktoś walnął w nie pięścią, i niepościeloną metalową koją z odbarwioną pościelą i starym kocem.

Za drugimi drzwiami była ciasna łazienka. Wyglądała, jakby nikt jej nie czyścił od zwodowania statku. Odór z toalety aż dławił.

Holland wszedł za biurko i klapnął na fotel, który zatrzeszczał w proteście. Lozada patrzył ze zdumieniem, jak kapitan wtyka gołe przewody lampy w ścianę. Holland zaklął i cofnął rękę, kiedy iskry wystrzeliły z gniazdka. Ale żarówka się zaświeciła.

– Spocznijcie – zaprosił kapitan i wskazał dwa krzesła po drugiej stronie biurka. Lozada usadowił się na brzegu siedziska, żeby uniknąć kontaktu z lśniącą plamą niewiadomego pochodzenia. Gao zmałpował jego niewygodną pozycję.

Zanim zdążyli zacząć, wielki czarnoskóry facet wpadł do kabiny. Trzymał za ogon ogromnego szczura, czym przestraszył Lozadę i Gao.

– Znalazłem go, kapitanie! – krzyknął zwycięsko.

– To on zapchał kibel?

Załogant przytaknął.

– Teraz kanalizacja powinna działać.

– Rozstaw więcej pułapek, dopóki tu jesteśmy. Łazimy między nimi jak wariaci.

Kiedy Holland był zajęty szczurem, Lozada ukradkiem zrobił mu zdjęcie swoją komórką.

– Tak jest.

Załogant zniknął tak szybko, jak się pojawił.

– Przynajmniej coś idzie dziś jak trzeba – powiedział Holland, gdy grzebał w biurku.

Wyjął dwa segregatory, jeden z manifestem okrętowym i zleceniami spedycyjnymi, drugi z rejestracją i listą załogi. Lozada zaczął od przejrzenia informacji o ładunku.

– Tu jest napisane, że transportuje pan nawóz.

Holland przytaknął, wziął wykałaczkę z biurka i włożył ją do ust.

– Zgadza się. Pięć tysięcy ton z Houston. Tylko tysiąc jest dla Wenezueli. Reszta dla Kolumbii. Zabieramy stąd tarcicę.

– Jest pan nowy w Puerto La Cruz. Nie widziałem pana wcześniej.

– Pływam tam, gdzie mnie wysyłają za pieniądze. Zwykle są to północne Karaiby, ale cieszę się z wizyty w pańskim pięknym kraju dla odmiany.

Zadowolony, że informacje o ładunku są w porządku, Lozada wziął listę załogi. Nic się nie wyróżniało. Marynarze stanowili mieszaninę Filipińczyków i Nigeryjczyków. Liberyjska rejestracja też się zgadzała.

Podał segregatory Gao, który je przejrzał i położył na biurku.

– Jak to wygląda? – spytał Holland.

– Niestety, nasi dokerzy są bardzo zajęci dziś w nocy – odrzekł Lozada. – Nie wiem, czy będą mieli czas zająć się pańskim ładunkiem do jutra.

Holland uśmiechnął się szeroko.

– Może potrafię to zmienić.

Otworzył szufladę, wyciągnął kopertę i wręczył ją Lozadzie.

– To powinno pokryć nadgodziny.

Lozada przerzucił pieniądze w środku i naliczył pięćset dolarów amerykańskich. Choć miał tu do wykonania zadanie, nie było sensu marnować okazji do wzięcia łapówki.

– Gra? – zapytał Holland.

Lozada zerknął na Gao.

– Zobaczył pan to, co pan chciał?

Gao skinął głową.

Lozada schował kopertę do kieszeni i wstał.

– Wszystko wydaje się w porządku, kapitanie Holland. Może pan zacząć rozładunek natychmiast.

– To bardzo miło z pana strony, panie Lozada. Odprowadzę panów.

Wrócili do schodni.

– Miło robić z panem interes – powiedział Holland i uchylił kapelusza. – A teraz proszę mi wybaczyć, ale czekam na okazję skorzystania z toalety od wielu godzin, jeśli pan wie, o co mi chodzi. *Adiós*.

Lozada nie mógł się doczekać opuszczenia tego gnijącego bałaganu. Uśmiechnął się lekko i skinął głową na pożegnanie. Kiedy zeszli bezpiecznie z powrotem do jego motorówki i znów mógł oddychać świeżym powietrzem, wzruszył ramionami do Gao.

– Przynajmniej wiemy teraz, że to nie ten – stwierdził, gdy sternik odpływał.

– Myli się pan – odparł Gao. – To statek, którego szukacie.

Lozada spojrzał na niego ze zdumieniem. Potem podniósł wzrok na odrażającego kapitana, który wracał do swojej kajuty.

– Pan żartuje! To coś nie nadaje się nawet na barkę do śmieci.

– Wszystko jest sprytnie zamaskowane. Byłem już na tym statku.

– Niech pan posłucha, wszyscy znamy pogłoski. Normalnie wyglądający statek towarowy najeżony bronią, który jest używany do szpiegowania państw na całym świecie. Jedni mówią, że brytyjski, inni, że amerykański lub rosyjski. Nikt nie zna jego nazwy. Nie ma zgodności, jak on wygląda. Mamy tylko niejasne opowieści z drugiej ręki o jego walkach z chińskimi niszczycielami, irańskimi okrętami podwodnymi i birmańskimi kanonierkami. Przypuśćmy, że ma pociski rakietowe, torpedy i lasery. Że ma pancerz o grubości metra i może go zniszczyć tylko wybuch jądrowy. Czy ta żałosna kupa złomu wygląda panu na okręt wojenny?

Gao miał śmiertelnie poważną minę.

– Nie widziałem żadnych torped ani laserów, ale stacjonowałem na pokładzie niszczyciela „Chengdo” i byłem jednym z marines wysłanych na ten statek, żeby go zdobyć. Zostaliśmy odparci przez dobrze wyszkolonych ludzi z najnowszą bronią.

Lozada się roześmiał.

31

– Mógłbym tu wrócić z dwoma policjantami i zająć ten statek bez problemu.

– Nie radzę. Pańska admirał ma informacje, których pan nie zna. Proponuję, żeby pan zameldował o moich wnioskach.

Lozada zmrużył oczy.

– Dlaczego mam panu wierzyć?

– Wie pan, co znaczy nazwa tego statku, „Dolos"?

– Oczywiście. „Dolos" to betonowy blok. Budujemy z nich falochrony.

– Jest jeszcze inne znaczenie. Poszukałem w moim telefonie w drodze tutaj. Dolos to grecki bóg podstępu. Ma pan myśleć, że jest nieszkodliwy.

Lozada sprawdził w swoim smartfonie i zobaczył taką samą informację. Zmarszczył brwi. Dowód był marny, ale mógłby wpaść w poważne kłopoty, gdyby nie złożył meldunku admirał Ruiz, a potem by się okazało, że popełnił błąd.

– Dobrze – odparł i wybrał numer, który dostał.

Poprosił admirał Ruiz i został natychmiast połączony. Wyraźny syk rozległ się na linii, zanim usłyszał kliknięcie.

– Admirał Dayana Ruiz – powiedział po hiszpańsku kobiecy głos. – Kto mówi?

– Pani admirał, tu komandor Manuel Lozada – odrzekł nerwowo. – Señor Gao potwierdza, że to ten okręt szpiegowski.

– A co pan sądzi?

– Myślę, że to tylko statek towarowy, który pójdzie na dno po dwóch następnych rejsach.

– Sfotografował pan kapitana, jak kazałam?

– Tak, pani admirał.

– Niech pan mi przyśle zdjęcie, teraz.

Lozada wykonał polecenie.

– To on – oznajmiła po krótkiej przerwie. – Holland to ten sam człowiek, co na moim zdjęciu. Mamy informacje wywiadowcze identyfikujące go jako dowódcę okrętu szpiegowskiego.

Lozada poczuł przypływ adrenaliny. Admirał Ruiz była najpotężniejszą kobietą w wenezuelskiej marynarce wojennej i następną w kolejce do stanowiska ministra obrony. Mógłby stać się panem sytuacji, gdyby złapał zagranicznego szpiega.

– Każę ich od razu aresztować.

Jej głos ukłuł go przez słuchawkę jak szpikulec do lodu.

– Nie będzie pan nic robił, komandorze. Jestem na pokładzie fregaty „Mariscal Sucre". Jesteśmy w tej chwili trzy i pół godziny od Puerto La Cruz. Jeśli pogłoski są prawdziwe, będziemy potrzebowali całej siły ognia w mojej dyspozycji. Planuję zatrzymać tamten statek osobiście.

Lozada przełknął z trudem ślinę, słysząc jej mrożący krew w żyłach ton.

– Muszę panią ostrzec, pani admirał, że „Dolos" transportuje cztery tysiące ton nawozu. Saletra amonowa jest lotna. Jeśli ostrzał wywoła pożar, może nastąpić wybuch, który zniszczy cały port.

– Kiedy on ma odpłynąć?

– Za cztery godziny.

– Więc się zaczaimy poza portem. Niech zabierze swój ładunek i wyjdzie w morze. Przechwycimy go na otwartych wodach.

– A jeśli oni rzeczywiście mają to całe mityczne uzbrojenie na pokładzie?

– Nieważne. „Mariscal Sucre" jest aż nadto zdolna go zatopić.

Rozdział 3

Kiedy się upewnił, że Lozada nie pojawi się ponownie po większą łapówkę, człowiek podający się za kapitana Bucka

Hollanda wrócił do swojego biura. Położył na biurku kapelusz i perukę, odsłaniając krótkie blond włosy.

– Okej, Max – powiedział w przestrzeń, gdy zdejmował z twarzy lateksową charakteryzację. – Chyba jest czysto. Możesz zamknąć zawory zapachowe.

Ciche wentylatory się włączyły i natychmiast wyssały smród z kabiny. Zastąpiła go świeża sosnowa woń.

– Podoba ci się moja nowa mieszanka? – zapytał głos niewidocznego Maksa.

Następnie zniknęły sztuczne zęby i przyklejone wąsy.

– Nie użyłbym słowa „podoba". Jeśli miałeś na celu łzawienie oczu, to przeszedłeś przez to prosto do wywoływania wymiotów. Jestem zaskoczony, że kapitan portu nie zwrócił obiadu.

– Ale zadziałało, nie?

Ostatnie usunął brązowe kontakty. Jego oczy znów były niebieskie, co odziedziczył po matce. Juan Cabrillo uśmiechnął się.

– Wygląda na to, że kupił tę historyjkę. Do zobaczenia w mojej kabinie za kilka minut.

Wrzucił przebranie – łącznie z gumowym brzuchem zasłaniającym muskularny tors, który zawdzięczał godzinie pływania dziennie – do worka na śmieci. Nie zamierzał już tego używać.

Czarnoskóry mężczyzna, który wtargnął podczas spotkania, wrócił ze szczurem. Tym razem trzymał go mniej ostrożnie. Rzucił go na pokład i zwierzę odbiło się od ściany. Wypchany szczur wyglądał tak prawdziwie, że Juan potrafił sobie wyobrazić, jak ożywa i ucieka.

– Nie przepadasz za szczurami, Linc? – zapytał Juan.

Celowo uniknął implikacji, że były komandos Navy SEAL boi się ich. Jeśli potężnie zbudowany Franklin Lincoln czegoś się obawiał, to Juan nie chciał się z tym czymś spotkać.

Linc się uśmiechnął.

– Żartujesz? W Detroit nazwalibyśmy takiego myszą. Nasze miały prawie wielkość szopów.

– To mogły być wspaniałymi zwierzątkami domowymi.

– A jak myślisz, skąd wziąłem dla niego imię Charlie?

Juan się roześmiał i spojrzał na zegarek.

– Mamy odpłynąć, jak tylko wyładują nasz nawóz, za trzy godziny.

Poszedł pierwszy korytarzem i zatrzymał się przy małym schowku na mopy i środki czystości, których nigdy nie używano.

– Jaki jest status naszego sprzętu?

– Wszystko gotowe.

– Dobra. Zamelduję się Maksowi i spotkamy się przy basenie zanurzeniowym.

– Okej, prezesie.

Linc poszedł dalej korytarzem, nucąc *(Sittin' On) The Dock of the Bay* Otisa Reddinga.

Juan obrócił krany nad nieczynnym zlewem w specyficzny sposób. Tylna ściana otworzyła się szeroko z ostrym trzaskiem. Za nią biegł korytarz godny najlepszego statku wycieczkowego. Łagodny blask wbudowanego oświetlenia padał na mahoniowe ściany i gruby dywan, dalekie od rdzy i brudu, które widział kapitan portu. Juan przeszedł przez otwór i poszedł korytarzem do swojej kabiny.

Zawsze lubił przejście z pozornie rozpadającej się góry do lśniącego eleganckiego świata pod pokładem. Symbolizowało wszystko, co kochał w tym statku. Choć na pawęży widniała teraz nazwa „Dolos", tu na dole zawsze używał prawdziwej – „Oregon".

„Oregon" był dziełem Juana. Prezes stworzył statek, który nie tylko nie będzie zwracał uwagi, ale będzie wręcz odpychał. Niewielu wiedziało o cudach techniki ukrytych w pozornie zniszczonym kadłubie. Ten podstęp czynił go praktycznie niewidocznym w portach Trzeciego Świata.

W rzeczywistości był to supernowoczesny okręt wywiadowczy czwartej generacji. Docierał tam, gdzie nie mogły okręty wojenne marynarki Stanów Zjednoczonych. Wpływał do portów zamkniętych dla większości statków handlowych i transportował tajne ładunki bez wzbudzania podejrzeń.

Juan wszedł do swojej kabiny, która była przeciwieństwem tego, co widział Lozada. Jak wszyscy członkowie jego załogi, miał dużą swobodę w urządzaniu wnętrza według własnego gustu, bo służyło mu za dom. Teraz przypominało klub Rick's Café Américain z filmu *Casablanca*.

Juan zrzucił swój kostium i odczepił sztuczną nogę przymocowaną poniżej kolana. To kalectwo zawdzięczał ostrzałowi artyleryjskiemu z chińskiego niszczyciela „Chengdo". Pomasował kikut, ale jak zwykle ból fantomowy nie ustąpił. Doskoczył do szafy i ustawił protezę na końcu rzędu innych, które służyły różnym celom, jedne kosmetycznym, inne praktycznym. Ta zdjęta wyglądała jak prawdziwa noga, miała paznokcie i owłosienie.

Wybrał protezę, którą nazywał „nogą bojową", i przyczepił ją. Unikatowa tytanowa konstrukcja mieściła zapasową broń: klasycznego colta .45 acp defender z laserowym wskaźnikiem celu – dokładną i niezawodną nową wersją z jego starego kel-teca .380 – oraz ładunek plastiku wielkości talii kart i ceramiczny nóż do rzucania. W pięcie była ukryta krótkolufowa strzelba załadowana jednym nabojem kaliber .44.

Po przymocowaniu nogi wciągnął spodenki pływackie, termoaktywną koszulkę pływacką i buty do płetw dla wygody.

Wszedł do biura i otworzył dziewiętnastowieczny sejf kolejowy, gdzie trzymał osobiste uzbrojenie. Większość broni ręcznej na „Oregonie" przechowywano w centralnej zbrojowni sąsiadującej ze strzelnicą okrętową, ale Juan wolał mieć własny arsenał. Karabiny, automaty i pistolety dzieliły przestrzeń z gotówką w różnych walutach, złotymi monetami wartości ponad stu tysięcy dolarów amerykańskich i kilkoma woreczkami diamentów.

Juan wybrał swój ulubiony pistolet samopowtarzalny Fabrique Nationale Five-seveN załadowany amunicją 5,7 mm. Pozwalało to zmieścić w chwycie dwadzieścia nabojów plus jeden w komorze. Mimo małej wielkości pociski przebijały większość lekkich osłon balistycznych, ale koziołkowały po trafieniu w cel, co zapobiegało nadmiernej penetracji. Cięższe uzbrojenie nie sprawdziłoby się w czasie tej operacji, choć bardzo chciał wziąć takie ze sobą.

Ktoś zapukał dwa razy i Max Hanley wszedł bez zaproszenia. Główny mechanik „Oregona" był pierwszym człowiekiem, jakiego Juan zatrudnił w Korporacji. Polegał na opinii swojego starego przyjaciela bardziej niż kogokolwiek z załogi. Wianuszek kasztanowych włosów okalał łysą głowę Maksa i jeszcze tylko brzuch zdradzał, że mocno zbudowany wiceprezes Korporacji jest po sześćdziesiątce, odsłużywszy dwie tury w Wietnamie.

– Lozada chyba dał się nabrać na tę całą sprawę – powiedział Max ze zmarszczonymi brwiami.

Widział i słyszał wymianę zdań przez ukryte kamery i mikrofony rozmieszczone gęsto na górnych pokładach.

– Nie wyglądasz na zadowolonego z tego powodu – odrzekł Juan.

– Nie chodzi o Lozadę. Po prostu nie lubię, kiedy jesteśmy rozproszeni tak jak teraz.

– Mimo że większość planu była twoim zwariowanym pomysłem?

– To był twój zwariowany pomysł. Ja tylko wymyśliłem, jak go zrealizować.

CIA podejrzewała, że Wenezuelczycy dostarczają broń Korei Północnej wbrew embargu ONZ-etu. USA nie wiedziały, jak broń jest szmuglowana, ale dostawy korelowały ze znanymi transportami oleju napędowego z Puerto La Cruz do Wŏnsan. Elektroniczny podsłuch zlokalizował magazyn wzdłuż basenu portowego terminalu paliwowego. Od portu w Guancie dzielił go niecały kilometr przez górzysty półwysep i prawdopodobnie był tam punkt koordynacji wysyłek. Korporacja miała za zadanie zdobyć dowody dostaw broni i jednocześnie zadać cios eksportowi paliwa do północnokoreańskich czołgów i transporterów opancerzonych. Juan i Linc zamierzali wykraść dokumenty, pliki komputerowe, zdjęcia – cokolwiek znajdą.

– I twój plan jest świetny – stwierdził Juan. – Bierzmy się do roboty.

Wyprowadził Maksa z kabiny i poszli obok siebie w kierunku śródokręcia. Po drodze mijali dzieła sztuki godne miejsca w wielkich muzeach świata. Juan nie utykał. Lata ćwiczeń doprowadziły do perfekcji jego chód z protezą.

– Mieścimy się w czasie? – zapytał.

– Wszyscy się zameldowali i są gotowi.

– No widzisz? – odparł Juan. – Nie ma się czym martwić.

– Mam stracha, kiedy to mówisz.

– To na szczęście, jak powiedzenie aktorowi: „Złam nogę".

Juan spojrzał w dół na swój metalowy zamiennik.

– Może źle dobrałem słowa.

– Przynajmniej wiem, że nie uszkodzisz mi statku, bo ja będę dowodził, kiedy stąd wyjdziesz.

– Będzie stał przycumowany w basenie portowym, więc ty też nie powinieneś mieć żadnych problemów.

– Po prostu wróć w porę – odparł Max niczym troskliwa kwoka.

– Zawsze tak jest.

– Chyba że uruchamiasz jeden z twoich niesławnych planów C.

Max skręcił i poszedł z powrotem do centrum operacyjnego, skąd mógł koordynować wszystkie działania podczas operacji.

– Powinieneś się niepokoić tylko wtedy – zawołał za nim Juan – kiedy przechodzę do planu D!

Max tylko machnął ręką.

Juan zjechał windą trzy pokłady niżej do ogromnego pomieszczenia w śródokręciu. Pojazd głębinowy wisiał pod suwnicą nad obniżeniem wielkości basenu pływackiego. Woda wypełniała je do poziomu linii wodnej na zewnątrz statku. Dwudziestometrowy nomad 1000 mógł nurkować na trzysta metrów z sześcioma ludźmi na pokładzie, łącznie z dwoma pilotami. Jego młodszy brat, discovery 1000, wykonywał teraz inną część zadania.

Basen zanurzeniowy umożliwiał potajemne wodowanie obu pojazdów głębinowych przez wielkie wrota pod nim, które otwierały się w dół. W porcie było za płytko na ich pełne otwarcie, więc discovery zwodowano, zanim wpłynęli do Guanty. Juan nie potrzebował nomada do tej operacji, więc pojazd miał pozostać w swojej kołysce.

Linc już wkładał czarny neoprenowy mokry skafander. Ich sprzęt nurkowy leżał obok niego. Juan schował swój pistolet do jego wodoszczelnej torby na broń i też się ubrał. Woda w tropikach nie wymagała nurkowania w skafandrach, ale czarny kolor czynił ich niewidocznymi dla przypadkowych obserwatorów w porcie.

Sprawdzili swoje aparaty oddechowe Draegera. W normalnych akwalungach wypuszczaliby pęcherze powietrza ku powierzchni, co zdradzałoby ich trasę. Draegery miały oczyszczacze dwutlenku węgla i pracowały w obiegu zamkniętym. Choć ich używanie poniżej dziewięciu metrów było niebezpieczne, to ograniczenie nie stanowiło problemu w tym wypadku, bo Juan i Linc mieli w nich tylko wypłynąć z „Oregona" niepostrzeżenie.

Juan wiedział, że kapitan portu każe obstawić statek i śledzić każdego, kto się oddali od niego. On i Linc musieli dotrzeć na spotkanie bez ogona, więc pozostawało im tylko nurkowanie.

Linc skinął głową, że jest gotowy. Ze sprzętem na swoim miejscu Juan zszedł po składanych schodach do basenu zanurzeniowego. Włożył płetwy, zacisnął zęby na ustniku aparatu oddechowego i opuścił maskę. Podryfował na środek, Linc za nim. Pokazał „okej" i technik dyżurny przyćmił światło prawie do zera, żeby nikt w porcie nie zauważył, że coś niezwykłego dzieje się pod statkiem.

Juan czuł, jak wciąga go lekki wir, kiedy wrota poniżej otwierały się z przytłumionym dudnieniem. Po kilku sekundach hałas ucichł. Technik zamachał latarką na znak, że szpara we wrotach jest już wystarczająco szeroka, żeby się wydostali.

Wypuścili powietrze z kamizelek ratunkowych i opadli pod kil. Juan włączył latarkę na nadgarstku, wystarczająco jasną, żeby widzieć metalowy kadłub statku w mętnej wodzie portu. On i Linc dopłynęli do rufy, gdzie zgasił latarkę i popatrzył na wodoszczelny kompas na drugim nadgarstku, żeby ich poprowadzić.

Piętnaście minut później złapał Linca za ramię i pokazał mu uniesiony kciuk. Wzniósł się wolno i przebił maską powierzchnię wody, prawie jej nie marszcząc. Pogratulował sobie w duchu. Byli zaledwie dwadzieścia metrów od starego hangaru, który Korporacja wynajęła na miesiąc.

Juan zlustrował otoczenie i stwierdził, że są sami. Żadnych łodzi w pobliżu, droga wzdłuż brzegu pusta. Wybrali część portu, gdzie panował najmniejszy ruch.

Juan i Linc zdjęli płetwy i wypełzli na brzeg. Upewniwszy się, że nic nie nadjeżdża, przecięli biegiem drogę i wśliznęli się do zrujnowanego hangaru.

Zamiast brudnego magazynu na zardzewiały sprzęt i wyposażenie rybackie zobaczyli garderobę jak na planie filmowym. Dobrze oświetlone lustro, blat z makijażem i lateksowymi protezami i krzesło reżyserskie zajmowały jedną stronę hangaru. Dwa szare maskujące mundury wenezuelskiej marynarki wojennej – jeden starszego bosmana sztabowego, drugi kapitana – wisiały na metalowym stojaku.

Humvee w wenezuelskich barwach wojskowych stał po drugiej stronie. Szczupły mężczyzna z gęstą brodą opierał się o niego. Rzucił ręcznik każdemu z nich.

– Jesteście minutę za wcześnie – powiedział Kevin Nixon z szerokim uśmiechem. – Szkoda, że moje aktorki nie były takie punktualne. Często się cieszyłem, jeśli w ogóle przyszły. Trzeźwe.

Kevin był oscarowym charakteryzatorem hollywoodzkim, ale kiedy jego siostra zginęła w zamachu jedenastego września, uznał, że musi wykorzystać swoje umiejętności do walki z terroryzmem. Zgłosił się do CIA, ale dostał dużo bardziej interesującą i ambitną propozycję, gdy go skierowano do Juana i Korporacji. Kevin i jego zespół nie tylko charakteryzowali członków załogi na potrzeby różnych operacji, ale także mieli mundury i inne ubrania ze wszystkich państw świata. Konstruowali też niezwykłe gadżety, korzystając czasem z wiedzy technicznej Maksa przy budowie najbardziej skomplikowanych. To Kevin stworzył poprzednie przebranie Juana, jego nogę bojową i wypchanego szczura.

Normalnie Juan spotkałby się z nim w Magicznej Pracowni na „Oregonie", jak nazywali warsztat, gdzie Kevin realizował swoje zdumiewające projekty. Ale ponieważ Juan musiał wypłynąć wpław ze statku, charakteryzacja zmyłaby się, zanim dotarłby do brzegu. Toteż zawczasu ulokowali Kevina w opuszczonym hangarze z akumulatorami o takiej mocy, żeby nie potrzebował prądu z zewnątrz. Linc przyleciał tydzień wcześniej, ukradł humvee ze zbrojowni marynarki blisko Caracas i schował go w hangarze do wykorzystania dzisiejszej nocy.

Juan zauważył w kącie opakowania po jedzeniu, pięcie achillesowej Kevina. W pewnym momencie Nixon ważył prawie sto dwadzieścia pięć kilogramów. Ale dzięki bypassowi żołądka i specjalnej diecie kucharza „Oregona" schudł do osiemdziesięciu czterech.

– Mam nadzieję, że uważałeś z miejscową kuchnią – powiedział do niego Juan. – Nie ma to jak zemsta Montezumy, żeby mieć nieprzyjemny rejs.

Linc pomasował brzuch.

– Wiem coś o tym. Mam nadzieję, że nigdy nie wrócę do Mozambiku.

– Tylko butelkowana woda i paczkowane jedzenie dla mnie – odparł Kevin. – Siadaj. Mamy robotę.

Przez część poprzedniego tygodnia w Wenezueli Linc obserwował z daleka podejrzany magazyn. Duże zakryte ciężarówki wjeżdżały tam dzień i noc, zapewne z bronią. Teren chroniło ogrodzenie z drutu ostrzowego i dobrze strzeżona wartownia. Strażnicy robili obchody losowo, kamery monitorowały basen portowy i parkan, co wykluczało potajemną infiltrację.

Pozostawał tylko wjazd bramą frontową. Linc dwa razy widział, jak robił to ten sam kapitan. Zdjęcia z aparatu z teleobiektywem trafiły do CIA; tam zidentyfikowano go jako Carlosa Ortegę. Większość czasu spędzał w głównej bazie morskiej w Puerto Cabello, gdzie przebywał teraz. Choć przypominał Juana wzrostem i budową, różnili się wyglądem. Juan był gładko ogolonym blondynem, Ortega miał bardziej smagłą cerę, ciemne włosy, krzaczaste brwi, brązowe oczy, przystrzyżone wąsy i nos, który wyglądał na złamany.

Kevin musiał się tym zająć. Dostał od Linca kilka zdjęć Ortegi i przykleił je do lustra. Miał przeistoczyć Juana w kapitana wenezuelskiej marynarki wojennej.

Juan się wysuszył i usiadł na krześle. Linc podszedł do humvee, żeby się upewnić, że wóz jest sprawny. Musieli wrócić nim szybko do „Oregona", kiedy skończą rozpoznanie.

Normalnie Kevin słuchałby przy pracy relaksowej muzyki alt-rockowej, ale niezwykła lokalizacja wymagała ciszy, żeby nie zwracać na siebie uwagi. Wprawnym dotknięciem przykleił lateksowy nos, wplótł krzaczaste brwi i nałożył makijaż na twarz Juana. Ostatnimi akcentami były brązowe kontakty i czarna peruka. Kiedy skończył, Juan doznał dziwnego uczucia, że ktoś obcy patrzy na niego z lustra.

– Wspaniała robota, Kevin, jak zwykle – pochwalił. – Nie poznaję się.

Linc, już w mundurze marynarki, z pistoletem i przewieszonym przez ramię karabinem szturmowym FN FAL, poklepał Kevina po ramieniu.

– Super! Nie wiem, czy mu salutować, czy polecić chirurga plastycznego do tej paskudnej gęby.

– Nie słuchaj go – powiedział Kevin. – Wyglądasz doskonale, skoro sam to sobie mówię. Przymierz mundur.

Juan włożył uszyte na miarę ubranie i czapkę. Linc i Kevin przyjrzeli mu się.

– Jesteś jakieś trzy, cztery centymetry wyższy od Ortegi – ocenił Linc – ale wątpię, żeby ktoś to zauważył.

– Więc jesteśmy gotowi – odrzekł Juan. – Znów przeszedłeś samego siebie, Kevin.

– Wygląda na to, że skończyłem robotę tutaj – stwierdził Nixon i zaczął pakować kosmetyki. – Wrócę na „Oregona", jak tylko wyruszycie.

Miał zostawić mniej poręczne rzeczy i pójść pieszo. Choć Wenezuelczycy obserwowali, czy ktoś opuszcza statek, nie przeszkodziliby Kevinowi wejść na pokład, zwłaszcza że miał wszystkie dokumenty, żeby dołączyć do załogi.

Ponieważ Linc grał niższego stopniem, musiał być kierowcą. Wsiedli do humvee i Kevin otworzył wrota hangaru. Linc odpalił silnik i wytoczył się na drogę.

Nie mieli daleko. Dwie minuty jazdy dzieliły ich od magazynu i basenu portowego.

Kiedy dotarli do wartowni, strażnik z karabinem szturmowym takim jak Linca zatrzymał ich gestem za opuszczonym szlabanem. Drugi żołnierz stanął za nim. Pierwszy podszedł i zasalutował na widok insygniów i twarzy Juana.

Juan odpowiedział tym samym i wręczył mu identyfikator, który Kevin sfałszował dla niego. Choć strażnik najwyraźniej go poznał, kontrola była wymagana.

Żołnierz oddał dokument i pokazał koledze, żeby otworzył bramę.

– Witamy z powrotem, panie kapitanie – powiedział. – Porucznik Dominguez jest w biurze ochrony.

Wskazał drzwi na rogu magazynu, jakby nie miał żadnych wątpliwości, po co przyjechali. Wielkie wrota garażowe były zamknięte, żaden blask nie sączył się spod nich. Oprócz lamp łukowych wokół kompleksu paliły się tylko światła na pokładzie ogromnego tankowca za magazynem. Robotnicy uwijali się przy statku. Łączyli rury, żeby napełnić ładownie ropą z pobliskiej rafinerii, jednej z największych w Wenezueli.

Juan po hiszpańsku rozkazał strażnikowi zachować w tajemnicy ich przyjazd i Linc ruszył.

– Więc mamy gospodarza – odezwał się Juan. – A liczyliśmy, że tylko szkieletowa załoga będzie o tej porze wieczorem.

– Wiesz, co mówią – odrzekł Linc. – Żaden plan nie wytrzyma kontaktu z wrogiem.

– To prawda, ale miałem nadzieję, że ten przetrwa dłużej. Może będziemy musieli działać szybciej, niż się spodziewaliśmy. Idź za mną i pamiętaj, że ja mówię.

44

Linc się roześmiał. Juan znał biegle hiszpański, arabski i rosyjski, a on tylko angielski. Używając parabolicznego mikrofonu podczas inwigilacji, nagrał dość mowy Ortegi, żeby Juan zdążył się nauczyć naśladować intonację, ton i akcent Wenezuelczyka. Choć Juan mówił po arabsku tylko z saudyjskim akcentem, potrafił łatwo dostosować swój hiszpański do każdego akcentu w Ameryce Południowej i Łacińskiej.

Ale charakteryzacja i zachowanie miały zmusić do posłuchu marynarzy i podoficerów. Jeśli ten porucznik znał Ortegę bardzo dobrze, to zdemaskowanie przebierańca było tylko kwestią czasu.

Linc zaparkował przed drzwiami biura magazynu obok innego humvee.

Wysiedli i Linc zawiesił karabin na ramieniu w możliwie najmniej groźny sposób. Widok żołnierzy i marynarzy z karabinami szturmowymi był powszechny w Ameryce Południowej, więc adiutant kapitana Ortegi nie różnił się od nich.

Juan otworzył gwałtownie drzwi, tak jak zapamiętał z wideo Linca, i wmaszerował do biura. Zaskoczył czterech mężczyzn, trzech siedzących za biurkami i jednego przed monitorami. W radiu leciał mecz piłkarski.

Odwrócili się jednocześnie w kierunku przybyłych i radio ucichło. Wszyscy zerwali się z miejsc i wyprężyli na baczność.

Juan obrzucił grupkę spojrzeniem i zatrzymał wzrok na marynarzu z naszywkami porucznika na naramiennikach.

– *¡Teniente Dominguez!* – zagrzmiał. – *¿Cuál es el significado de está?*

Co to ma znaczyć?

Skarcony oficer wytrzeszczył oczy ze strachu. Nie zdradzał żadnych oznak, że głos Juana zabrzmiał inaczej niż Ortegi.

– Panie kapitanie, myślałem, że pan jest w Puerto Cabello.

– Tak miał pan myśleć. Widzę, że muszę przeprowadzać takie inspekcje częściej. Wbrew pańskiemu błędnemu przypuszczeniu nie jest pana patriotycznym obowiązkiem słuchanie, jak nasza drużyna narodowa gra z Argentyną. Szybko – ilu ludzi jest na służbie dzisiejszej nocy?

Dominguez wręcz wypluł odpowiedź.

– Ja i dziesięciu marynarzy. Nas czterech tutaj, dwóch w wartowni, trzech na patrolu i dwóch na straży ładunku.

– Tylko dwóch w magazynie?

Dominguez się zawahał.

– Nie mam nikogo w magazynie. Mogę postawić tam kogoś, jeśli wyda pan taki rozkaz, panie kapitanie, ale ponieważ jest pusty, nie widziałem potrzeby.

– Rozumiem – odrzekł Juan. Ale nie rozumiał. Jeśli ładunku nie było w magazynie, to gdzie był?

– Mamy informacje wywiadowcze, że szpiedzy mogą próbować zdobyć informacje o kompleksie. Chcę, żeby dwóch z tych ludzi dołączyło do straży.

Dominguez nie zawahał się tym razem.

– Słyszeliście pana kapitana! – krzyknął do dwóch mężczyzn. – Ruszać się!

Marynarze chwycili karabiny, włożyli czapki i wybiegli. Został tylko ten przy monitorach.

– Wracajcie do pracy, marynarzu! – rozkazał mu Juan i mężczyzna klapnął na krzesło.

Juan przeniósł spojrzenie z powrotem na porucznika.

– Niech pan mi pokaże ładunek.

– Panie kapitanie, mam zakaz.

– Kto go wydał?

– Admirał Ruiz.

– Pokaże nam pan ładunek albo zameldują, że nie wykonał pan rozkazu przełożonego.

Dominguez znów się zawahał.

– Dostałem bardzo wyraźne rozkazy.

– Jego rozkazy są nieistotne. Taki jest cel niezapowiedzianej inspekcji.

Juan potrafił doskonale odczytywać wyraz ludzkich twarzy. Zorientował się, że powiedział coś nie tak.

Ramię Domingueza zaledwie drgnęło, ale Juan wyczuł, że porucznik próbuje być bohaterem. Juan wyciągnął pistolet i wycelował Dominguezowi między oczy, zanim porucznik zdążył dotknąć swojej broni. Linc zadziałał jeszcze szybciej, obracając karabin jednym płynnym ruchem.

Dominguez zamarł, potem powoli podniósł ręce. Linc go rozbroił, obszukał i pokazał, że jest czysty. Marynarz, który obserwował całą scenę bez ruchu, zelektryzowany, cofnął się pod ścianę ze swoim dowódcą.

– Ani słowa – ostrzegł Juan. – Obaj.

Przytaknęli wolno.

– Skąd wiedziałeś? – zapytał Juan.

– Admirał to kobieta – odparł Dominguez. – Użył pan słowa „jego", kiedy pan mówił o jej rozkazach.

Juan pokręcił głową. Gra w procenty. Nie wiedział, ile kobiet admirałów jest w wenezuelskiej marynarce, ale nie mogło być ich więcej niż garstka. Tym razem nie trafił.

– Co on powiedział? – zapytał Linc.

– Admirał dowodzący tą operacją jest kobietą. Muszę zapamiętać, żeby ją sprawdzić, jak wrócimy. Miej go na oku, kiedy będę zbierał to, po co przyszliśmy.

Ponieważ Linc nie znał hiszpańskiego, Juan musiał poszukać w aktach i komputerach czegoś istotnego o operacji przemytniczej. Jakby wygrał na loterii, kiedy znalazł laptopa z zaszyfrowanymi danymi. Nie tracił czasu na próby złamania kodu. Nie znał się na tym i się spieszyli. Postanowił zabrać komputer na „Oregona" i zostawić to Murphowi i Ericowi, informatykom Korporacji.

Telefon zaczął dzwonić, ale nie był to jeden z aparatów stacjonarnych. Dźwięczał smartfon. Juan zauważył go pod jakimiś papierami na biurku Domingueza.

Zanim któryś z nich zdążył mu przeszkodzić, porucznik rzucił się po smartfona, porwał go z biurka i roztrzaskał o betonową ścianę.

Linc złapał Domingueza i przycisnął mu lufę karabinu do piersi.

– Nie rób tego więcej, *por favor*.

Juan pozbierał kawałki i upewnił się, że ma kartę pamięci. Cokolwiek tam było, musiało być tak ważne dla młodego porucznika, że zaryzykował życie, żeby to ochronić.

Juan schował laptopa i szczątki telefonu do teczki Domingueza.

– Zobaczmy, czy uda nam się zrobić jakieś ładne zdjęcia – powiedział do Linca.

– A co z nim?

– Hm... Nie sądzę, żeby chciał współpracować – odrzekł Juan i odwrócił się do porucznika. – *¿Dónde está el baño?*

Porucznik wskazał niechętnie drzwi po drugiej stronie pokoju. Skrępowali obu więźniom ręce i nogi plastikowymi opaskami i zakneblowali ich podartymi mundurami. Przywiązali mężczyzn mocno do toalety, Linc zaryglował drzwi od środka i zatrzasnął je.

Zabicie ich byłoby oczywiście łatwiejsze i bezpieczniejsze, ale Korporacja tak nie robiła. Choć praktycznie byli najemnikami, ich kodeks moralny nie dopuszczał zabijania z zimną krwią. Juan stworzył Korporację, żeby walczyć z terrorystami i zabójcami, a nie być nimi.

– Wrócimy tu za dwie minuty – powiedział Juan. – Nikt nie powinien potrzebować kibla przez ten czas.

Linc otworzył pchnięciem jedyne inne drzwi w pokoju i omiótł szybko karabinem pomieszczenie za progiem.

– Czysto – oznajmił. – Dosłownie.

Juan wszedł za nim do głównej części magazynu.

– Nie żartowałeś – stwierdził.

Ogromny magazyn był pusty. Choć betonowa podłoga wyglądała jak poryta glebogryzarką, w hali nie stały skrzynie ani pojazdy. Ale Dominguez wspominał o jakimś ładunku. Coś musiało się za tym kryć.

Juan to zobaczył. W tylnej ścianie magazynu – od strony basenu portowego – były wielkie wrota jak tamte od frontu. Spojrzał w górę i zobaczył, że część sufitu nad wrotami jest podobna do suwnicy nad basenem zanurzeniowym „Oregona". Różnica polegała na tym, że zamiast łodzi podwodnej dźwignica trzymała poziomą blachę do wysuwania przez wrota.

Wielkość arkusza wystarczyła do zasłonięcia piętnastu metrów między magazynem a statkiem przed satelitami szpiegowskimi.

Ale w basenie portowym stał tylko tankowiec o nazwie „Tamanaco".

– Chyba wiem, co tu się dzieje – powiedział Juan. – Rozejrzyjmy się.

Poszli do końca magazynu i wyszli drzwiami obok wrót garażowych.

Juan dopiero z bliska zauważył modyfikację „Tamanaco", i to tylko dlatego, że sam podobnie przerobił „Oregona". Ciemne spojenie wskazywało kontur wielkich drzwi w burcie statku. Broń ładowano na tankowiec, który musiał być przystosowany do transportu sprzętu i paliwa. Nikomu nie przyszłoby do głowy zatrzymanie tankowca, żeby szukać na nim broni objętej embargiem.

Ale wciąż nie mieli dowodu. Jedno spojrzenie do środka i zdobyliby go.

Juan zauważył marynarza na posterunku przy trapie.

– Pociągniemy dalej niezapowiedzianą inspekcję – szepnął do Linca.

– Dla mnie brzmi dobrze.

Minęli marynarza, który zasalutował. Juan oddał salut, ale się nie odezwał. Kiedy byli na pokładzie, zeszli pierwszymi schodami, jakie znaleźli, i napotkali drugiego uzbrojonego marynarza przy drzwiach w przegrodzie.

– Przyszliśmy na inspekcję ładunku – oznajmił Juan. – Otwórzcie drzwi, marynarzu.

Wartownik miał zapewne taki sam zakaz wpuszczania kogokolwiek, ale wolał wykonać rozkaz kapitana.

– Tak jest – odpowiedział i odwrócił się szybko.

Otworzył szeroko drzwi i Juan z Linkiem weszli. Marynarz sięgnął do włącznika i świetlówki rozbłysły.

Ładunek był, ale nie taki, jakiego spodziewała się Korporacja. Wenezuelczyków podejrzewano o dostarczanie rosyjskiej techniki władzom Korei Północnej.

Zamiast tego Juan naliczył dwadzieścia amerykańskich wozów bojowych Bradley i tuzin najnowszych czołgów M1A2 Abrams.

Nie zdążyli zrobić nawet jednego zdjęcia. Bez ostrzeżenia syrena zabrzmiała w stalowym kadłubie tankowca.

Ktoś wszczął alarm.

Rozdział 4

Jak krokodyl zaczajony na ofiarę, łódź podwodna dryfowała na głębokości peryskopowej, gdy supertankowiec płynął ku niej. Dwa frachtowce minęły ją już w odległości niespełna tysiąca metrów. Niewiele statków towarowych miało sonar aktywny, więc łódź podwodna pozostawała niewykryta. Dopóki Linda Ross utrzymywała discovery 1000 pod powierzchnią, zbliżający się stutrzynastotysięcznik „Sorocaima" nie mógł wiedzieć o jej obecności tutaj.

Discovery czuwała na pozycji od czterech godzin, odkąd opuszczono ją z „Oregona" do Morza Karaibskiego pięćdziesiąt mil morskich na północ od wenezuelskiego wybrzeża. Szlak żeglugowy okrążał wyspę Nueva Esparta, a potem skręcał na wschód. To miejsce wybrano dlatego, że leżało wzdłuż uczęszczanej trasy tankowców z Puerto La Cruz na Morze Śródziemne.

Miniłódź podwodna mogła zabrać ośmiu pasażerów na głębokość trzydziestu metrów. Ale teraz była w niej tylko Linda i dwóch mężczyzn za nią, którzy grali w karty. Akcja miała być szybka, toteż więcej ludzi przekradających się na tankowiec zwiększyłoby ryzyko, że zostaną wykryci.

Linda służyła w marynarce wojennej na pokładzie krążownika rakietowego, a potem w Pentagonie, zanim trafiła do Korporacji. Została jej wiceprezesem do spraw operacji i podlegała tylko Juanowi i Maksowi. Drobna figura, zadarty nos i cichy głos przeszkadzały jej kiedyś w karierze. Nie traktowano jej na tyle poważnie, żeby kiedykolwiek powierzyć jej dowodzenie okrętem. Ale zasłużyła na szacunek i zaufanie całej załogi „Oregona" do tego stopnia, że kierowała niektórymi najtrudniejszymi akcjami Korporacji. Miała zwyczaj często zmieniać kolor włosów i dzisiejszej nocy jej długi koński ogon był ognistorudy.

Linda spojrzała na monitor pokazujący obraz z kamery peryskopu. Wzmocnienie blasku księżyca w pełni i gwiazd czyniło z nocy dzień i widziała wyraźnie kontur nadpływającego tankowca. Choć z tej odległości nie mogła odczytać nazwy na burcie statku, nie miała wątpliwości, że to ich cel. Lokalizator, który Linc przymocował do kadłuba podczas swojej wizyty w Puerto La Cruz, nadawał mocny sygnał. „Sorocaima" była o czasie, tylko milę morską od ich rufy.

– Zbliża się, panowie – zakomunikowała Linda.

Marion MacDougal „MacD" Lawless i Mike Trono podnieśli wzrok znad preferansa. Max nazywał ich „psami myśliwskimi", tak jak wszystkich członków zespołu operacji lądowych. Linda od dwóch godzin słyszała wymawiane po cajuńsku okrzyki triumfu MacD i domyślała się, że Mike dostaje baty.

– No i dobrze – powiedział Mike i rzucił swoje karty na stos. – Właśnie zaczynałem kumać, jak ten trep oszukuje.

Jako wiceprezes od operacji Linda znała akta każdego członka załogi. Mike służył w elitarnej jednostce ratowników spadochronowych sił powietrznych. Wiele razy zrzucano go za liniami wroga w Iraku i Afganistanie, żeby ocalił zestrzelonych pilotów. Po odejściu z wojska ścigał się pełnomorskimi motorówkami. Wstąpił do Korporacji, kiedy sobie uświadomił, że tylko operacje w rzeczywistym świecie zapewnią mu odpowiedni przypływ adrenaliny.

– Oszukuje? – odparował MacD z przeciągłym luizjańskim akcentem. – Po co miałbym oszukiwać takiego skrzydłoświra, jak ty? Jestem po prostu dobry.

– Bo życie byłoby naprawdę niesprawiedliwe. Nie możesz być dobry w kartach i wyglądać jak model reklamy bielizny.

Linda musiała się z tym zgodzić. Mike był sympatycznym chudzielcem, MacD zaś, były komandos wojsk lądowych, miał posągową sylwetkę i twarz gwiazdora filmowego. Należał do najnowszych członków załogi. Jego rustykalna nowoorleańska charyzma i refleks w walce oczarowały wszystkich na „Oregonie".

– Mike, ty i ja jesteśmy dwiema stronami tej samej monety – odrzekł MacD.

– Jak to?

– Żaden z nas nie był taki głupi, żeby zostać majtkiem.

Obaj odwrócili się do Lindy, jedynej osoby z marynarki wojennej w miniłodzi podwodnej. Popatrzyli na nią znacząco i wybuchnęli śmiechem. Na „Oregonie" nabijano się z nich, że tylko oni dwaj nie służyli w marynarce, ale teraz mieli przewagę liczebną.

Linda popatrzyła na nich ze stoickim spokojem, ale z błyskiem w oku.

– O to chodzi. Rozkazuję wam skoczyć do morza za karę.

– Tak jest – odpowiedzieli chórem i zaczęli wkładać czarne nocne ubrania – swetry, spodnie, buty, rękawice i czapki. Na końcu pomalowali twarze czarną farbą.

Kiedy się przygotowywali do akcji, Linda włączyła silnik elektryczny i skierowała discovery prosto na kurs „Sorocaimy", która płynęła do północnokoreańskiego portu Wŏnsan.

Tankowiec transportował trzydzieści siedem milionów osiemset tysięcy litrów oleju napędowego do prawie wszystkich pojazdów armii północnokoreańskiej. Przy nałożonym przez większość państw embargu na paliwo i niewielu własnych rafineriach coraz bardziej wojowniczy Koreańczycy północni byli uzależnieni od regularnych dostaw z Wenezueli, której prezydent przyjaźnił się z ich przywódcą. Bez paliwa do diesli siły zbrojne północy zostałyby unieruchomione.

„Oregon" mógłby łatwo zatopić statek nawet wielkości „Sorocaimy", ale operacja była bardziej subtelna. Korporacja odrzucała zatapianie nieuzbrojonych statków i nie brakowało ani tankowców, ani wenezuelskiej ropy, więc w najlepszym razie dostawa tylko by się opóźniła. Toteż Linda, MacD i Mike mieli zepsuć paliwo na pokładzie tankowca, żeby uszkodzić mnóstwo wojskowych pojazdów Korei Północnej.

Z tyłu discovery było sześć pojemników wielkości termosów, po jednym dla każdej ładowni tankowca. Zawierały bakterię wyhodowaną w tajemnicy przez DARPA, Agencję Zaawansowanych Badawczych Projektów Obronnych. Biolodzy zmutowali ją ze szczepu bakterii anaerobowej *Clostridium* i nazwali Corrodium. Rozmnażała się łatwo w oleju napędowym i skażała cały zbiornik. Bezbarwna i bezwonna, mogła być wykryta jedynie w laboratorium.

Podwyższała znacznie temperaturę zapłonu paliwa dieslowskiego, więc silniki się przegrzewały i zacierały. Przy odrobinie szczęścia Corrodium wpuszczona do ładowni „Sorocaimy" mogła zepsuć całą dostawę paliwa dla Korei

Północnej i zniszczyć silniki wszystkich zatankowanych nim pojazdów.

Trudność polegała na dodaniu Corrodium do oleju napędowego bez wykrycia. Gdyby załoga tankowca coś podejrzewała, przetestowałaby paliwo i znalazła problem na długo przed przypłynięciem do Wŏnsan. Kiedy północni Koreańczycy dowiedzieliby się o potencjale skażenia bakteryjnego, badaliby każdy transport oleju napędowego. Linda i jej zespół musieli wykonać zadanie za pierwszym razem, bo nie mieliby drugiej szansy.

Delikatność operacji była też powodem przeprowadzenia jej jednocześnie ze zwiadem prezesa. Gdyby wykonywano je oddzielnie i pierwsza w kolejności nie powiodłaby się, zagroziłoby to powodzeniu drugiej.

Linda miała utrzymywać miniłódź podwodną na pozycji, kiedy MacD i Mike będą się wspinali po burcie tankowca i wpuszczali Corrodium do ładowni rurami na pokładzie statku.

Ale nie mogli się dostać na „Sorocaimę" z miniłodzi w ruchu. Nawet gdyby osiągnęli prędkość statku, manewrowanie discovery obok niego i stabilizowanie jej, żeby wysadzić MacD i Mike'a, groziłoby katastrofą. Musieli zatrzymać tankowiec.

Uszkodzenie „Sorocaimy" w jakikolwiek sposób nie wchodziło w grę. Odholowano by go z powrotem do portu i śledczy mogli odkryć sabotaż. Pozostawało potajemne działanie, które miało dodatkową korzyść. Gdyby północni Koreańczycy obwinili Wenezuelczyków o skażenie, mniej by ufali w przyszłości swoim dostawcom oleju napędowego.

Jak zwykle Max wykorzystał wiedzę techniczną do wymyślenia, jak zastopować tankowiec bez porwania go lub uszkodzenia.

Mechaniczne ramiona discovery trzymały urządzenie wielkości i kształtu trumny. Skrzynia, którą nazwali bijakiem, miała płaskie boki, pleksiglasowe uszczelnienia na końcach i nienapompowaną rurę na wierzchu. Przewód łączył całość z systemem sterowania w miniłodzi podwodnej. Po przymocowaniu skrzyni do kadłuba jej młot obrotowy miał uderzać z każdym obrotem wału śruby.

Żaden kapitan nie lubi awarii silnika na środku oceanu, toteż układy mechaniczne są regulowane i serwisowane tak, żeby pracowały z maksymalną sprawnością. Gdyby główny mechanik usłyszał w maszynowni odgłos uderzeń, których nie można zlokalizować, poleciłby zatrzymać statek i zdiagnozować problem. Oczywiście nie byłoby żadnego problemu w maszynowni i przyrządy pokładowe by to pokazały. Max ocenił, że będę mieli pół godziny, zanim główny mechanik przestanie się obawiać o silniki i znów je odpali.

– Trzymajcie się, chłopaki – uprzedziła Linda. – Schodzimy.

Poruszyła z wprawą dżojstikami, zanurzyła discovery i wymanewrowała tak, że znaleźli się poniżej linii kursowej „Sorocaimy". Szum wody pchanej przez potężny dziób tankowca narastał, aż stał się tak głośny, jakby siedzieli w beczce płynącej ku Niagarze. Dzięki LIDAR-owi, laserowemu systemowi detekcji i określania odległości, który tworzył trójwymiarowy obraz, Linda widziała, jak kadłub tankowca przesuwa się nad nimi niczym szybujący wśród chmur zeppelin.

Kliknęła na włączniku na ekranie i rura na wierzchu bijaka napompowała się tak, że urządzenie uzyskało neutralną pływalność. Wysunęła mechaniczne ramiona i zaczęła cofać discovery, rozwijając przewód sterujący. Zatrzymała się po stu metrach.

Pozycja była idealna. Bijak unosił się sześć metrów pod linią środkową statku.

Ogromna pojedyncza śruba tankowca mieliła wodę. Zbliżała się. Linda musiała to dobrze wyliczyć. Gdyby zadziałała za wcześnie, umieściłaby bijak zbyt daleko od maszynowni w kierunku dziobu, żeby upozorować problem z turbiną. Zadziałałaby za późno – śruba posiekałaby bijak lub tankowiec by go minął. Wtedy miniłódź podwodna nie dogoniłaby statku, żeby spróbować jeszcze raz.

Kiedy ostatnie trzydzieści metrów kadłuba przesuwało się w górze, Linda kliknęła na innym włączniku, który aktywował potężny elektromagnes na bijaku. Stalowy kadłub „Sorocaimy" przyciągnął urządzenie. Głośne uderzenie zasygnalizowało, że bijak przywarł do tankowca i trzyma się mocno zaledwie metr od miejsca, w które celowała Linda.

Przewód wciąż się rozwijał. Kliknęła na trzecim włączniku i młot w środku bijaka zaczął walić. Pchnęła dżojstiki w położenie maksymalnej szybkości discovery, żeby byli możliwie jak najbliżej statku, kiedy stanie.

– Trzymajcie kciuki – powiedziała.

Czekała koszmarnie długo na jakieś oznaki, że tankowiec zwalnia. Tysiąc metrów przewodu już się rozwinęło. Zostały jeszcze trzy tysiące. Potem musiałaby go odciąć.

Następny tysiąc ubył, zanim wreszcie zobaczyła, że tempo odwijania przewodu spadło.

– Dobry stary Max – stwierdziła.

– Wiedziałem, że nas nie zawiedzie – odrzekł Mike i sprawdził jeszcze raz pistolet, który wziął na wszelki wypadek, choć mieli unikać kontaktu.

– Wygląda, jakbyśmy mieli wleźć po skalnej ścianie – odezwał się MacD i zebrał ich sprzęt wspinaczkowy.

Kiedy discovery zrównała się ze stojącym teraz tankowcem, Linda zobaczyła na zegarku, że zostało im dwadzieścia pięć minut z trzydziestu przewidzianych na akcję przez Maksa. Wynurzyła miniłódź podwodną obok dziobu, najdalej jak mogła od maszynowni i mostka, gdzie powinno być teraz centrum aktywności załogi.

MacD otworzył właz i wyjrzał na zewnątrz. Wycofał się z ponurą miną.

– Mamy problem – oznajmił.

Linda wyciągnęła się do przodu i spojrzała w górę przez bulaj dziobowy. Natychmiast zrozumiała, o co chodziło MacD.

Spodziewali się, że na „Sorocaimie" będzie ciemno, z wyjątkiem świateł pozycyjnych, i dzięki chmurom MacD i Mike będą mieli dość czarnych jak smoła miejsc na pokładzie, żeby się poruszać niepostrzeżenie. Teraz okazało się to niemożliwe. Tankowiec był oświetlony od dziobu do rufy jak choinka bożonarodzeniowa.

Rozdział 5

Czerwone oświetlenie stanowisk bojowych tworzyło upiorną atmosferę na mostku fregaty „Mariscal Sucre". Admirał Dayana Ruiz rozkoszowała się tym. Doszła do pozycji najwyższej stopniem kobiety w wenezuelskim wojsku, bo wymagała perfekcji od swoich podwładnych i potrafiła dowodzić okrętem w walce. Nigdy nie przegrała gry wojennej na ćwiczeniach. Teraz mogła się popisać swoimi umiejętnościami w prawdziwej bitwie.

Miała tylko nadzieję, że statek o nazwie „Dolos" jest tak groźny, jak mówią. Cynk o trampie i jego kapitanie dostała od oficera libijskiej marynarki wojennej, którego spotkała na targach broni w Dubaju. Powiedział jej, że osobiście przekonał się o możliwościach mitycznego frachtowca, kiedy tamten statek prawie zatopił jego fregatę „Khalij Surt" – „Wielka Syrta".

Ruiz już wcześniej słyszała informacje z drugiej ręki o zamaskowanym okręcie i początkowo uważała je za fantazje. Ale relacja naocznego świadka zafascynowała ją. Rozpuściła wiadomość w środowisku marynarskim, że sprawi jej satysfakcję zajęcie na morzu tego tajemniczego statku na mocy prawa wojennego.

Potem zjawił się u niej Gao Wangshu z chińskiej marynarki wojennej z opowieścią podobną do relacji Libijczyka. Miał informacje wywiadowcze, że statek przypłynie do Wenezueli, choć sądził, że portem docelowym będzie Puerto Cabello. W ostatniej chwili zawiadomił, że zawinie do Guanty. Ruiz wysłała Chińczyka do kapitana tamtejszego portu, żeby mieć potwierdzenie, że to ten statek.

Teraz była jeszcze bardziej przekonana, że „Dolos" to okręt szpiegowski. Utwierdził ją w tym przekonaniu telefon od porucznika Domingueza o dwóch oszustach, którzy go związali. To nie mogło być przypadkiem.

Dopiła czarną kawę, czekając ze złością na telefon z Puerto La Cruz. Miała ochotę rzucić kubkiem w szybę, ale powstrzymało ją własne odbicie. Jej krótkie kruczoczarne włosy, opalona koścista twarz i wysoka, prosta jak struna sylwetka w idealnie odprasowanym mundurze tworzyły wizerunek zimnego jak lód dowódcy gotowego poświęcić wszystkich i wszystko dla zwycięstwa. Brak opanowania zburzyłby ten obraz i dał latynoamerykańskim macho pod jej dowództwem okazję do zakwestionowania jej kwalifikacji. Nie mogła na to pozwolić, ale ostatnie wydarzenia wystawiały na próbę jej stoicyzm.

Porucznik Dominguez należał do jej najbystrzejszych podwładnych i powierzyła mu część najcenniejszych informacji o operacji, która miała wynieść ją do władzy w wenezuelskim rządzie. Była już pewna stanowiska minister obrony, ale Ruiz miała dużo większe ambicje. Hugo Chávez był jej idolem i zamierzała pójść w jego ślady.

Ale Dominguez ją zawiódł i jej plan groził zawaleniem.

Zadzwoniła do niego, żeby sprawdzić stan jej operacji przemytu broni. Nie odpowiadał, więc zatelefonowała do wartowni przy magazynie, żeby sprawdzili, co z nim jest. Wkrótce po wejściu do biura ochrony strażnicy znaleźli Domingueza i marynarza związanych w łazience. Ruiz natychmiast kazała zamknąć cały kompleks i poszukać intruzów. Teraz czekała na wiadomość o ich złapaniu, bo nikt nie widział, żeby uciekli z bazy.

Telefon zadzwonił i chwyciła słuchawkę.

– Meldować – warknęła.

– Tu Dominguez, pani admirał. Osaczyliśmy ich.

– Gdzie?

Odchrząknął.

– Na statku. Są w ładowni. Pozbawili przytomności jednego z moich ludzi i zaryglowali się w środku.

Ruiz musiała się dowiedzieć, kim oni są, jak wykryli przemyt i czy jakaś inna część operacji jest zagrożona.

– Chcę ich mieć żywych – powiedziała.

– Tak jest. Obstawiliśmy wszystkie wyjścia.

– A co z wrotami ładowni?

– Odcięliśmy zasilanie tamtej części statku. Nie ma mowy, żeby je opuścili. Pięćdziesięciu dodatkowych ludzi jest w drodze. Nie uciekną.

– Wie pan, czego szukali?

Znów wahanie.

– Niech pan nie kłamie, poruczniku. Dowiem się.

– Zabrali laptopa i mój telefon – odrzekł i dodał szybko: – Dane w komputerze są zaszyfrowane, a telefon zniszczyłem, więc nie przekażą żadnej informacji z wnętrza statku.

Ruiz zacisnęła rękę na kubku, jakby próbowała go zmiażdżyć.

– Lepiej, żeby pan miał rację, Dominguez, bo inaczej zrobię z pana cel na strzelnicy.

Usłyszała, jak porucznik przełyka ślinę.

– Tak jest, pani admirał.

– Niech pan opisze tych ludzi.

– Obaj są w mundurach naszej marynarki wojennej. Jeden jest wielki i czarny, a drugi... no mógłbym przysiąc, że to kapitan Ortega. Ale myślał, że pani jest mężczyzną. Już miałem go aresztować, ale on i jego kompan zadziałali tak szybko...

– Wystarczy. Przeczytam o tym później w pańskim raporcie. Niech pan zadzwoni do mnie, jak tylko ich złapiecie.

Rozłączyła się, nie czekając na potwierdzenie.

Wiadomość, że tamci zabrali komputer i telefon, była najbardziej niepokojącą częścią meldunku Domingueza. Ruiz mogła przeżyć wykrycie jej operacji przemytu broni, ale gdyby ktoś spoza jej najbliższego grona dowiedział się o drugim aspekcie jej nielegalnej działalności, byłaby skończona w Wenezueli. Rozstrzelano by ją jako zdrajczynię.

Wycofała się do swojej kabiny. Następne telefony wymagały większej prywatności.

Wybrała numer z pamięci. Usuwała go z telefonu po każdym połączeniu.

– Tak? – zapytał krótko głos po drugim sygnale.

– Mamy problem, Doktorze – odrzekła płynnie po angielsku, używając jedynej nazwy, pod jaką go znała.

– I?

– Chcę się upewnić, że nie zagraża moim planom. Czy „Ciudad Bolívar" wyrabia się w czasie?

– Będzie na pozycji za trzydzieści sześć godzin, jak powiedziałem.

– Wykrył pan jakieś zainteresowanie naszymi działaniami?

– Nie – zaprzeczył mężczyzna. – Oczekuję ostatniej wpłaty, jak tylko „Bolívar" pójdzie na dno.

– I w zamian przekaże pan zaszyfrowane oprogramowanie do sterowania dronami, jak uzgodniliśmy?

– Tak – potwierdził Doktor.

– Więc idziemy dalej. Dominguez zamelduje o zatonięciu „Ciudad Bolívara".

Niech pan dopilnuje, żeby drony były gotowe do jutrzejszej nocy.

– Oczywiście. Za to mi pani płaci.

Rozłączył się. Ruiz nie była przyzwyczajona do takiego braku szacunku dla niej. Tolerowała to u Doktora ze względu na jego wyjątkowe umiejętności. Ale marynarz trafiłby za to do pudła.

Następny telefon wykonała do kapitana portu Manuela Lozady. Obawiała się, że „Dolos" odpłynie wcześniej i zostawi szpiegów, jeśli załoga wie, że są osaczeni i w końcu zdradzą prawdę o statku.

– Miło panią słyszeć, pani admirał – powitał ją Lozada. – Właśnie miałem...

– Niech pan zrobi nalot na „Dolos". Za dziesięć minut dostanie pan trzydziestu żołnierzy do pomocy policji.

Zamierzała skierować posiłki Domingueza do portu w Guancie.

– Ale pani admirał, właśnie w tej sprawie miałem do pani zadzwonić. „Dolos" akurat odpłynął.

– Co? Dał im pan pozwolenie?

– Tak. Powiedziała pani, że zatrzyma ich na morzu, więc pomyślałem...

Ruiz się wściekła. Pracowali dla niej idioci. Ale nie podniosła głosu.

– Lozada, niech pan zrobi, co może, żeby ich spowolnić. Jeśli opuszczą wenezuelskie wody, zanim tam dotrzemy, zatrzymanie ich spowoduje incydent międzynarodowy.

– Tak jest, pani admirał!

– I niech pan wykorzysta wszystkie informacje o statku, jakich może panu udzielić Gao. Mogą dać panu przewagę taktyczną.

– Świetna sugestia, pani admirał. Zrobimy, co w naszej mocy, żeby nie uciekli.

– Chcę dostawać regularne meldunki, gdzie są.

Rozłączyła się i pomaszerowała z powrotem na mostek. Sprawdziła pozycję fregaty. Mieli jeszcze czterdzieści mil morskich do Puerto La Cruz. Przy ich obecnej szybkości powinni wejść do portu za niewiele ponad godzinę. „Mariscal Sucre", fregata typu Lupo, była dumą wenezuelskiej marynarki wojennej. Miała działo dziobowe kaliber 127 mm, osiem pocisków rakietowych woda-woda Otomat Mark 2 i dwie potrójne wyrzutnie torped Mark 32. Ruiz bez skrupułów zamierzała użyć tego arsenału przeciwko okrętowi szpiegowskiemu, bez względu na to, czy jest dobrze uzbrojony, czy bezbronny.

Musiała tylko mieć pewność, że zdążą na czas.

– Kapitanie Escobar – warknęła do dowódcy fregaty – nie obchodzi mnie, czy pan przegrzeje turbiny. Niech pan da pełną moc.

– Tak jest.

Ruiz poczuła wibracje okrętu i przypływ adrenaliny. Nigdy nie była bardziej gotowa do walki i musiała zwyciężyć.

Rozdział 6

Juan i Linc osłaniali rufowe drzwi ładowni, strzelając od czasu do czasu, żeby trzymać ludzi Domingueza na dystans. Drzwi dziobowe były wciąż szczelnie zamknięte na łańcuch wokół uchwytu, ale ktoś w nie walił po drugiej stronie. Wcześniej czy później będą musiały ustąpić.

Pociski odbijały się od opancerzonych pojazdów wokół Juana i Linca, gdy marynarze z karabinami szturmowymi zaglądali do ładowni i naciskali spusty. Żaden się nie zbliżył. Wyglądało na to, że tylko nie chcą ich wypuścić.

Juan się domyślał, że taki mają plan. Wenezuelczycy byli w lepszej sytuacji, bo drzwi na obu końcach – jedne od dziobu, drugie od rufy – znajdowały się na szczycie ładowni wysokości trzech pięter. Schody prowadziły na dno, gdzie pojazdy stały w ośmiu rzędach po cztery. Trwał impas; Juan i Linc nie mogli wyjść, a Wenezuelczycy nie mogli przypuścić szturmu na dół po odsłoniętych schodach.

– Ile amunicji ci zostało? – zapytał Juan Linca.

– Dwa magazynki, ale w tym tempie za kilka minut będę pusty.

– Ja mam tylko jeden w karabinie pożyczonym od naszego przyjaciela, który nas tu wpuścił.

Cios Linca zamroczył strażnika na kilka dni. Ale pozostało jeszcze dość ludzi, żeby ich pokonać samym nękaniem. Nie mieli szans wrócić do humvee. Musieli znaleźć inne wyjście.

Nawet gdyby się skoncentrowali na jednych drzwiach i przebili na zewnątrz, jedyną drogą ucieczki ze statku było morze. Staliby się łatwym celem dla każdego strzelającego na chybił trafił z nabrzeża.

Ale mieli jedną możliwość poradzenia sobie na tym pokładzie ładowni.

– Pamiętasz zrytą podłogę w magazynie? – spytał Juan. Linc przytaknął.

– Jasne. Pojazdy opancerzone niszczą tak beton gąsienicami przy skręcaniu. Czołgi ważą ponad sześćdziesiąt pięć ton.

– To znaczy, że są zatankowane. Jak myślisz, trudno jest prowadzić coś takiego?

Juan wskazał kciukiem abramsa obok siebie. Ten czołg stał najbliżej burty statku po stronie nabrzeża.

Linc był przyzwyczajony do improwizacji Juana, więc nawet nie mrugnął okiem na tę sugestię.

– Najpierw musielibyśmy opuścić wrota ładowni – zauważył.

– A więc jeździłeś takim?

– Siedziałem kiedyś na miejscu kierowcy. Mój kumpel w SEAL prowadził wcześniej czołg marines. Wygląda to całkiem prosto. Motocyklowe manetki do kierowania i przyspieszania i pedał hamulca. Prawie jak w moim harleyu.

Linc trzymał w ładowni „Oregona" customizowanego harleya-davidsona do wycieczek w portach.

– Więc nic z tego.

Linc się uśmiechnął.

– Szybko się uczę.

– Podoba mi się twoje nastawienie. Tylko jest jeden problem.

Juan wskazał włączone awaryjne oświetlenie akumulatorowe w górze.

– Założę się, że odcięli zasilanie, żebyśmy nie opuścili drzwi.

– To faktycznie jest problem. Nawet czołg nie przebije kadłuba statku.

– Ale widziałeś kontenery, jak zbiegaliśmy na dół?

Na twarzy Linca pojawił się wyraz zrozumienia. Odwrócił się i spojrzał zmrużonymi oczami na drugą stronę ładowni. Pod ścianą stały dwa kontenery zwrócone tyłem do siebie. Na każdym widniały żółte znaki ostrzegawcze z napisem „Materiały wybuchowe".

Zawierały amunicję do pojazdów opancerzonych. To naprawdę była operacja przemytnicza z pełną obsługą. Zakup czołgów bez pocisków to bezsens.

– Osłaniaj mnie – polecił Juan. – Zaraz wrócę.

Nie miał żadnych wątpliwości, że Linc potrafi ochronić jego flankę. Linc był doskonałym snajperem. Nawet w przyćmionym świetle mógł zdjąć każdego strzelca, dopóki miał nabój w komorze.

Juan schylił głowę i popędził między czołgami. Poczuł podmuchy przelatujących nad nim pocisków, ale wystrzelono ich niewiele i bez dokładnego celowania, dzięki ogniowi osłonowemu Linca.

Juan przykucnął za ostatnim czołgiem i zobaczył, że tył kontenera jest odsłonięty dla marynarzy przy drzwiach rufowych.

Okazał się też zaryglowany.

Na drzwiach wisiała duża kłódka. Albo północni Koreańczycy, albo Wenezuelczycy nie ufali swoim dokerom.

Juan podciągnął mankiet spodni i sięgnął do skrytki w nodze bojowej. Na razie zostawił w niej pistolet i nóż. Potrzebował plastiku i detonatora.

Wiedział, że mała ilość C-4 łatwo poradzi sobie z kłódką.

Wyjął materiał wybuchowy z opakowania i przygotował detonator.

– Daj mi dziesięć sekund przy drzwiach rufowych! – zawołał do Linca.

– Przyjąłem!

– Teraz!

Linc skoncentrował ogień na drzwiach rufowych, trzymając strzelców na zewnątrz.

Juan podbiegł szybko do drzwi kontenera i rozgniótł C-4 na kłódce. Wetknął detonator i pociągnął iglicę. Miał dziesięć sekund, żeby się ukryć.

– Strzelaj w otwór! – krzyknął.

Wybuch rozniósł się echem po ładowni. Kłódka rozleciała się na kawałki.

Tym razem Juan nie czekał na ogień osłonowy. Wiedział, że strażnicy będą zbyt zaskoczeni eksplozją, żeby od razu znów strzelać. Wrócił pędem do kontenera, odblokował klamkę i szarpnął drzwi.

Metalowe skrzynie wypełniały całą długość kontenera do poziomu jego wzroku. Najbliższe miały napisy „M829A2”. Zawierały pociski sabotowe. Juan znał oznaczenia każdej amunicji do abramsa, bo na „Oregonie” było identyczne gładkolufowe działo kaliber 120 mm ukryte za klapami dziobowymi.

Pociski sabotowe z rdzeniem ze zubożonego uranu służyły do przebijania pancerza czołgu. Sabot oddzielał się od rdzenia, gdy tylko pocisk opuścił lufę działa. Teraz do niczego by się nie przydały. Zrobiłyby w kadłubie – i we wszystkim na swojej drodze w odległości półtora kilometra – okrągłą dziurę o średnicy puszki coca-coli, o wiele za małą, żeby zmieścił się w niej czołg.

Juan szukał M908, pocisku do niszczenia umocnień betonowych. Gdyby znalazł taką amunicję, powinna sobie bez trudu poradzić z burtą statku.

Podciągnął się na skrzynie i ruszył w głąb kontenera, oświetlając oznaczenia latarką w telefonie.

Przebył ćwierć drogi do tylnej ściany, zanim znalazł napis „M908". Uniósł wieko i zobaczył cztery olbrzymie naboje, każdy o wadze prawie czternastu kilogramów. Musiał się zadowolić dwoma.

Przewiesił karabin szturmowy przez plecy, wziął dwa naboje pod pachy i wrócił do drzwi kontenera.

Położył naboje ostrożnie na skrzyni i opuścił się na podłogę ładowni, zasłonięty drzwiami od strony schodów. Z nabojami z powrotem w rękach zawołał do Linca:

– Osłaniaj mnie!

Pobiegł w kierunku Linca. Wiedział, że jeśli zabłąkana kula trafi w którąś z głowic, nie zostanie z niego nawet tyle, żeby go zeskrobać z gąsienic czołgów.

Przyklęknął obok Linca przy abramsie najbliżej wrót ładowni.

– Wejście do czołgu będzie trudne – powiedział.

– Szkoda, że nie przyniosłeś taśm z amunicją kaliber 50 – odrzekł Linc, patrząc tęsknie na karabin maszynowy na wieżyczce abramsa.

– Przykro mi. Miałem zajęte ręce.

Linc skinął głową. Gdy tylko Juan wystrzelił swoje pociski, Linc wskoczył na przód czołgu, otworzył właz kierowcy i opadł do środka do połowy ciała. Kiedy wziął na cel drzwi rufowe nad nimi, Juan położył dwa naboje na wieżyczce i wspiął się.

Otworzył właz dowódcy i opuścił pierwszy nabój na jego siedzenie. Gdy się odwrócił, żeby sięgnąć po drugi, zobaczył, że drzwi dziobowe nad nimi się otwierają. Marynarze wdarli się za próg z karabinami gotowymi do strzału.

Juan chwycił nabój i wgramolił się do włazu pod gradem pocisków z góry. Jedna z kul drasnęła go w ramię i upuścił nabój na podłogę. Skulił się, ale zapalnik nie zdetonował ładunku.

Juan opadł do środka i zatrzasnął właz za sobą. Przyciągnął go mocno i zaryglował. Rygiel zapobiegał otwarciu włazu z zewnątrz przez piechotę i wrzuceniu granatów do czołgu.

Juan ścisnął ramię, żeby zatamować krwawienie. Spojrzał na swój telefon i zobaczył, że Max się odezwał. Kiedy utknęli w ładowni, wysłał Maksowi wiadomość, żeby wyszedł „Oregonem" w morze, a on i Linc wydostaną się jakoś i wrócą na statek. Juan już wtedy miał pomysł, że przebiją się czołgiem, więc poprosił Maksa, żeby uruchomił ich kontakty w CIA i załatwił przysłanie Juanowi instrukcji obsługi abramsa, łącznie z działem.

Max odpisał:

„Nie potrzeba się kontaktować z CIA. Znalazłem to w Internecie".

Kiedy Juan otworzył załącznik, zobaczył, że to PDF zeskanowanej instrukcji obsługi tego czołgu.

Przewinął szybko do procedury uruchamiania. Przebiegał wzrokiem tam i z powrotem, kiedy przeglądał instrukcję. Wydawała się prosta. Zlokalizował właściwe przełączniki i odpalił silnik.

Turbina za jego plecami nabrała obrotów z wyciem, jakby za chwilę mieli wystartować w kosmos. Juan wyjrzał przez wizjer. Strażnicy, którzy wdarli się do ładowni, stanęli jak wryci i obserwowali ostrożnie czołg. Ryk jego silnika wypełniał pomieszczenie.

Juan włożył słuchawki z mikrofonem wiszące obok stanowiska dowódcy.

– Słyszysz mnie? – zapytał.

– Głośno i wyraźnie – odpowiedział Linc. – Ciasno tu, ale wygodnie. Jak na szezlongu. Niewiele widzę, więc będziesz musiał dać mi znać, kiedy się ruszyć.

– Będziesz wiedział, wierz mi.

Juan zabezpieczył jeden nabój w magazynku i załadował drugi do komory. Czynność była prosta. Należało wsunąć nabój i zaryglować zamek. Dzięki temu abrams mógł wystrzeliwać sześć pocisków na minutę.

Kiedy turbina o mocy 1500 KM się rozgrzała i osiągnęła pełną szybkość, Juan się przesiadł na stanowisko kanoniera. Marynarze w ładowni wdrapali się na czołg i walili w kadłub, nadaremnie próbując dostać się do środka.

Juan chwycił za dwa drążki sterujące wieżyczką i wypróbował ich działanie. Wieżyczka obracała się tak łatwo jak jego krzesło biurowe. Strażnicy na zewnątrz pospadali i uciekli, by się ukryć.

Juan popatrzył w celownik i skierował lufę działa w przód pod kątem pięciu stopni w dół. Oparł palec na spuście.

– Przygotuj się, Linc – uprzedził. – Trochę tobą zatrzęsie.

– Wynośmy się stąd.

Juan ściągnął spust.

Działo wypaliło z hukiem i abrams bujnął się do tyłu. Momentalnie nastąpiła jeszcze głośniejsza eksplozja, gdy pocisk rozerwał burtę tankowca.

Ziejąca dziura w kadłubie statku wyssała dym z ładowni i wpuściła blask świateł z zewnątrz.

– Gazu – powiedział Juan do mikrofonu.

– Robi się.

Czołg nie ruszył natychmiast, bo trzymały go łańcuchy kotwiczące, ale Linc zwiększył moc i pękły. Abrams wyrwał naprzód, jego gąsienice zdarły stalową podłogę ładowni.

Kiedy dojechali do dziury, pancerz czołgu odgiął jej poszarpane brzegi, jakby rozdzierał aluminiową puszkę.

Abrams znurkował dwa metry na nabrzeże i wbił Juana w siedzenie, gdy uderzył w beton.

Na piętnastu metrach między statkiem a magazynem Linc przyspieszył. Czołg staranował wrota garażowe budynku, nie zwalniając, i odrzucił je przed siebie po gołej podłodze. To samo powtórzyło się na drugim, frontowym, końcu magazynu. Przebicie się przez siatkowe ogrodzenie powinno pójść równie łatwo.

– Jeśli Wenezuelczycy nie znajdą nikogo do prowadzenia któregoś z pozostałych czołgów – powiedział Linc – to nas nie zatrzymają.

Uwaga Linca podsunęła Juanowi szatański pomysł.

– Zahamuj przez ogrodzeniem.

Linc zahamował. Marynarze na dworze otoczyli ich i ostrzeliwali bez skutku. Juan przejrzał prędko instrukcję obsługi i znalazł to, czego szukał.

Włączył zewnętrzny głośnik i zwrócił się do Wenezuelczyków wokół nich po hiszpańsku:

– Cześć, amigos. Chcę was uczciwie ostrzec, że kto nie opuści tamtego statku w ciągu minuty, będzie miał bardzo zły dzień.

Puścił przycisk mikrofonu i obrócił wieżyczkę w kierunku, z którego przyjechali. Przez dwoje zniszczonych wrót magazynu widział doskonale wnętrze ładowni.

Wycelował w kontener z amunicją.

Jeden z marynarzy na dworze zrozumiał, co się święci, i krzyknął do walkie-talkie. Mężczyźni zaczęli zbiegać w panice po trapie tankowca.

– Nic stąd nie widzę – odezwał się Linc – ale planujesz to, co myślę?

– Możemy z powodzeniem zakończyć ich operację przemytniczą, skoro mamy okazję – odrzekł Juan.

– Jestem za. Zaoszczędzi to nam następnej podróży.

Juan załadował drugi pocisk do działa i patrzył, jak mijają sekundy na zegarku. Uznał, że minuta jest aż nadto fair.

Kiedy upłynęło sześćdziesiąt sekund, tankowiec wyglądał na tak pusty, jak słynny statek widmo „Mary Celeste". Juan znów ściągnął spust.

Działo kopnęło i pocisk poszybował przez magazyn prosto do ładowni.

Amunicja eksplodowała z hukiem, jakiego jeszcze nie słyszano do tej pory. Ładownia zniknęła w błysku białego ognia, ogromny grzyb wyrósł nad basenem portowym. Wybuch zrównał z ziemią magazyn na nabrzeżu. Mimo słuchawek Juanowi dzwoniło w uszach.

Płonący „Tamanaco" przełamał się na pół i natychmiast zaczął tonąć. Trudno będzie im sprzedać zalane wodą pojazdy, pomyślał Juan, jeśli któryś ocaleje.

Rozejrzał się. Wszyscy marynarze wokół czołgu leżeli. Potrzebowaliby paru minut, żeby się pozbierać, ale dostrzegł kolumnę pojazdów wojskowych nadjeżdżających od strony pobliskiego miasta.

– Dokąd teraz, prezesie?

– Do domu, James.

Abrams wyrwał do przodu, rozjechał ogrodzenie i skręcił na drogę.

– Jakieś pomysły, jak teraz wrócimy na „Oregona", skoro wychodzi w morze? Zamkną port, więc kradzież łodzi odpada. Plan B nie wypalił.

Mogli kazać „Oregonowi" przysłać jedną z jego szalup, ale byłaby wystawiona na ogień z brzegu, kiedy by ich zabierała.

Czołg był nie do zdobycia, ale łatwy do śledzenia i miał tylko tyle paliwa, żeby wjechać na statek i zjechać z niego. Palił ponad sto litrów na sto kilometrów, więc stanęliby po około piętnastu minutach jazdy.

Juan pamiętał wzgórze na półwyspie, które mijali, kiedy „Oregon" wchodził do portu w Guancie. Wyglądało na dość wysokie na to, o czym myślał.

– Maksowi to się nie spodoba – mruknął.

– A mnie?

– Ty będziesz zachwycony – odrzekł Juan. – Czy mój plan C kiedykolwiek zawiódł?

Rozdział 7

Gdy „Dolos" dotarł do wyjścia z portu, Manuel Lozada i jego ludzie otoczyli go w czterech motorówkach. Statek nie odpowiadał na ich radiowe wezwania do powrotu, więc Lozada i Gao zebrali piętnastu ludzi, żeby wziąć frachtowiec siłą, jeśli będą musieli. Lozada wciąż nie wierzył, że załoga zardzewiałej łajby jest uzbrojona w coś groźniejszego niż noże kuchenne, ale postanowił stosować się do instrukcji admirał bez względu na to, jak śmieszne się wydawały.

Uniósł megafon i stanął na łodzi.

– Kapitanie Holland i załogo „Dolos"! – zawołał po angielsku. – Macie natychmiast wrócić na swoje stanowisko cumownicze w porcie. Wasze pozwolenie na wyjście w morze zostało czasowo cofnięte ze względów bezpieczeństwa.

Czekał na odpowiedź, ale nie nadchodziła. W przyćmionym świetle na mostku nie widział nikogo. Nie dziwił się, bo pamiętał, jakie brudne są tam szyby. „Dolos" nadal wychodził w morze. Lozada powtórzył wezwanie, ale bez skutku.

– Trzeba będzie wejść na pokład, żeby go zatrzymać – odezwał się Gao.

– Na to wygląda.

Admirał Ruiz kazała mu polegać na doświadczeniu Gao z tym statkiem i Lozada nie zamierzał się spierać. Znał się na pływaniu statkami, nie na ich atakowaniu.

– Co pan proponuje?

– Atak wszystkimi czterema łodziami jednocześnie. Dwiema od dziobu i dwiema od rufy. Użycie przeważających sił to najlepsza taktyka, żeby odnieść zwycięstwo.

Lozada się zgodził i przekazał plan przez radio pozostałym łodziom. Każda miała drabinę abordażową, a każdy z jego ludzi – karabin szturmowy. Nie byli policyjną jednostką specjalną, ale potrafili posługiwać się bronią wystarczająco dobrze, żeby pokonać rozproszoną załogę.

– Chciałbym poprosić o pistolet, żeby go wziąć ze sobą – powiedział Gao.

– Dokąd? – zapytał zdezorientowany Lozada.

– Muszę wejść na pokład i poprowadzić pańskich ludzi. Znam ukryte miejsca, których pan nie widział. Możemy wpaść w zasadzkę, jeśli nie znajdziemy całej załogi.

– Dlaczego chce pan ryzykować życie dla nas?

– Nie dla was. Muszę pomścić towarzyszy z mojego okrętu. Ci szpiedzy zostaną zdemaskowani.

Lozada rozważył prośbę. Gdyby „Dolos" był tym, czym się wydawał, wysłanie Gao na pokład nie byłoby problemem. Gdyby był okrętem szpiegowskim, jak uważali admirał Ruiz i Gao, Lozada potrzebowałby Chińczyka na pokładzie do poprowadzenia jego ludzi przez statek. Tak czy owak, Lozada mógł się wytłumaczyć admirał.

Skinął do jednego ze swoich ludzi, żeby dał swój pistolet Gao.

– Niech pan nie strzela pierwszy. Jeśli pan zrani lub zabije załoganta, który okaże się niewinny, spędzi pan bardzo długi czas w jednym z naszych więzień.

Gao wziął pistolet, sprawdził komorę i wetknął broń za pasek spodni.

– Rozumiem. Wkrótce pan zobaczy.

Przygotowali drabinę. Lozada zasygnalizował wszystkim łodziom, żeby przystąpiły do abordażu.

Motorówka kapitana portu podpłynęła do lewej burty blisko rufy. Jeden z jego ludzi zaczepił haki drabiny o ściek pokładowy. Zanim Lozada zdążył wydać rozkaz, Gao przeskoczył na drabinę i zaczął się wspinać. Kiedy tylko zrobiło się na niej miejsce, następny poszedł w jego ślady. Lozada miał iść ostatni, żeby mieć pewność, że pokład jest zabezpieczony.

Spojrzał w przód i zobaczył, że łódź przy dziobie potrzebuje więcej czasu na zahaczenie drabiny. Gao dotarł już prawie do relingu. Byłby pierwszy na statku.

Lozada już miał krzyknąć do niego, żeby zaczekał, gdy strumień wody trafił w motorówkę i zwalił wszystkich z nóg. Człowiek na drabinie spadł do tyłu, strącony przez szprycę, i wylądował w łodzi z głośnym hukiem. Gao był wysoko, poza zasięgiem wycelowanego w nich węża strażackiego.

Motorówka przy dziobie została zaatakowana w tym samym momencie i odbiła od statku. Lozada nie musiał mówić swojemu sternikowi, żeby zrobił to samo. Łódź odpłynęła i zostawiła Gao na drabinie.

Załogi frachtowców często używały szlauchów do odpędzania piratów próbujących porwań. Ale zawsze były luki w obronie. Lozada kazał swoim ludziom spróbować jeszcze raz i wypatrywać, gdzie są dysze węży.

Gao przeskoczył przez reling i wyciągnął pistolet. Pokazał, że postara się unieszkodliwić szlauchy.

Przyklęknął nad zaworem i obrócił koło. Strumień wody osłabł. Po kilku sekundach zamknął dopływ i Lozada mógł się zbliżyć bez przeszkód.

Drzwi sterowni otworzyły się gwałtownie i ukazał się Arab z karabinem szturmowym. Gao rzucił się ku niemu, ale nie zdążył go dosięgnąć. Seria przeszyła mu pierś, krew opryskała pokład. Gao z rozpędu zderzył się ze strzelcem i obaj wpadli do sterowni.

Jakby znikąd, załoganci „Dolosa" wyskakiwali na pokład i strzelali z karabinów do motorówek Lozady.Wokół nich wytryskiwały małe gejzery wody. Ukryli się i już mieli odpowiedzieć ogniem, gdy Arab znów się pojawił i wycelował do nich z granatnika przeciwpancernego.

Lozada pobiegł naprzód i pchnął przepustnicę do oporu. Łódź wystartowała, gdy granatnik wypalił. Pocisk przeleciał nad motorówką i eksplodował zaledwie piętnaście metrów za nią.

– Odwrót! – krzyknął Lozada do sternika i powtórzył rozkaz przez radio dla pozostałych łodzi. One też były pod ostrzałem z granatnika.

Śmiertelnie ranny Gao miał rację co do okrętu szpiegowskiego. Jego odstręczający wygląd służył ukryciu zaawansowanego uzbrojenia. Chodziło o kamuflaż dla załogi szpiegów z bronią ręczną na pokładzie statku tak odrażającego, że nie będzie wzbudzał podejrzeń. Ale Lozada nie zamierzał znów zaatakować. Choć nie wiedział, czy „Dolos" ma torpedy, pociski rakietowe i lasery, same karabiny szturmowe i granatniki przeciwpancerne dawały tamtym zbyt dużą przewagę nad jego ludźmi.

Admirał Ruiz dostanie teraz dowód, że ten statek warto było wytropić. Nawet jeśli miała do przepłynięcia jeszcze trzydzieści mil morskich, Lozada był całkiem pewien, że jej fregata łatwo dogoni powolny frachtowiec, zanim tamten zdąży uciec.

Max Hanley patrzył z zadowoleniem, jak Lozada dostaje wiadomość i się wycofuje. Odwołał psy myśliwskie i wyłączył zdalnie sterowane armatki wodne.

Max obserwował wielki płaski wyświetlacz ze swojego stanowiska technicznego w centrum operacyjnym „Oregona".

Kapitan portu nawet się nie domyślał, że takie supernowoczesne pomieszczenie jest w środku statku o nazwie „Dolos". Centrum oświetlały na niebiesko niezliczone ekrany komputerów, antystatyczna guma na podłodze tłumiła kroki. Całe pomieszczenie miało antracytowy kolor, co czyniło z niego ciemniejszy odpowiednik sterowni statku kosmicznego „Enterprise".

Każdy aspekt operacji „Oregona" mógł być kierowany i monitorowany z tego nisko położonego ośrodka dowodzenia – od systemów uzbrojenia i sterowania statkiem z dwóch przednich siedzeń do łączności, maszynowni, radaru, sonaru i kontroli uszkodzeń ze stanowisk wokół pomieszczenia. Miejsce na środku było teraz wolne. Z wygodnego siedzenia nazywanego Fotelem Kirka Juan Cabrillo miał widok na całe centrum i mógł w razie potrzeby sterować każdą funkcją statku z podłokietnika.

Max musiał wymyślić sposób na sprowadzenie prezesa z powrotem na jego właściwe miejsce. Protestował stanowczo, kiedy Juan kazał mu wyjść w morze, ale dziwna prośba o instrukcję obsługi abramsa przekonała go, że Juan ma coś w zanadrzu.

Drzwi centrum operacyjnego się otworzyły i wszedł uśmiechnięty szeroko Hali Kasim. Oficer łączności mógł wyglądać na Araba, ale ten Amerykanin w trzecim pokoleniu nie znał słowa w języku swoich libańskich przodków. Usiadł przy panelu telekomunikacyjnym.

– Miałem ubaw – powiedział. – Na ogół nie lubię wstawać z mojego wygodnego fotela, ale robię wyjątek, kiedy muszę go zastrzelić.

Wskazał drzwi. Człowiek, którego Lozada uważał za Gao Wangshu, wszedł cały i zdrowy. Wszyscy na „Oregonie" znali go jako Eddiego Senga, szefa operacji lądowych.

Zdjął już podziurawioną kulami koszulę, którą w rzeczywistości porozrywały petardy opracowane przez Kevina Nixona.

Tak jak sztuczne rany postrzałowe kaskaderów w filmach akcji, rany Eddiego powstały za sprawą miniaturowego detonatora w jego rękawie. Miał „zginąć" podczas wymiany ognia, kiedy „Oregon" stał jeszcze w basenie portowym, ale zdemaskowanie Juana i Linca wymusiło zmianę planu. Gdy Hali wyłonił się ze sterowni, strzelając ślepakami, Eddie odpalił ładunki w koszuli, co przekonująco upozorowało śmierć pana Gao. Kapitan portu Manuel Lozada nigdy się nie dowie, że go oszukali.

Wychowany na Brooklynie przez mówiących po mandaryńsku rodziców Eddie został zwerbowany przez CIA jako agent terenowy. Specjalizował się w długotrwałej infiltracji chińskich władz, więc dobrze opanował przyjmowanie fałszywej tożsamości na czas tajnych operacji. To on wpadł na pomysł, żeby udawać świadka prawdziwej natury „Oregona". Przekonał Wenezuelczyków, że właśnie tego statku szuka admirał Ruiz. Do Korporacji od miesięcy docierały wiadomości, że kamuflaż ich statku jako trampa zaczyna zawodzić po walkach, jakie stoczyli w ostatnich kilku latach. Prezes postanowił coś z tym zrobić, przywrócić im anonimowość. Częścią tego planu było stworzenie wrażenia, że nie są lepiej wyposażeni od somalijskich piratów.

Eddie miał się przyglądać, co zamierzają Wenezuelczycy, i dopilnować, żeby odkryli przybycie „Oregona" we właściwym czasie. Lozada i Ruiz byli przekonani, że Gao natknął się na „Oregona" wcześniej, bo chiński niszczyciel „Chengdo" został zatopiony w tajemniczych okolicznościach. Faktycznie dokonał tego „Oregon". Właśnie w tamtej bitwie Juan stracił nogę podczas wymiany ognia z wrogiem. Kłamstwo było dużo bardziej wiarygodne, jeśli w większości stanowiło prawdę.

– Dobrze wyglądasz jak na martwego – stwierdził Max.

– Nawet nie zabolało – odrzekł Eddie. – Cieszę się, że Hali tak celnie strzela.

Hali się roześmiał.

– Twoja szkoła.

Po operacji w Libii, kiedy Hali oberwał, poprosił Eddiego, żeby go lepiej wyszkolił. Eddie miał czarne pasy w różnych sztukach walki i należał do elity snajperów na „Oregonie", więc Hali uczył się od najlepszego.

– Co z prezesem i Linkiem? – spytał Eddie.

– Plan C – odparł Max.

Wiedział, że Eddie zrozumie, że sprawy nie poszły tak, jak się spodziewali.

Odwrócił się do Halego.

– Spróbuj znów wywołać Juana.

Z głośników w centrum operacyjnym dobiegł syk, potem kliknięcie i ryk w tle.

– Tu czołgista alpinista – zgłosił się Juan. – Co ze statkiem?

– Ani jeden płatek rdzy nie odpadł – zameldował Max.

– A z Eddiem?

– Dobrze być z powrotem, prezesie – odezwał się Eddie.

– Super. Teraz pozostaje tylko sprawa ściągnięcia mnie i Linca na „Oregona".

– Nie zalecałbym rekwizycji łodzi – odrzekł Max. – W porcie roi się od wściekłych Wenezuelczyków ze świerzbiącymi palcami na spustach. Trzymają się z daleka od „Oregona", ale wy nałykalibyście się ołowiu, próbując przepłynąć obok nich.

– Też tak myślę. Wybrałem ładne miejsce na półwyspie, między Puerto La Cruz a Guantą, gdzie możemy się spotkać z wami.

Max sprawdził lokalizację na mapie satelitarnej.

– Chcecie przypłynąć wpław? Bo tamte skały wyglądają na dość poszarpane. Fale rozbiłyby was o brzeg na miazgę.

– Nie zamierzam się zmoczyć. Doprowadź „Oregona" na trzysta metrów od najbardziej wysuniętego na północ punktu lądu.

– Z tym nie będzie problemu. A dlaczego?

– Pamiętasz, jak odciągnęliśmy tamten kontenerowiec od rafy na Azorach?

– Tak. Nie mogliśmy podejść do niego bliżej z powodu wichury.

– Ale udało nam się dostarczyć linę na niego.

Max strzelił palcami.

– Comet.

– Eddie najlepiej strzela. Zdobądź przebranie dla niego i wyślij go na pokład. Musi nam rzucić linę ratunkową.

– Już się robi – powiedział Eddie i wybiegł z pomieszczenia.

Max pokręcił głową. W tym przypadku wyrażenie „rzucić linę ratunkową" miało dosłowny sens.

Rozdział 8

MacD Lawless przywierał do lewej burty „Sorocaimy" wbrew grawitacji jak Spider Man. Mike Trono wisiał obok niego sześć metrów nad wodą. Linda Ross utrzymywała discovery na pozycji. Jej twarz była widoczna przez bulaj dziobowy, gdy wyciągała szyję, żeby ich obserwować.

Tankowiec miał duże zanurzenie z ładowniami pełnymi oleju napędowego. Mimo to wspinaczka po gołym stalowym kadłubie była wyzwaniem. Nie z tego powodu, że MacD nie potrafił tego dokonać. Wstąpił do Korporacji głównie po to, żeby się podejmować takich trudnych zadań jak to.

Wyłączył elektromagnetyczny uchwyt w lewej dłoni i przemieścił ją trzydzieści centymetrów wyżej. Przycisnął go płaską gumową stroną do burty i znów włączył. Magnes, mniejsza wersja tamtego w bijaku wciąż przymocowanym do dna „Sorocaimy", przylegał do metalu tak mocno, że mógł utrzymać ciężar czterokrotnie większy od wagi ciała MacD. Buty z noskami o dużym tarciu pozwalały jemu i Mike'owi zapierać się stopami o burtę.

Kiedy doszli do krawędzi pokładu, MacD skinął do Mike'a i unieśli wolno głowy, żeby zobaczyć, czy jest czysto. Szybkie, ale dokładne sprawdzenie wykazało, że w pobliżu nie ma nikogo. A ponieważ byli bezpośrednio pod skrzydłem mostka, nikt nie mógł ich zauważyć stamtąd. Chyba że spojrzałby prosto w dół nad relingiem.

Początkowo MacD i Mike mieli wejść do ładowni wentylatorami awaryjnymi na pokładzie i wpuścić nasyconą bakterią parę do wszystkich zbiorników. Ale cały tankowiec okazał się oświetlony, więc ktoś prawie na pewno dostrzegłby ich ze sterowni. Dyskutowali, czy nie zrezygnować z akcji. Jednak Linda przypomniała, że taka okazja się nie powtórzy, i obaj się z nią zgodzili.

Rozpatrywali inne możliwości przez pięć minut, zanim Linda zasugerowała rozwiązanie, które zostało wcześniej odrzucone jeszcze na etapie planowania.

Wyjaśniła MacD-owi i Mike'owi, że na współczesnych tankowcach wykorzystuje się resztki gazów z przewodów kominowych kotłów do usuwania powietrza pozostałego w zbiornikach magazynowych. Pozbawione tlenu spaliny są obojętne, co wyklucza ryzyko, że jakaś iskra zapali opary paliwa w zbiorniku.

Szybki przegląd schematów „Sorocaimy" potwierdził, że tankowiec ma taki system. Gdyby zdołali dotrzeć do zaworu układu oczyszczania w pompowni, mogliby wpuścić bakterię do wszystkich sześciu ładowni jednocześnie.

Pokład wciąż był pusty. MacD skinął do Mike'a i przeskoczyli przez reling. Magnesy zostawili na kadłubie w niewidocznym miejscu. Baterie w uchwytach miały zapas prądu jeszcze na dwie godziny, więc prościej było ich nie zabierać, żeby szybko uciec.

Przywarli do nadbudowy obok drzwi wejściowych. MacD czuł się jak nagi w jasnym świetle, a widok Mike'a nie dodawał mu pewności siebie. Cały ubrany na czarno, z uczernioną twarzą i czarnym plecakiem z trzema pojemnikami Corrodium Mike mógłby równie dobrze mieć słowo „Intruz" wypisane na piersi. MacD był w identycznym stroju. Żeby ich nie wykryto, musieli zachowywać się cicho i być niewidoczni.

Żaden z nich nie musiał korzystać z planów statku. Nauczyli się na pamięć drogi do środka, która dawała największe szanse, że nikt ich nie zobaczy. W pompowni Linda miała ich instruować, jak wpuścić bakterię do układu oczyszczania. Mogła im towarzyszyć dzięki kamerom z mikrofonami na ich głowach i komunikować się z nimi przez ich słuchawki.

MacD skinął do Mike'a i ten uchylił drzwi. Nie mieli odbezpieczonych pistoletów. Strzały wywołałyby alarm. W razie konfrontacji ich umiejętności walki wręcz wystarczyłyby aż nadto do pokonania członków załogi. A marynarze na takich tankowcach jak ten raczej nie nosili broni.

MacD zajrzał do środka i zobaczył pusty korytarz. Miał nadzieję, że przy zaledwie dwudziestoosobowej załodze „Sorocaimy" większość marynarzy jest na mostku lub w maszynowni, gdzie zajmuje się przypuszczalną awarią.

Oczywiście w każdej chwili ktoś mógł wyjść z jakichś drzwi i zepsuć wszystkim noc. MacD oceniał szanse powodzenia akcji przynajmniej na pięćdziesiąt procent.

On i Mike skradali się korytarzem i porozumiewali tylko gestami. Droga do pompowni była prosta: trzecie drzwi na prawo, potem schodami cztery pokłady w dół i korytarzem do pomieszczenia.

Dotarli do trzecich drzwi. MacD usłyszał kroki na metalowych stopniach. Ktoś wchodził na górę. Wskazał schowek po drugiej stronie korytarza. Nie mieli czasu sprawdzić, czy jest czysto, i dali nura do środka. Ku uldze MacD kryjówka okazała się pusta. Zamknęli drzwi w momencie, gdy otworzyły się tamte na schody. Nasłuchiwali, jak kroki w korytarzu się oddalają. Drzwi wyjściowe się otworzyły i zamknęły. Zapadła cisza.

– Mam nadzieję, że jeszcze nie wykorzystaliśmy całego naszego szczęścia – powiedział Mike.

– Mój stary zawsze mówił, że szczęście nie daje, tylko pożycza – odrzekł MacD. – Zróbmy to, zanim będziemy musieli mu zapłacić.

– Amen, bracie.

MacD pchnął drzwi i przecięli chyłkiem korytarz. Nie natknęli się na nikogo aż do drzwi pompowni. Po drugiej stronie panował za duży hałas, żeby się zorientować, czy ktoś tam jest.

MacD uchylił drzwi i przez szparę nie zobaczył nikogo. Kusiło go, żeby wejść powoli, ale dwa hiszpańskie głosy gdzieś za nimi zmusiły ich do pośpiechu. Nawet gdyby tamci po prostu przeszli obok, na pewno zobaczyliby jego i Mike'a.

Wparowali za próg i natychmiast sobie uświadomili, że szczęście zaraz ich opuści. Linda zaklęła w ich słuchawkach, bo widziała to samo co oni.

Dwóch załogantów garbiło się nad wyświetlaczem, obaj plecami do drzwi. Żaden nie usłyszał ich wejścia. Mike uzmysłowił sobie, że drzwi zamykają się tak szybko, że trzasną głośno. Wetknął rękę między nie i ościeżnicę, żeby wyciszyć dźwięk. Skrzywił się z bólu, ale nie odezwał. MacD poruszył drzwiami, żeby Mike mógł wyciągnąć rękę, a potem zamknął je na klamkę bez zgrzytu metalu. Podziękował w duchu załodze, że sumiennie naoliwiła wszystkie zawiasy.

Dwaj załoganci jeszcze ich nie zauważyli, ale wystarczyło odwrócenie głowy przez któregoś z nich, by sytuacja się zmieniła. MacD i Mike byli zaledwie sześć metrów od zaworu oczyszczania, do którego musieli się dostać. Nie mogli tego zrobić niepostrzeżenie. Unieszkodliwienie załogantów nie wchodziło w grę, bo wydałoby się, że na pokładzie są intruzi.

Wycofali się za pionową rurę średnicy pnia dębu i z ukrycia obserwowali dwóch mężczyzn. Mogli tylko czekać i mieć nadzieję, że załoganci pójdą zająć się czymś innym gdzie indziej.

Minęło pięć minut. Potem sześć. Potem siedem. Załoganci ani drgnęli.

– Nic z tego – szepnęła Linda, wiedząc, że nie mogą odpowiedzieć. – Jeśli poczekamy dłużej, statek ruszy, zanim zdążycie wykonać zadanie. Spróbujmy pozbyć się ich stąd.

Trzy głośne uderzenia rozeszły się po kadłubie. Linda znów włączyła bijak.

Załoganci podnieśli gwałtownie głowy i rozejrzeli się szybko w poszukiwaniu źródła hałasu. Jeden z nich chwycił walkie-talkie i zagadał po hiszpańsku jak karabin maszynowy. Wzruszał przy tym ramionami i wskazywał wyświetlacz. Problemu na pewno nie było w układzie pompowniczym, bo go monitorowali, kiedy zabrzmiały uderzenia.

Załogant opuścił walkie-talkie i pokazał drugiemu, że wychodzą. Drzwi się zatrzasnęły za nimi i MacD i Mike zostali sami.

– Skąd wiedziałaś, że się uda? – zapytał MacD, kiedy podbiegli do zaworu gazowego systemu oczyszczania.

– Nie wiedziałam – odrzekła Linda – ale tylko to mogliśmy zrobić. Prawdopodobnie są teraz pewni, że problem jest w maszynowni.

Mike nie mógł nic utrzymać w zranionej prawej ręce, więc wyjął pojemniki z plecaka lewą dłonią.

– A jeśli kapitan postanowi zawrócić?

– Musiałam zaryzykować. Jeżeli wskaźniki nie mówią mu czegoś innego, miejmy nadzieję, że uzna hałas za przypadkowy i zgłosi to obsłudze technicznej dopiero w porcie docelowym.

Kiedy Mike pilnował drzwi, Linda instruowała MacD, jak wpuścić bakterię. Przymocował kolejno każdy z sześciu pojemników do złącza zaworu i po pięciu minutach Corrodium rozmnażała się w ładowniach "Sorocaimy".

Jak biwakowicze w parku narodowym nie chcieli zostawiać śladów. MacD sprawdził, czy jest czysto, i zaczął pakować pojemniki do plecaków.

Zanim skończył, poczuł wibracje podłogi.

– To ty? – zapytał Lindę.

– Nie. Włączyli silnik. Tankowiec rusza. Wynoście się stamtąd natychmiast!

Czas się skurczył i MacD nie mógł się spierać z tym rozkazem. Wepchnął ostatni pojemnik do plecaka i podał go Mike'owi.

Wrócili tak, jak przyszli. Kiedy dotarli do końca korytarza na głównym pokładzie, trzej mężczyźni byli na zewnątrz. Palili papierosy i rozmawiali, najwyraźniej zadowoleni, że znów są w drodze.

– Pospieszcie się – przynagliła Linda. – Robicie już pięć węzłów. Niedługo zostanę z tyłu.

– Nie możemy się dostać do naszego sprzętu wspinaczkowego – odparł MacD. – Wyjście z lewej burty jest zablokowane.

– Tym razem nie możemy ich przeczekać – powiedział Mike.

Wskazał drugi koniec korytarza z wyjściem na stronę sterburty.

– Co ty na to, żeby przepłynąć?

MacD wzruszył ramionami.

– Czemu nie?

Popędzili korytarzem. W każdej chwili spodziewali się, że jakiś załogant wyjdzie z którychś drzwi przed nimi. Kiedy dobiegli do końca, MacD sprawdził wyjście. Było czysto.

Na zewnątrz wiatr smagał pokład, gdy statek nabierał prędkości.

– Linda, zaraz skoczymy ze sterburty – zawiadomił MacD, wiedząc, że ich elektronika się spali, jak tylko wpadną do wody. – Bylibyśmy wdzięczni, gdybyś podpłynęła i nas zabrała, jak będziesz miała okazję.

– Przyjęłam – odrzekła. – Już się robi.

MacD i Mike ostatni raz sprawdzili, czy są sami, i wspięli się na reling. Rzucili się naprzód i patrzyli, kto lepiej zanurkuje. Choć uderzyli w wodę z rozbryzgami, MacD był pewien, że w ciemności nikt na tankowcu ich nie zauważył.

MacD się wynurzył i unosił w kilwaterze „Sorocaimy" na kursie do Korei Północnej. Mike pływał pieskiem obok niego.

– Jak ręka? – zapytał MacD.

– Wiaderko z lodem załatwi sprawę – odparł Mike.

Po trzech minutach, gdy tankowiec malał w oddali, discovery przebiła powierzchnię i Linda wystawiła głowę z włazu.

– Wyglądacie, jakby poszło wam dobrze – stwierdziła z uśmiechem – ale za skoki daję wam tylko trzy punkty. Następnym razem zróbcie śrubę albo salto.

MacD odwrócił się do Mike'a.

– Każdy krytykuje.

– Zwłaszcza majtek.

– Nazywajcie mnie tak dalej, to was tu zostawię – ostrzegła Linda.

Po minucie siedzieli w łodzi podwodnej z ręcznikami i kawą w rękach. Czekali, aż „Oregon" wróci po nich.

Bijak, oddzielony już od „Sorocaimy" i bez powietrza w rurze, opadał na dno Morza Karaibskiego. Jedyne, co zostawili, to magnesy wspinaczkowe na burcie statku. Ale po wyczerpaniu się baterii odpadną i zniknie ostatni dowód obecności intruzów na pokładzie.

Rozdział 9

Juan Cabrillo uśmiechnął się szeroko na widok nierozważnie ustawionej blokady drogowej na wprost. Dwa ciągniki siodłowe z naczepami tarasowały w poprzek koniec mostu prowadzącego na półwysep, gdzie Juan zamierzał się spotkać z „Oregonem". Dwa humvee z uzbrojonymi żołnierzami towarzyszyły ciężarówkom, trzy inne jechały za czołgiem. Ich pasażerowie od czasu do czasu strzelali bezskutecznie.

Żeby nie ujawnić pościgowi swojego punktu docelowego, Juan i Linc kluczyli po mieście z postojami, kiedy Max zajmował „Oregonem" pozycję. Właśnie zawiadomił przez radio, że wszystko gotowe, więc byli w drodze na szczyt wzgórza.

– Widzisz to? – zapytał Juan przez interkom.

– Jeśli tamte ciągniki nie są wypełnione ołowiem – odrzekł Franklin Lincoln z siedzenia kierowcy – to chyba nie doceniają możliwości sześćdziesięciopięciotonowego czołgu.

– Pokaż im.

– Z przyjemnością.

Linc przyspieszył abramsem do jego maksymalnej prędkości sześćdziesięciu pięciu kilometrów na godzinę. Czołg pędził po moście – niepowstrzymana niszczycielska siła w szarży na zaporę, którą Wenezuelczycy musieli uważać za nie do ruszenia.

Juan wiedział, jak bardzo się mylą.

Abrams przebił się przez ciężarówki niczym obrońca liniowy rozdzierający papierowe banery przed meczem futbolowym. Juan poczuł, że czołg ledwo zwolnił, gdy miażdżył puste samochody. Ich szczątki zasypały żołnierzy w pobliżu.

Juan się odwrócił i zobaczył, że humvee pełzną przez pobojowisko, żeby ścigać czołg drogą wzdłuż brzegu. Sprawdził poziom paliwa. Zbliżał się niebezpiecznie do zera, a mieli jeszcze trzy kilometry do przejechania. Gdyby utknęli w połowie drogi, Wenezuelczycy mogliby wezwać cięższe uzbrojenie i albo ich przeczekać, albo rozwalić czołg. Groziłaby im śmierć.

Plan ucieczki Juana zakładał, że będą mieli kilka minut spokoju po opuszczeniu czołgu. Gdyby na szczycie wzgórza na półwyspie otoczyli ich żołnierze z karabinami, zginęliby od kul natychmiast po otwarciu włazów.

Musieli spowolnić pościg. Linie wysokiego napięcia wzdłuż drogi podsunęły Juanowi pomysł.

– Linc, chyba niedługo będzie zaciemnienie po tej stronie portu.

– Owszem – odrzekł bez wahania Linc. – Te drewniane słupy telefoniczne wyglądają na bardzo słabe. Powinni je wymienić. Pomogę im.

Skręcił na pobocze i wziął na cel najbliższy gruby słup. Abrams złamał go jak gałązkę. Słup upadł w poprzek drogi, przewody iskrzyły na asfalcie. Latarnie uliczne momentalnie zgasły i tylko czołg pozostał oświetlony.

Abrams dalej jechał poboczem, dopóki nie skosili ponad pół tuzina słupów.

– Dobra robota – pochwalił Juan. – Powinniśmy mieć co najmniej parę minut oddechu, zanim humvee nas dogonią.

Nie było równoległej ulicy, za domami po jednej stronie drogi był skalisty teren, po drugiej woda. Żołnierze musieli usunąć przeszkody, żeby podjąć pościg.

Dudnienie gąsienic czołgu wywabiło mieszkańców na dwór. Juan czuł się wśród zdumionych gapiów jak na paradzie wojskowej.

Na końcu drogi Juan wykorzystał GPS w swoim telefonie, żeby poprowadzić ich w górę zarośniętego zbocza. Abrams osłabł na krótko, gdy jego gąsienice wgryzały się w ziemię, potem się wspiął, kładąc pokotem krzaki i drzewka przed sobą.

Po dwóch minutach osiągnęli szczyt, skąd w dzień mieliby rozległy widok na Morze Karaibskie. Chmury zasłaniały księżyc w pełni, więc nie widzieli odległego o trzy mile morskie archipelagu małych wysp, który tworzył naturalny falochron chroniący przed sztormami Puerto La Cruz i Guantę.

Ale Juan dostrzegał światła „Oregona” stojącego daleko w dole, trzysta metrów na północ od skalistego brzegu. Max doprowadził statek dokładnie tam, gdzie Juan spodziewał się go zobaczyć.

Juan otworzył właz i wyszedł z czołgu. Z przyjemnością odetchnął świeżym powietrzem po smrodzie spalonego prochu. Linc uchylił swój właz i podciągnął się do góry. Rozpostarł szeroko muskularne ramiona.

— Tej przestrzeni zdecydowanie nie zaprojektowano dla kogoś takiego jak ja — stwierdził.

— A czy coś jest zaprojektowane dla kogoś takiego jak ty? — zapytał Juan, kiedy telefonował na „Oregona”.

Linc pokręcił głową.

— A dlaczego mój harley jest customizowany, jak myślisz? Telefon Juana kliknął i odezwał się Max.

— Więc to jest twój plan C?

— Lubimy podróżować stylowo — odrzekł Juan. — Gotowi do strzału?

— Eddie jest na pokładzie z cometem i ma was na celowniku.

— To do roboty.

Firma Comet konstruowała rakiety do przenoszenia lin, wymagane na statkach przez SOLAS, międzynarodową konwencję o bezpieczeństwie życia na morzu. Używano ich do wysyłania lin ratunkowych ludziom, którzy wypadli za burtę, oraz do wystrzeliwania lin transportowych i holowniczych na inne statki.

Normalna rakieta Cometu miała zasięg niecałych dwustu trzydziestu metrów, ale Korporacja poprosiła o zwiększenie go dwukrotnie.

Juan zauważył błysk na „Oregonie" i czerwony płomień w kształcie kropli poszybował ku nim. Eddie trafił w cel. Pochodnia przeleciała łukiem wysoko nad ich głowami i opadła po drugiej stronie wzgórza. Lina wylądowała dokładnie w poprzek wieżyczki czołgu.

Linc natychmiast przywiązał ją mocno do lufy działa abramsa. Pokazał Juanowi uniesiony kciuk.

– Przekaż Eddiemu, że spisał się na medal – powiedział Juan do Maksa. – Lina przymocowana.

– Po naszej stronie przywiążemy ją do żurawia.

Lina się naprężyła, kiedy Eddie ją nawinął. Pędniki „Oregona" miały utrzymywać statek w miejscu, żeby się nie poluzowała ani nie pękła.

Juan pokazał Lincowi, żeby ruszał pierwszy. Linc wspiął się na czołg, owinął pas od karabinu wokół liny i okręcił jego końce dookoła nadgarstków.

– Pamiętaj, że jesteśmy dużo wyżej niż „Oregon" – ostrzegł Juan. – Będziesz miał porządny rozpęd, jak tam dotrzesz.

Eddie napompował do połowy kilka tratw ratunkowych, żeby zamortyzować ich lądowanie, mimo to zapowiadało się jak uderzenie ciała wrestlera. Juan zawiadomił Maksa, że Linc jest w drodze.

Linc przytaknął i zszedł z przodu abramsa. Tyrolki dla turystów to grube stalowe liny, więc pozostają naprężone pod obciążeniem, ale nylonowa lina była dużo bardziej elastyczna i opuściła się pod jego ciężarem. Schodził ze wzgórza, dopóki nie zawisnął na niej i grawitacja zrobiła swoje.

Juan odwrócił wzrok od Linca na odgłos silników samochodowych. Reflektory znieruchomiały na końcu drogi kilkaset metrów od niego. Drzwi trzasnęły, żołnierze się wysypali i skierowali na wzgórze. Łatwo było im iść śladem zniszczeń, które pozostawił po sobie czołg.

Ruchome światła latarek towarzyszyły ich wspinaczce. Oficerowie wykrzykiwali rozkazy, żeby wziąć intruzów żywcem. Ale Juan przypuszczał, że je zmienią, kiedy zobaczą, że zaraz ucieknie.

Max zadzwonił z wiadomością, że Linc dotarł. W samą porę. Chmury się rozstąpiły na chwilę i blask księżyca padł na czołg. Żołnierze zauważyli abramsa i puścili się pędem ku niemu z karabinami gotowymi do strzału.

Juan powtórzył czynności Linca. Kiedy był gotowy, zeskoczył z czołgu i pobiegł naprzód. Wyciągał ramiona, dopóki nie oderwał stóp od ziemi i nie zaczął sunąć w dół. Czuł wiatr na włosach i coraz silniejszy zapach słonej wody, gdy się zbliżał do brzegu.

Wybuchła za nim strzelanina, ale szybko ustała. Juan się domyślał dlaczego, ale nie mógł odwrócić głowy, żeby to sprawdzić.

Musieli zobaczyć, jak leci w powietrzu, zaintrygowało ich to i oddali kilka strzałów. Potem zapewne jakiś rozgarnięty żołnierz połapał się, w czym rzecz, i pognali szukać liny. Znalezienie jej na czołgu było tylko kwestią sekund.

Juan miał jeszcze sto metrów do „Oregona", ale minął już fale rozbijające się o skały w przyboju. Wibracje liny zasygnalizowały mu, że żołnierze ją zlokalizowali i próbują go strącić. Następny krok był oczywisty.

Lina nagle puściła od strony wzgórza. Ktoś przeciął ją ostrym nożem i Juan opadł ku morzu. Wyprostował się i uderzył w wodę stopami.

Zanurzył się na trzy metry. Zanim się uwolnił od pasa karabinu, złapał się liny i popłynął ku powierzchni.

Wynurzył się i lina znów się naprężyła. Chwycił ją mocniej, gdy go ciągnięto w kierunku „Oregona". Słyszał strzały żołnierzy, ale z tej odległości w ciemności mogli równie dobrze oszczędzić amunicję.

Kadłub „Oregona" wyrósł nad nim i zrzucono za burtę drabinkę sznurową. Juan podpłynął do niej i wspiął się do relingu. Eddie i Linc podciągnęli go i stanął na pokładzie.

– Dzięki – powiedział. – Nie planowałem lądowania w wodzie.

Linc się uśmiechnął.

– Chłopaki w jachtklubie nie uwierzą, co złowiłem.

– Miło znów cię widzieć, panie Gao – zwrócił się Juan do Eddiego.

Eddie skłonił się lekko.

– Kapitanie Holland.

– Powiedzcie Maksowi, żeby ruszał w drogę i że plan C wypalił. Spotkam się z nim w centrum operacyjnym, jak się wysuszę.

Kiedy szli, Eddie przekazał polecenie Juana przez swoje słuchawki z mikrofonem. Chwilę później „Oregon" zaczął zawracać od brzegu.

Eddie zrobił nagle poważną minę.

– O co chodzi? – zapytał Juan.

– Max mówi, że wywołuje nas wenezuelska fregata dwadzieścia mil morskich na zachód. Jej kapitan każe nam się poddać albo zostaniemy zniszczeni.

Rozdział 10

Juan nie zamierzał dowodzić swoim statkiem podczas walki w mokrym mundurze wenezuelskiej marynarki wojennej.

– Powiedz Maksowi, żeby ukrył nas przed fregatą za Chimana Grande – polecił Eddiemu. – Zyskamy trochę czasu.

Eddie przytaknął i przekazał wiadomość przez radio. Juan poszedł do swojej kabiny.

„Oregon" wziął kurs na małe skupisko niezamieszkanych wysepek dziesięć mil morskich na północny wschód. Choć był poza zasięgiem torped i dział, wenezuelska fregata miała na pokładzie pociski rakietowe woda-woda typu Otomat Mark 2 o zasięgu stu osiemdziesięciu mil morskich. Górzyste wyspy prosto na północ od obecnej pozycji „Oregona" – łącznie z największą, Chimana Grande – uniemożliwiałyby fregacie radarowe namierzenie celu, dopóki by ich nie minęła.

Juan zastał w swojej kabinie głównego stewarda Maurice'a z nieskazitelnie białym ręcznikiem na ramieniu i srebrną tacą z parującym kubkiem kawy. Dystyngowany siedemdziesięciokilkulatek był w eleganckiej czarnej marynarce, starannie zawiązanym krawacie i lśniących półbutach. Maurice służył wcześniej nienagannie licznym brytyjskim admirałom i szczycił się, że przewiduje potrzeby swojego oficera. Toteż Juana nie zaskoczył widok świeżego ubrania na łóżku zaledwie chwilę po wyciągnięciu go z wody.

Juan wziął kubek i wypił łyczek, rozkoszując się gorącym uderzeniem kofeiny.

– Ratujesz mi życie, Maurice.

– Czy mam podać panu lekki lunch w centrum operacyjnym, kapitanie? – zapytał Maurice z brytyjskim akcentem godnym Izby Lordów.

Choć reszta załogi nazywała Juana prezesem przez wzgląd na jego pozycję w Korporacji, Maurice uparcie trzymał się morskiej terminologii.

– Niestety to będzie musiało zaczekać – odrzekł Juan.

Zdjął mokry mundur i włożył niebieską koszulę, którą wybrał Maurice.

– Dobrze, kapitanie. Na kolację po akcji przyniosę panu filet mignon z sosem berneńskim, pieczonymi ziemniakami i szparagami. Oczywiście zaserwuję do tego odpowiednie bordeaux.

Maurice znał się na winach jak nikt inny.

Zachowywał całkowicie zimną krew w obliczu konfrontacji z fregatą. Subtelnym doborem słów dawał Juanowi do zrozumienia, że jest absolutnie pewien, że „Oregon" nie zostanie zatopiony ani zajęty przez Wenezuelczyków.

Nie mówiąc nic więcej, steward wyśliznął się z kabiny cicho jak ninja. Juan skończył się przebierać i poszedł z kubkiem kawy do centrum operacyjnego.

Usiadł w swoim Fotelu Kirka i poprosił Maksa o raport sytuacyjny.

– Jesteśmy w cieniu Chimana Grande na kursie zero cztery pięć. Fregata, która według jej kapitana nazywa się „Mariscal Sucre", nie będzie miała namiaru ogniowego przez następne pół godziny przy ich obecnej szybkości.

Wyświetlacz pokazywał, że „Oregon" robi dwadzieścia węzłów, dużo poniżej jego maksymalnej prędkości. Ale tyle pasowało do wiekowego frachtowca z silnikami pracującymi na limicie. „Mariscal Sucre", fregata typu Lupo, rozwijała do trzydziestu pięciu węzłów.

– Przewidywany czas podróży do Isla Caraca del Oeste?

– Trzydzieści dwie minuty.

– Skracamy go, tak?

– Hej, to nie był mój pomysł.

„Oregon" mógłby łatwo uciec fregacie, gdyby Juan wydał rozkaz. Zamiast typowych diesli miał rewolucyjne silniki magnetohydrodynamiczne. Dostarczały one moc napędową dwoma ogromnymi rurami, które biegły przez całą długość statku. Cewki oddziaływały na wolne elektrony w wodzie morskiej i nadawały jej prędkość w rurach. Woda była z nich wypychana jak powietrze przez silnik odrzutowy z taką samą siłą w przód i w tył. Dzięki temu „Oregon" mógł przyspieszać jak dragster i zatrzymywać się, jakby uderzył w skałę

Gibraltaru. Mógł też prześcignąć praktycznie wszystko na oceanie wolniejsze od pełnomorskiej łodzi wyścigowej. Zwężki Venturiego umożliwiały mu obrót wokół własnej osi. Ponieważ energię zapewniały mu wolne elektrony pobierane z wody, nie potrzebował silnika dieslowskiego ani zbiorników paliwa. Jego zasięg był zasadniczo nieograniczony.

Juan się uśmiechnął.

– Tak trzymać. A co z „Sorocaimą"?

– Mieli parę drobnych problemów, ale wpuścili bakterię do zbiorników. Tylko jedna mała ofiara. Mike Trono uszkodził sobie rękę. Ale Linda mówi, że wytrzyma na kilku aspirynach, dopóki ich nie zabierzemy. Zawiadomiłem już Julię.

Juan nie wątpił, że Julia Huxley, lekarka „Oregona", a wcześniej amerykańskiej marynarki wojennej, bardzo szybko przywróci Mike'owi pełną sprawność. Nie powinno to być problemem na statku z oddziałem urazowym i salą operacyjną na szpitalnym poziomie.

Juan zerknął na stanowiska sternika i operatora uzbrojenia. Znajdowały się najbliżej przegrody dziobowej i tuż poniżej ogromnego przedniego ekranu. Zamiast Erica Stone'a i Marka Murphy'ego, którzy wykonywali własne zadanie poza statkiem, zajmowali je inni członkowie Korporacji. Pod nieobecność Lindy główny mechanik Max i łącznościowiec Hali Kasim byli jedynymi starszymi oficerami w centrum operacyjnym.

– Eric i Murph skończyli? – spytał Juan.

– Mają wszystko na miejscu i wracają do nas ribem. Powinniśmy się z nimi spotkać za dziesięć minut.

Rib, sztywnokadłubowa łódź pneumatyczna, taka sama, jakich używali komandosi Navy SEAL, miała metalowy kadłub z pompowanymi rurami na burtach. Dzięki temu utrzymywała się na wodzie jak styropian. Eric służył w marynarce wojennej nie na okręcie, tylko w biurze badań i rozwoju. Ale w Korporacji stał się wytrawnym sternikiem i umiejętnością prowadzenia statku ustępował tylko Juanowi. Napierałby na przepustnicę, żeby wrócić ribem na pokład „Oregona".

– Więc chyba kazaliśmy naszemu rozmówcy czekać wystarczająco długo – powiedział Juan. – Panie Kasim, niech pan wywoła naszych wenezuelskich przyjaciół.

Po chwili Hali zameldował, że na linii jest kapitan Escobar.

Juan przeszedł na przeciągłą mowę Bucka Hollanda.

– Kapitanie Escobar, tu Buck Holland, kapitan „Dolosa" – odezwał się wesoło. – Czym mogę służyć?

– Rozkazuję wam natychmiast się zatrzymać – odparł po angielsku głos z wyraźnym akcentem. – Pan i pańska załoga zostaniecie aresztowani i oskarżeni o szpiegostwo i sabotaż, a wasz statek zostanie skonfiskowany.

– To poważne zarzuty. Jaki ma pan dowód?

– Pańska załoga zaatakowała naszą policję portową, a pan ukradł czołg i zniszczył statek i nabrzeże.

– Och, to były po prostu nieporozumienia.

Escobara rozwścieczyła bezczelność Juana.

– Nieporozumienia?! Będziesz miał szczęście, jeśli nie zostaniesz rozstrzelany za te przestępstwa, ty śmieciu!

– Zaraz, zaraz, nie ma potrzeby używać wyzwisk.

– Natychmiast zatrzymasz swój statek.

– Dlaczego miałbym to zrobić?

– Bo jak nie posłuchasz, to cię rozwalimy.

– Hm… Areszt albo rozwałka. Ani jedno, ani drugie nie brzmi zbyt zachęcająco. Wybieram trzecią bramkę.

– Co?

– Nie macie tu takich teleturniejów jak *Idź na całość*?

– Nie rozumiem…

Cisza zapadła na moment i rozległ się głos kobiety. Mówiła prawie bez akcentu, szybciej i bardziej władczo niż Escobar.

– Niech pan skończy tę komedię, kapitanie. Wiem, że pan odpowiada za to, co się stało w magazynie.

Juan przestał przeciągać samogłoski.

– Admirał Ruiz, jak przypuszczam. Miałem nadzieję, że pani jest na pokładzie.

– Jeśli pan myśli, że coś osiągnęliście waszą operacją w Puerto La Cruz, to zapewniam pana, że to było zaledwie ukłucie.

– Czy tamten zatopiony fałszywy tankowiec jest dla pani, przez analogię, balonem? Bo jeśli tak, to pękł całkiem głośno.

– Zapłaci pan za to, w ten czy inny sposób.

– A, tak. Aresztem albo zniszczeniem. Niech pani nas dopadnie.

– Zamierzam. Wolałabym spotkanie twarzą w twarz, żebyście zobaczyli, kto was pokonał. Ale zadowolę się zatopieniem waszego statku, jeśli dojdzie do tego.

– Niech pani spróbuje.

Ruiz się roześmiała.

– Zrobię więcej. To była interesująca rozmowa, kapitanie. Mam nadzieję, że pana poznam pewnego dnia.

– Bez wzajemności. *Adiós*.

Juan pokazał, żeby przerwać połączenie, i Hali to zrobił.

– Sprawia wrażenie uroczej – stwierdził Max.

– Oprócz tego, że jest się dobrym dowódcą okrętu – odparł Juan – kobietą czy mężczyzną, dochodzi się do stopnia admirała jednym z dwóch sposobów: urokiem lub bezwzględnością. Zgaduję, że Ruiz używa obu zależnie od swoich kalkulacji. Nie powinniśmy jej lekceważyć.

– Nie zamierzam. Moja pierwsza żona uderzyła w taki sam ton tuż przed tym, jak jej adwokat rozwodowy mnie oskubał. I nie pozwolę, żebyśmy podzielili „Oregona” na pół dla Ruiz.

Po trzech nieudanych małżeństwach prawdziwą miłością Maksa był teraz jego statek.

– Prezesie, Eric jest milę od naszego dziobu – zameldował Hali.

– Cała stop. Otworzyć garaż łodziowy.

„Oregon" się zatrzymał. Ukryte drzwi w burcie statku na poziomie linii wodnej się rozsunęły i odsłoniły szerokie pomieszczenie dla nawodnych jednostek pływających „Oregona". Przedni ekran w centrum operacyjnym pokazał garaż łodziowy. Kiedy rib dotarł do „Oregona", Eric Stone wprowadził go z wprawą do środka i Mark Murphy rzucił linę czekającemu technikowi. Bez wielkiej pompy wyskoczyli na pokład i wyszli z garażu.

– Zamknąć drzwi – polecił Juan. – Pełna moc silników przez kilka minut, żebyśmy nadrobili stracony czas.

Kadłub drżał, kiedy kriopompy nabrały obrotów i woda wystrzeliwała z rufy.

Chwilę później Eric i Mark weszli do centrum operacyjnego. Wyglądali na zadowolonych z siebie.

Byli najmłodszymi starszymi oficerami na statku. Eric, poważny absolwent Annapolis z łagodnymi brązowymi oczami, zdjął kurtkę. Miał pod nią swoją zwyczajową białą koszulę z przypinanym kołnierzykiem i luźne spodnie khaki. Trafił do Korporacji z rekomendacji oficera, który służył z Maksem w Wietnamie. Na „Oregonie" jego wiedza techniczna i znajomość komputerów ustępowały tylko umiejętnościom Marka Murphy'ego, którego ściągnął do Korporacji.

Murph nie służył w marynarce wojennej, ale pracował z Erikiem nad ściśle tajnym projektem pocisku rakietowego jako cywilny kooperant. Z całej załogi tylko on nie miał wojskowej ani wywiadowczej przeszłości. W wieku dwudziestu paru lat zrobił doktorat na MIT i był genialnym konstruktorem broni. Nadawał się idealnie na operatora uzbrojenia „Oregona".

Pogardzał wszelkim konformizmem, więc jego ciemne włosy wyglądały jak dzika jeżyna, zwłaszcza teraz, potargane przez wiatr. Z rzadkiego zarostu na jego podbródku nie chciała wyrosnąć broda, zaś chudy tors był okryty T-shirtem z napisem „Gorilla Biscuits". Juan przypuszczał, że to nazwa jednego z zespołów punkrockowych, których Murph słuchał w swojej kabinie dość głośno, by obudzić umarlaka.

Młodzi członkowie załogi wstali ze swoich stanowisk i Eric usiadł za sterem, a Murph przy konsoli kierowania ogniem.

– Poznaję po waszych zadowolonych minach – powiedział Juan – że wszystko poszło planowo.

– Zgadza się, prezesie – potwierdził Eric. – Mamy wszystko na miejscu.

– Chodzi mu o to – wyjaśnił Murph – że tym razem przeszliśmy samych siebie. Trzeba to zobaczyć.

– Kontakt radiowy – zameldował Hali, zanim Juan zdążył odpowiedzieć. – Samolot szesnaście kilometrów od nas na kierunku jeden osiem dziewięć. Zbliża się z prędkością stu pięćdziesięciu węzłów.

– To musi być helikopter przeciwpodwodny z „Mariscal Sucre" – odparł Juan. – Ocena zagrożenia?

Murph, żywa baza danych o broni, wyrecytował:

– Fregaty typu Lupo mają jeden Agusta-Bell AB-212. W roli śmigłowca do zwalczania okrętów podwodnych może być wyposażony w dwie torpedy Mark 46 i cztery przeciwokrętowe pociski rakietowe AS.12.

– Jaki mają zasięg?

– Rakiety maksymalnie siedem kilometrów, ale torpedy jedenaście.

– Nie wystrzelą torped na uczęszczanym szlaku żeglugowym, ale trzymajmy się w bezpiecznej odległości od nich. Uzbrojenie, oznacz cel.

Murph aktywował radar celowniczy, który natychmiast namierzył nadlatujący helikopter. Pilot usłyszał wysokotonowy sygnał – ostrzeżenie, że rakieta może być wystrzelona w niego ze statku w każdej chwili.

Juan nie chciał walki, ale strącenie śmigłowca byłoby łatwe, gdyby doszło do tego. „Oregon" miał potężny arsenał ukryty za odsuwanymi płytami kadłuba. 120-milimetrowa armata czołgowa znajdowała się w dziobie, trzy kierowane radarem 20-milimetrowe działka Gatling służyły do obrony przed atakami lotniczymi i małych okrętów. Oprócz zdalnie sterowanych armatek wodnych karabiny maszynowe kaliber .50 w fałszywych beczkach na pokładzie mogły być użyte do odparcia abordażystów.

Pod pokrywami spoczywały przeciwokrętowe rakiety Exocet i pociski manewrujące do niszczenia celów lądowych. Rosyjskie torpedy mogły być odpalane z wyrzutni poniżej linii wodnej. Pociski rakietowe woda-powietrze czekały w pogotowiu na wypadek, gdyby pilot helikoptera nie zrozumiał aluzji.

Nie wypróbowali jeszcze w walce swojej najnowszej broni, stulufowego działka multi-cannon firmy Metal Storm. W przeciwieństwie do zasilanego taśmą gatlinga z sześcioma obrotowymi lufami, metal storm był całkowicie elektroniczny. Brak części ruchomych eliminował zacięcia. Naboje trafiały do luf liniowo bezpośrednio jeden za drugim, a elektronika umożliwiała prowadzenie ognia precyzyjnymi seriami. Każda z luf wystrzeliwała jednocześnie czterdzieści pięć tysięcy wolframowych pocisków na minutę, więc cała broń wypluwała ich cztery i pół miliona w ciągu minuty. Przy tej oszałamiającej liczbie pocisków gatling wypadał blado z trzema tysiącami pocisków na minutę.

— Helikopter skręca — zameldował Hali.

Juana to nie zaskoczyło. Najnowsze odpalane z ramienia pociski woda-powietrze wydawały się w sam raz dla szpiegowskiej załogi z bronią ręczną i granatnikami, więc pilot wolał trzymać się z daleka. Nie mógł wiedzieć, że rakiety „Oregona" są o wiele potężniejsze.

— Sprawdźmy, czy zmieni zdanie, panie Kasim.

Następne dwadzieścia minut minęło bez incydentu. Trzy wysepki na ich kursie tworzyły trzykilometrowe nierówne grzbiety. Leżały dokładnie na wprost dwóch niezamieszkanych półwyspów. Wysepki dzieliły od siebie odległości niewiele większe od długości „Oregona".

Kiedy Isla Caraca del Oeste była na lewo od ich dziobu, Hali zawołał:

– Kontakt nawodny! Kierunek jeden sześć osiem, dziesięć mil morskich od nas. To „Mariscal Sucre". Musi iść pełnym gazem.

Było do przewidzenia, co zrobi fregata, kiedy zobaczy „Oregona", ale następne słowa Halego zwróciły uwagę Juana.

– Mam odpalenie rakiety!

Juan pochylił się do przodu w swoim fotelu i wpatrzył w mapę na przednim ekranie. Pokazywała czerwony pulsujący punkt, który pędził w kierunku symbolu „Oregona". Obok mapy wyświetlał się obraz z jednej z kamer pokładowych. Pocisk nie był jeszcze widoczny, ale wkrótce miał być.

– Uzbrojenie, czas do uderzenia?

– Pięćdziesiąt dwie sekundy – odpowiedział Murph.

Rakieta leciała z prędkością tuż poniżej prędkości dźwięku.

– Przygotuj baterię Metal Storm. Zobaczmy, co potrafi. Ale na wszelki wypadek napędź gatlinga rufowego.

Multi-cannon uniósł się do pozycji ogniowej z ukrycia za ostatnią ładownią rufową. Płyta zasłaniająca gatlinga otworzyła się i lufy osiągnęły obroty prędkości ogniowej.

– Oba działka mają radarowy namiar celu – zameldował Murph.

– Pamiętaj – powiedział Juan – że strzelasz dopiero, jak będzie pięćset pięćdziesiąt metrów od nas.

Zaledwie dwie sekundy przed uderzeniem.

– Czekam w gotowości – odrzekł Murph z pewnością siebie. – Ten system jest zaprogramowany do automatycznego otwarcia ognia z takiej odległości.

Ognisty punkt na przednim ekranie jaśniał coraz mocniej na nocnym niebie z każdą mijającą sekundą, gdy pocisk mknął nisko nad wodą. Kiedy się zbliżył na pięćset pięćdziesiąt metrów, bateria Metal Storm wypaliła sama. Murph nie musiał podnosić palca z bezpiecznika gatlinga.

Gatling potrzebowałby dziesięciu sekund na wystrzelenie pięciuset pocisków. Metal Storm wypluł tyle w mniej niż mgnienie oka. Zrobił to tak szybko, że na przekazie wideo seria wydawała się pojedynczym błyskiem. Towarzyszył temu dźwięk młota pneumatycznego, który rozszedł się po całym statku.

Rakieta nie miała szans. Murph zaprogramował działko tak, że wystrzelone pociski utworzyły nieprzeniknioną ścianę wolframu w powietrzu. Otomat natrafił na nią dwieście siedemdziesiąt metrów od rufy „Oregona" i eksplodował. Kula ognia przeciążyła chwilowo system obrazowania kamery pokładowej i przekaz zniknął z ekranu.

Mimo zniszczenia pocisku „Oregon" nie wyszedł z tego bez szwanku. Kiedy widok pokładu rufowego powrócił, zobaczyli rozległy pożar.

Rozdział 11

Admirał Dayana Ruiz uśmiechnęła się na widok płonącego statku na horyzoncie. Pocisk rakietowy zrobił swoje i „Dolos" zwolnił do tempa żółwia.

– Wykończymy ich, pani admirał? – zapytał kapitan Escobar.

Czerwony blask lamp bojowych na mostku „Mariscal Sucre" oświetlał jego twarz.

Ruiz opuściła lornetkę.

– Nie. Chcę zdobyć tamten statek nietknięty. To znaczy, na tyle nietknięty, na ile będzie, jeśli zdołają ugasić pożar.

– Przy naszej obecnej szybkości przechwycimy ich za piętnaście minut.

– Niech pan ich wywoła.

Kapitan Holland – czy jak on się naprawdę nazywał – zgłosił się.

– Dzwonicie, żeby triumfować?

Słyszała kaszel w tle, niewątpliwie od dymu na statku.

– Teraz pan widzi, że od początku nie mieliście szans – odrzekła Ruiz. – Poddajcie się, to będę wyrozumiała dla pańskiej załogi, obiecuję.

– Jeszcze nie jesteśmy załatwieni.

– Kapitanie, pański statek płonie. Albo zatonie, albo nawozy w waszej ładowni eksplodują. Niech pan pomyśli o swoich ludziach.

– Wystarczy nowa warstwa farby, żeby to naprawić.

– Podziwiam pańską odporność, kapitanie, ale musi pan zdawać sobie sprawę, że jesteście w beznadziejnym położeniu.

– Zajmiemy się tym.

Cisza zapadła na linii.

– Uparty sukinsyn – stwierdził Escobar.

– Gdyby służył w naszej marynarce wojennej, zapudłowałabym go za niesubordynację albo oddałabym mu pod dowództwo całą eskadrę.

Ruiz widziała wiele z siebie w swoim przeciwniku. Byłoby interesujące zobaczyć, czy nadal zachowywałby spokój w pace w bazie morskiej Puerto Cabello.

Fregata pruła fale przez dziesięć minut, dopóki nie znalazła się trzy mile morskie od celu, który pozostawał na południe od najbliższej wysepki. Gaszenie pożaru nie szło dobrze. Rufa wciąż się paliła.

– Zaczekamy tutaj – zdecydowała Ruiz i Escobar zatrzymał fregatę.

Mniejsza odległość groziłaby im zniszczeniem, gdyby „Dolos" eksplodował.

Ruiz kazała zorganizować oddział abordażowy. Chciała być gotowa, gdyby kapitan zmienił zdanie i postanowił się poddać. Zakładając, że zdołałby ocalić swój statek.

– Są jakieś tratwy ratunkowe na wodzie?

W blasku ognia powinny być dobrze widoczne mimo ciemności.

– Nie widzimy żadnej, pani admirał – odrzekł Escobar. – Ich załoga najwyraźniej wciąż próbuje ugasić pożar.

– Oszukują samych siebie. Wygląda mi na to, że ogień się rozprzestrzenia. Dotarcie płomieni do ładunku jest tylko kwestią czasu.

– Pani admirał! – krzyknął operator radaru. – Wrogi statek jest w ruchu.

– Co?!

Ruiz podbiegła do jego konsoli. „Dolos" istotnie odpływał.

– Prędkość?

– Piętnaście węzłów i przyspiesza. Okrąża południowy kraniec wyspy i kieruje się do kanału między Isla Caraca del Oeste i Isla Caraca del Este.

– Ich silniki wydawały się zepsute – powiedział Escobar. – Jak załoga naprawiła je tak szybko?

– Nieważne. Przygotować główne działo do strzału.

– Ale on jest ukryty za najbliższą wyspą.

Miała wrażenie, że mówi do dziecka.

– Trzeba wykorzystać kurs i szybkość statku do przewidzenia ich pozycji i strzelić nad wyspą. Niech pan mi zaimponuje.

– Mamy ich ścigać?

Zastanowiła się. Pościg w wąziutkiej cieśninie był niebezpieczny. I gdyby działo nie znalazło celu, wolałaby być między wyspami a pełnym morzem.

– Nie – zaprzeczyła. – Niech pan wyznaczy kurs przechwycenia wokół wyspy. Przetniemy im drogę, jeśli nie będę usatysfakcjonowana.

„Mariscal Sucre" przyspieszyła do maksymalnej prędkości w kierunku na północ. Wieża dziobowa obróciła się w prawo z wyciem przekładni i 127-milimetrowe działo uniosło się do strzału wysokim łukiem.

– Mamy trajektorię – zameldował Escobar.

– Ognia – rozkazała spokojnie, choć serce jej waliło.

Escobar przekazał komendę. Fregatą zatrzęsło, gdy działo wypaliło z ogłuszającym hukiem. Za pierwszym trzydziestodwukilogramowym pociskiem poszybowały szybko trzy następne.

Frachtowiec zasłaniała im wysepka, więc mogliby zobaczyć tylko skutek ostrzału. Pociski wpadające do morza były niewidoczne. Dopiero po trafieniu w cel ujrzeliby błysk kuli ognia.

Oficer uzbrojenia fregaty odliczał czas do uderzenia. Pierwszy pocisk chybił. Drugi też. Kiedy trzeci raz spudłowali, Ruiz zauważyła krople potu na czole Escobara.

Jednak czwarty strzał okazał się celny: jasny blask oświetlił na krótko chmury od spodu. Na mostku wybuchły wiwaty.

– Doskonały ostrzał, kapitanie – powiedziała Ruiz. – Dodam pochwałę do pańskiego raportu.

– Dziękuję, pani admirał.

– Okrążamy wyspę. Chcę zobaczyć, czy mamy jeszcze co ratować. Badanie wraku może ujawnić, kto stoi za ich operacją. I nadal chcę przesłuchać ewentualnych rozbitków. O świcie poderwiemy śmigłowiec w powietrze, żeby sprawdził, czy ktoś nie dotarł na którąś z wysp.

Po pięciu minutach fregata opłynęła północno-zachodni kraniec Isla Caraca del Oeste. „Dolos" tkwił nieruchomo w kanale morskim między sąsiadującymi wysepkami.

Szpiegowski frachtowiec nie nadawał się do żeglugi. Pożar ogarnął całą rufową połowę statku. W blasku ognia było wyraźnie widać, że pocisk z fregaty zniszczył nadbudowę z mostkiem.

Ruiz była zawiedziona. Nie wyobrażała sobie, żeby kapitan, który sprawił jej tyle kłopotu, opuścił swoje stanowisko. Musiał zginąć w sterowni. Mieliby szczęście, gdyby znaleźli coś, co z niego zostało.

– Jakie rozkazy, pani admirał? – zapytał Escobar.

– Możemy jedynie czekać – odparła. – Teraz to tylko kwestia czasu.

Dobrze znała widok tonącego statku.

Rozdział 12

Juan czuł żal, kiedy patrzył, jak statek płonie. Znajoma sylwetka sprawiała, że widok był jeszcze bardziej przygnębiający. Ale frachtowiec spełnił swoje zadanie i teraz musieli go zostawić.

– Pilnuj, żeby wysepki zasłaniały nas przed fregatą, dopóki nie będziemy poza zasięgiem radaru, panie Stone – polecił Juan.

– Tak jest, prezesie – odrzekł Eric. – To nie powinno być trudne. „Mariscal Sucre" stoi.

– Nie sądzę, że odpłynie – powiedział Max. – Ruiz jest jak podpalaczka, która obserwuje swoje dzieło.

– Więc pokażmy jej wielki finał. Panie Murphy, przygotować fajerwerki.

Murph zatarł ręce z radości.

– Z przyjemnością, prezesie.

Tak jak zaplanowali, Ruiz sądziła, że widzi płonącego i tonącego „Oregona", kiedy w rzeczywistości pruł on na północny wschód przez Morze Karaibskie z prędkością ponad czterdziestu pięciu węzłów. Obraz na przednim ekranie dowodził, że udało im się oszukać Ruiz. Przekaz wideo z miniaturowego drona, który okrążał okręt wojenny w bezpiecznej odległości, potwierdzał, że fregata stoi. Gdyby Ruiz nie dała się nabrać, ścigałaby ich.

CIA zleciła im zepsucie oleju napędowego dla Korei Północnej i zdobycie dowodu, że Wenezuelczycy przemycają broń, ale Juan uznał to za dobrą okazję do osiągnięcia trzeciego celu: odzyskania anonimowości.

Przez kilka ostatnich lat pakowali się w konflikty z różnymi krajami Trzeciego Świata. Czasami walczyli z okrętami wojennymi i kilka zatopili. Podczas żadnego incydentu „Oregon" nie został zdemaskowany, ale zaczęły krążyć pogłoski o jakimś statku szpiegowskim. Choć w opowieściach jego nazwa i wygląd całkowicie się różniły, Juan i jego oficerowie byli zgodni, że w końcu ktoś ich rozszyfruje. Dlatego musieli przekonać wszystkich, że załoga mitycznego statku to tylko banda najemników, a on sam przestał być groźny, bo poszedł na dno.

Juan zorganizował burzę mózgów, jak to zrobić, kiedy się dowiedział, że jedyny ocalały siostrzany statek „Oregona" idzie na złom. Zanim „Oregon" został odremontowany jako cud techniki, transportował tarcicę między amerykańskim północno-zachodnim wybrzeżem a Azją. Zbudowano jeszcze cztery takie same statki, ale służbę zakończyły już wszystkie z wyjątkiem „Washingtona", który nadal pływał po wodach wokół stanu o tej samej nazwie i dostarczał zaopatrzenie na Alaskę.

Gdy „Washingtona" przeznaczono na złom, Korporacja kupiła go za bezcen i uruchomiła plan Juana. Jego załoga przez ostatni tydzień zmieniała wygląd statku, żeby „Washington" i „Oregon" wydawały się identyczne. Jego ładownię wypełniono też azotanem amonu, który miał być w „Oregonie". Potem doprowadzono „Washingtona" do jego miejsca zakotwiczenia wśród odosobnionych Islas Caracas i pozostawiono tam Erica Stone'a i Marka Murphy'ego, żeby poczynili ostatnie przygotowania.

Staranny plan odzyskania anonimowości zakładał wciągnięcie w walkę jednej z wenezuelskich fregat. Oszustwo Eddiego Senga gwarantowało, że kapitan portu Manuel Lozada zawiadomi swoich przełożonych w marynarce wojennej o przybyciu „Oregona". Eddie nie odstępował Lozady, żeby móc informować Maksa o posunięciach Wenezuelczyków. Langston Overholt, ich kontakt w CIA, podawał im na bieżąco pozycje wenezuelskich okrętów wojennych na podstawie obserwacji satelitarnej. „Mariscal Sucre" była najbliższą fregatą na patrolu, więc wiedzieli, że ich cel przypłynie z zachodu.

Po uzyskaniu informacji wywiadowczych o przemycie pozostało tylko zwabić fregatę między bezludne wyspy, gdzie czekał ukryty „Washington".

Podobnie jak Kevin Nixon, który skonstruował petardy do zainscenizowanego postrzelenia Eddiego, Murph stworzył własne, o wiele większe, dla „Oregona". W momencie, gdy bateria Metal Storm zneutralizowała nadlatujący pocisk rakietowy tak blisko statku, żeby Ruiz pomyślała, że został trafiony, Murph jednocześnie aktywował ładunki wybuchowe na pokładzie „Oregona" i ustawione wcześniej rozpylacze gazu, co upozorowało szalejący pożar bez żadnego zagrożenia dla statku. Zapewnił Juana, że farba na kadłubie nawet się nie osmali.

Ale „Washington" nie miał tyle szczęścia. Z pomocą Erica Murph pokrył pokład pojemnikami, które po zdetonowaniu wyrzucą napalm, żeby powstała imitacja sztucznego pożaru na „Oregonie". Dodatkowe materiały wybuchowe rozmieścili na całym statku, łącznie ze sterownią.

Juan trzymał silniki „Oregona" na biegu jałowym, dopóki fregata nie zbliżyła się na odległość strzału z działa. Stali w miejscu, skąd mogli szybko wpłynąć na zawietrzną Isla Caraca del Oeste, kiedy Ruiz znów ruszy w drogę. Gdy wyspa ich zasłoniła, Juan dał pełne otwarcie przepustnicy, bo wiedział, że fregata będzie celowała w przypuszczalną pozycję „Oregona" na podstawie jego mniejszej prędkości. Pociski spadły nieszkodliwie w ich kilwater. Kiedy ostatni wylądował w wodzie, Murph odpalił ładunki wybuchowe na pokładzie „Washingtona".

Juan uważał, że fregata może równie dobrze ścigać ich w cieśninie, jak przechwycić po drugiej stronie. Musiał mieć pewność, czy płynąć naprzód, czy wstecz, żeby być poza wizualnym i radarowym zasięgiem, kiedy Ruiz zobaczy płonącego „Washingtona". Decyzję ułatwił mu jego as w rękawie w osobie George'a „Gomeza" Adamsa.

Gomez pilotował helikopter „Oregona". Swoje przezwisko zawdzięczał dawnemu romansowi z kobietą łudząco podobną do Morticii z telewizyjnego serialu *Rodzina Adamsów*. Śmigłowiec MD 520N podróżował ukryty w rufowej ładowni statku. Mógł być podniesiony do pozycji startowej w dziesięć minut, ale tej nocy Gomez siedział wygodnie w centrum operacyjnym.

Był nie tylko pilotem helikoptera, ale także ich najlepszym operatorem drona. „Oregon" miał kilka bezzałogowych aparatów latających do rekonesansu powietrznego i Juan kazał wypuścić jeden, kiedy fregata się zbliżała. Standardowy egzemplarz o rozpiętości skrzydeł metr dwadzieścia został wyposażony przez Maksa w kamerę wideo o wysokiej rozdzielczości na przegubie kardanowym, która przekazywała obraz na „Oregona". Gomez nosił wąsy godne Wyatta Earpa i był tak przystojny, że Murph zaproponował kiedyś „konkurs piękności" z udziałem jego i MacD. Gomez patrzył teraz na swój monitor i z wprawą prowadził drona tuż nad falami, żeby trzymać go poniżej zasięgu radaru fregaty.

Dzięki ich oczom na niebie zobaczyli, że „Mariscal Sucre" pruje ku północnej stronie wyspy, więc Juan kazał dać całą wstecz. „Oregon" wydostał się z cieśniny i ukrył za następną wyspą, zanim fregata ukazała się w polu widzenia.

– Gomez – powiedział Juan – zakręć, żebyśmy mieli dobre ujęcie „Washingtona".

– Żaden problem.

Dron zawrócił. Światła pozycyjne „Mariscal Sucre" były widoczne za płonącym frachtowcem.

– Pasuje?

– Spielberg byłby z ciebie dumny. W jakiej jesteś odległości?

– Pięciu kilometrów.

– Powinno wystarczyć. Nie mogę powiedzieć tego samego o fregacie, ale to ich problem. Wiedzą, jaki jest ładunek. Gotowy, panie Murphy?

– Czekam na rozkaz – odrzekł Murph z palcem w pogotowiu.

– Dawaj.

Murph walnął w przycisk.

Materiały wybuchowe ułożone starannie obok azotanu amonu w ładowni „Washingtona" eksplodowały, co wywołało katastrofalną reakcję łańcuchową w nawozie. Kula ognia rozbłysła cicho na ekranie. Statek został rozerwany i przepołowiony. Kawałki kadłuba zasypały sąsiednie wyspy. Tylko złamany kil poszedł pod wodę. Wenezuelczycy nie mieliby co badać, gdyby wysłali na dno płetwonurków. Z tego, co wiedzieli, zniszczony przez wybuch statek nazywał się „Dolos". Nie pozostał żaden dowód, że było inaczej.

Juan czuł się tak, jakby obserwował zatonięcie samego „Oregona", i żal powrócił. Przynajmniej „Washington" skończył godniej, niż gdyby go pocięto i sprzedano jako złom.

Niewielkie tsunami omyło brzegi wysepki i pomknęło ku fregacie, która przechylała się tam i z powrotem od wstrząsu na skutek eksplozji. Sekundy później dron się rozkołysał. Gomez walczył o utrzymanie kontroli nad nim.

– Człowieku, to było większe, niż się spodziewałem.

Skierował bezzałogowca w górę i wypoziomował. Bez wątpienia załoga fregaty nie zwracała teraz zbytniej uwagi na radar, nawet jeśli ocalał.

Gomez wciąż miał fregatę w kamerze. Nic się tam nie ruszało.

– Założę się, że to ich obudziło – powiedział Max.

– I rozwaliło im bębenki w uszach – dodał Juan. – Byłbym zaskoczony, gdyby jakaś szyba w ich sterowni nie wyleciała.

– Jeśli dokądś popłyną, to z powrotem do portu do naprawy.

– Zgadzam się z tym. Ale ty, Gomez, miej ich na oku, dopóki się nie oddalimy na trzydzieści mil morskich. Potem zatop drona.

– Dobra.

Kadłub zadźwięczał metalicznie, kiedy fala uderzeniowa dotarła do nich piętnaście mil morskich od miejsca wybuchu.

– Max, przemień nas z powrotem w „Oregona". „Dolos" dobrze nam służył, ale oddamy jego nazwę morzu.

– Chętnie.

Nazwa na pawęży mogła być zmieniona natychmiast przy użyciu magnetycznego panelu, który pozwalał zaprogramować dowolny napis i czcionkę. Za naciśnięciem przycisku Max dezaktywował magnesy i przywierające do pawęży żelazne opiłki odpadły. Namagnetyzował je ponownie i dysze rozpyliły z nich słowo „Oregon". Na pełnym morzu, daleko od tras żeglugowych, załoga pomaluje kadłub na inny kolor i w inne plamy, rozmieści inaczej sprzęt na pokładzie, doda fałszywe palety i usunie drugi komin, żeby całkowicie zmienić sylwetkę statku. „Oregon" będzie wyglądał w następnym porcie zupełnie inaczej niż „Dolos".

– Dobra robota, wszyscy – pochwalił Juan. – Uważam, że zyskaliśmy kilka lat anonimowości. Stawiam drinki po następnym zejściu na ląd.

– Słyszę – powiedział Max. – Z tą bandą będzie cię to kosztowało.

– Zrobię to z przyjemnością. Panie Stone, jak będziemy poza zasięgiem radaru, weź kurs na discovery.

– Niech tylko zobaczą wideo – odezwał się Murph. – MacD i Trono pożałują, że ich to ominęło.

Juan podszedł do niego i wręczył mu kartę pamięci z telefonu porucznika Domingueza.

– Zanim się popiszesz swoimi umiejętnościami pirotechnicznymi, macie to rozszyfrować z Erikiem.

Murph obrócił kartę w palcach.

– Mokra.

– Miałem ją w kieszeni, kiedy wpadłem do wody. Linc da ci też laptopa, ale powinien być suchy.

– Szkoda – odrzekł Murph. – Lubię wyzwania.

– Mam przeczucie, że nasza nowa znajoma, admirał Ruiz, nie chce, żebyśmy się dowiedzieli, co jest na tej karcie pamięci. Muszę wiedzieć, co ona jeszcze kombinuje.

Rozdział 13

Panama City, Floryda

Major Norm Miller pierwszy raz widział komplet pilotów na stanowiskach w poligonowym ośrodku sterowania dronami

Gulf Range bazy lotniczej Tyndall. Zwykle latał tylko jeden bezzałogowy cel, ale tego ranka przeprowadzano ostatni test przed operacją w przyszłym tygodniu. Wszystko musiało pójść idealnie, bo inaczej pokaz mógł być odwołany. Miller nie chciał, żeby przeoczono choćby najdrobniejszy szczegół, bo czekał go awans na podpułkownika.

– Status maszyn – zażądał i wszystkie stanowiska odpowiedziały, że maszyny są sprawne i gotowe do startu.

– Świetnie. To zaczynamy. Przepiórka 1, połącz się z wieżą. Niech dadzą pozwolenie na kołowanie.

Miller, opalony i łysiejący były pilot myśliwski, popijał dietetyczną colę, kiedy obserwował obraz z kamery drona, który toczył się w kierunku pasa startowego. Major nie miał krzesła w pomieszczeniu, bo wolał chodzić między stanowiskami i nadzorować operatorów. Każdy z sześciu kokpitów symulatorów zajmowało dwóch pilotów ze względu na zwiększone obciążenie psychiczne wskutek braku odczuwalnych reakcji, jakich doświadcza pilot na pokładzie. Normalnie samolot pilotował komputer z wprowadzonymi danymi operacji, a w razie jego awarii przechodziło się na ręczne sterowanie. Ostatecznym zabezpieczeniem była głowica pocisku rakietowego Sidewinder w dronie. W razie utraty kontaktu bezzałogowiec uległby samozniszczeniu.

Pierwszy kołujący na płycie dron skręcił, żeby kamera w drugim pokazywała go z boku. Był to zmodyfikowany smukły myśliwiec F-16 Fighting Falcon, który nazywano teraz QF-16, żeby go rozpoznawać jako bezzałogowy cel do zniszczenia pewnego dnia przez inny samolot lub okręt. Jego ogon i końce skrzydeł pomalowano na pomarańczowo i podwieszono pod nim zewnętrzny zbiornik paliwa.

Miller nie mógł się przyzwyczaić do tego, że samolot przeznaczony do pilotowania przez człowieka startuje z pustym kokpitem. Ale właśnie to robiła teraz Przepiórka 1, a jej dopalacz wyrzucał za nią czerwony żar. Przepiórka 2 poszła w jej ślady. W górze krążyły dwa załogowe pościgowce F-15 Eagle z pociskami rakietowymi powietrze-powietrze. Miały być eskortą obserwującą operację i ostatecznym wsparciem, gdyby coś poszło nie tak z którymś dronem.

Ta operacja nie była typowym lotem nad poligon testowy w Zatoce Meksykańskiej. Osiem maszyn – sześć bezzałogowców i dwa eskortowce – uczestniczyło w symulujących działania bojowe dorocznych wspólnych ćwiczeniach UNITAS z udziałem państw półkuli zachodniej i wybranych krajów NATO. Okręty nawodne USA, Wielkiej Brytanii, Brazylii, Kolumbii, Meksyku i tuzina innych marynarek wojennych miały za kilka dni zgrupowanie na Morzu Karaibskim na południowy wschód od Bahamów, żeby przejść szkolenie, jak współpracować jako międzynarodowe siły zadaniowe. Punktem kulminacyjnym ćwiczeń było użycie artylerii i rakiet przeciwko bezzałogowcom nawodnym i powietrznym.

QF-16 miały wykonać precyzyjny przelot, żeby zademonstrować ich dokładną nawigację i sprawność manewrową. Potem jeden by się odłączył i posłużył za cel niszczycielom rakietowym aegis. Zadaniem drużyny Millera było utrzymanie drona w powietrzu jak najdłużej, zanim zostanie zestrzelony. Zamierzał zrobić długi dzień marynarzom.

Dziś symulowali długotrwałą operację, lecąc tym samym kursem, ale nad Zatoką Meksykańską. Wszystko szło gładko przez godzinę.

– Panie majorze – odezwał się pierwszy pilot Przepiórki 4 – mam tu coś dziwnego.

– Co? – zapytał Miller.

Pilot się zawahał i spojrzał na swojego towarzysza.

– Wydaje się, że na chwilę straciliśmy połączenie z samolotem.

– Wydaje się? Straciliście telemetrię?

– Nie, telemetria była normalna. Ale mógłbym przysiąc, że widziałem, jak samolot zamachał skrzydłami.

– Zamachał skrzydłami? Nie byliście na autopilocie?

– Byliśmy, panie majorze. Dlatego nie rozumiem tego.

– Jesteście pewni?

– Przenosiłem wzrok na obraz z kamery, kiedy to zobaczyłem.

Miller zmarszczył brwi i zwrócił się do drugiego pilota:

– Widzieliście, jak samolot wykonuje jakieś nieplanowane manewry?

– Nie, panie majorze. Sprawdzałem dane GPS w tym czasie.

Przepiórka 4 leciała ostatnia w formacji, więc nikt z pozostałych pilotów dronów nie mógłby tego zobaczyć. Tylko pościgowiec z lewej strony widziałby to.

Miller połączył się przez radio z pilotem.

– Pościg Jeden, mamy meldunek o niezamierzonym manewrze Przepiórki 4. Widzieliście coś niezwykłego?

– „Niezwykłego”, Baza Tyndall? Jak co?

– Jak... machanie skrzydłami.

Miller usłyszał chichot na drugim końcu.

– Nie. Nie widziałem machania skrzydłami.

– Przyjąłem, Pościg Jeden. Bez odbioru.

Pilot Przepiórki 4 słyszał rozmowę i spróbował obrócić to w żart.

– Może mam omamy wzrokowe.

Miller poklepał go po ramieniu. Wiedział, jak nużąca jest służba na takim stanowisku.

– Obserwujcie go – polecił. – Obaj. Jeśli znów zobaczycie coś takiego, dajcie mi znać.

– Tak jest, panie majorze – odpowiedzieli.

Ale Miller nie sądził, że się znów odezwą podczas lotu. Nie spodziewał się też zobaczyć niczego dziwnego w danych telemetrycznych po locie.

Brian Washburn mrugnął do baristki, u której zamówił kawę. Ładna dwudziestokilkuletnia blondynka zaczerwieniła się i uśmiechnęła szeroko. Był przyzwyczajony do takiej reakcji. Gazety przypisywały „urokowi Washburna" jego dwukrotne zwycięstwo w wyborach na gubernatora Florydy.

Teraz, po powrocie do prywatnego sektora, kultywował wizerunek przeciętnego faceta mimo majątku, który zapewniał mu konglomerat Washburn Industries. Nic nie mogło mu bardziej pomóc w kontakcie z wyborcami niż pokazywanie, że chce załatwiać swoje codzienne sprawy i przebywać wśród zwykłych ludzi w miejscowej restauracji. To była jego największa szansa, żeby kiedyś usiąść za biurkiem w Gabinecie Owalnym.

Ilekroć musiał stać w tym małym brudnym lokalu, wściekał się na człowieka, który go pokonał w prawyborach, a potem mianował swoim zastępcą Jamesa Sandeckera, bo potrzebował jego reputacji w marynarce wojennej i NUMA, żeby zamaskować własny brak doświadczenia wojskowego. Washburn był zmuszony kupować sobie wpływy polityczne, zamiast stać na podium, jak na to zasłużył.

Nie okazał niezadowolenia, kiedy baristka wywołała jego nazwisko. Uśmiechnął się do niej ciepło i wziął kawę. Wyszedł na dwór, okrążył bok budynku i wsiadł z tyłu do czarnego cadillaca escalade. Dwie przecznice dalej kierowca wysadził go przed wieżowcem nad oceanem, gdzie jego spółka miała główną siedzibę. Jego komórka zadźwięczała, gdy tylko dotarł do swojego okazałego penthouse'u biurowego. Na ekranie wyświetlał się numer jego prawnika. Washburn odebrał.

— Co jest, Bill? — zapytał, wrzucił niedopitą kawę do kosza na śmieci i wziął porcelanową filiżankę unikatowej kawy St.

Helena, którą zaparzyła mu jego asystentka. – Zaraz mam pierwsze spotkanie z zarządem.

– To nie William Derkins – odpowiedział nieznajomy głos. – Ale mam informacje, które pana zainteresują.

Zaskoczony Washburn znów spojrzał na wyświetlacz telefonu. Pokazywał numer prywatnej komórki Billa, a tylko garstka bliskich przyjaciół i doradców znała numer Washburna.

Podszedł do szklanej ściany z widokiem na Atlantyk i wypił mały łyk kawy.

– Skąd pan ma komórkę Billa?

– Nie mam jej. To jest technika nazywana spoofingiem. Nie będę pana zanudzał szczegółami. I tak by ich pan nie zrozumiał. To był jedyny sposób, żeby pan odebrał mój telefon. Niech pan usiądzie.

– Co?

– Będzie pan chciał usiąść, żeby usłyszeć, co mam panu do powiedzenia.

Washburn się roześmiał.

– Skąd pan wie, że już nie siedzę?

– Bo stoi pan przy oknie.

Washburn zamarł z filiżanką w połowie drogi do ust. Zlustrował wodę, wypatrując oznak inwigilacji, ale łodzie w dole były za daleko, żeby dostrzec szczegóły. Odszedł od okna na tyle, że nie mógł być widziany z wody.

Podjął grę.

– Okej. Siedzę.

– Nie. Stoi pan przy dzbanku swojej wyjątkowo drogiej kawy w cenie ponad dwustu dolarów za kilogram, która przylatuje z wyspy, gdzie zesłano Napoleona. Podobno jest bardzo bogata – przepraszam za kalambur – w aromat.

Teraz Washburn naprawdę się zaniepokoił. Był w najwyższym budynku na wybrzeżu Miami, więc nikt nie mógł go widzieć z zewnątrz w głębi biura. Rozejrzał się gorączkowo po pokoju w poszukiwaniu ukrytego sprzętu szpiegowskiego.

– Jak pan zainstalował kamerę w moim biurze?

– Nie zainstalowałem. Widzę wszystko.

– Kim pan jest?

– Na razie może mnie pan nazywać Doktorem. Jeśli wszystko pójdzie dobrze, może się spotkamy za kilka dni. A teraz, niech pan usiądzie do komputera. Coś panu pokażę.

– A jeśli wezwę policję?

– To będę musiał im powiedzieć, co pan zrobił z biednym Garym Clementem.

Na wzmiankę o Clemencie pod Washburnem ugięły się kolana. Wziął się w garść.

– Nie wiem, o kim pan mówi.

– Wiem, że pan wie, i dowiodę tego. Niech pan sprawdzi swoją pocztę.

Washburn się wyprostował, podszedł wolno do biurka i otworzył laptopa. Włączył głośnik w telefonie i położył go na blacie.

Ostatni mejl przyszedł z jego własnego adresu. W wierszu tematu przeczytał: „Od Doktora".

Przeraziło go naruszenie jego bezpieczeństwa.

– Włamał się pan do mojej poczty?

– Pomyślałem, że będzie lepiej, jeśli załączone wideo przyjdzie od pana, a nie z mojego adresu mejlowego. Zrozumie pan dlaczego, jak pan je obejrzy.

Washburn wziął głęboki oddech i kliknął na załącznik. Kiedy zobaczył pierwsze ujęcie, poczuł ulgę, że siedzi, bo omal nie zemdlał.

Nagranie pokazywało jego i Gary'ego Clementa, przysadzistego, łysiejącego mężczyznę, siedzących na pokładzie jachtu Washburna. Poza jasnymi światłami łodzi wokół panowała ciemność. Washburn miał nigdy nie zapomnieć wieczoru sprzed trzech miesięcy. Znajdowali się czterdzieści mil morskich od wybrzeża w specjalnie wybranym odosobnionym miejscu. Nikt nie przepływał w promieniu dziesięciu mil. Byli tylko we dwóch na jachcie.

Jednak wyglądało na to, że filmująca tę scenę kamera towarzyszyła im na pokładzie. Robiła zbliżenia każdego z nich. Nawet dźwięk był bez skazy.

– Mogę udowodnić, że sfałszował pan tamte raporty – powiedział Clement swoim nosowym głosem. – Zrobiłem kopie podczas audytu pańskich ksiąg. Mógł pan je już zniszczyć, ale rozbieżności są wyraźne. Wysłał pan tamto bojowe opancerzenie osobiste do Afganistanu, choć wiedział pan, że jest za słabe do ochrony przed siłą ognia, z jaką mają tam do czynienia. Setki żołnierzy zginęły i zostały ranne przez pana.

Washburn musiał przyznać, że Clement ma przewagę. Takie zarzuty nie tylko zakończyłyby jego karierę polityczną – gdyby w śledztwie wypłynęły prawdziwe dane, trafiłby na długo do więzienia. Straciłby firmę, reputację – wszystko.

– Czego pan chce? – zapytał lodowato.

– Nawet nie próbuje pan zaprzeczyć?

– A po co? Pokazał mi pan, co ma, i dlatego tu jesteśmy. Myślałem, że chce pan negocjować.

Clement się uśmiechnął.

– Więc chcę dziesięć milionów dolarów.

Washburn przytaknął, jakby się spodziewał takiej sumy.

– A w przyszłym roku?

– Co pan ma na myśli?

– Jakąkolwiek kwotę uzgodnimy, pan zawsze będzie się czaił z mieczem Damoklesa.

– Jeśli da mi pan dziesięć milionów, to zapewniam, że nigdy nie wrócę do tej rozmowy.

– Chyba tylko ja mogę to zapewnić – odparł Washburn.

Wyciągnął rewolwer Smith & Wesson spomiędzy poduszek siedzenia i strzelił Clementowi w pierś.

Kiedy Clement zrobił gwałtowny wdech, Washburn dodał:

– Znalazłem pańskie akta, zanim się tu wybraliśmy. Kiepski plan rezerwowy.

Clement wydał ostatnie tchnienie i osunął się na siedzisko. Washburn cisnął rewolwer do wody i zniknął z widoku na chwilę. Wrócił z czterema nurkowymi pasami balastowymi. Przywiązał je do nadgarstków i kostek Clementa i dźwignął ciało za burtę. Zmył ślady krwi wybielaczem, który zabrał ze sobą, i też go wyrzucił. Nikt nie wiedział, że się znali, a tym bardziej, że Clement był na jego jachcie tego wieczoru. Washburn uważał wtedy, że popełnił zbrodnię doskonałą.

Teraz, kiedy zastopował nagranie, wiedział, że ten Doktor może zażądać wszystkiego, a on będzie musiał mu to dać.

– Na pana miejscu natychmiast bym to usunął – powiedział głos w telefonie.

Washburn zrobił to trzęsącą się ręką.

– Skąd pan ma to wideo?

– Nie ujawniam swoich tajemnic. Ale moje umiejętności mogłyby się bardzo przydać komuś takiemu jak pan.

– Jakie umiejętności?

– Mówiłem panu: widzę wszystko.

– Ile pan chce?

– Myśli pan, że chodzi o pieniądze?

– A nie?

– Pieniądze to ja mam, gubernatorze Washburn. Czego nie mam, to pańskiej charyzmy, reputacji i imponującej prezencji. Nie mógłbym ich kupić za żadne pieniądze.

Zdezorientowany Washburn pokręcił głową.

– Więc czego pan chce?

– Tego samego, co pan – odparł samozwańczy Doktor. – Chcę pana uczynić prezydentem Stanów Zjednoczonych.

Rozdział 14

„Oregon" zrobił postój, żeby zabrać discovery, co przebiegło bez incydentu. Kiedy znalazł się daleko poza zasięgiem radaru, na wodach międzynarodowych, zmienił kurs na północno-zachodni.

Następnego dnia wypoczęty Juan siedział za swoim biurkiem i czytał raporty wszystkich zespołów. Mimo pewnych przeszkód plany zrealizowano zgodnie z oczekiwaniami. Był dumny, że jego ludzie wkładają mnóstwo ciężkiej pracy w wykonywanie swoich zadań i potrafią szybko myśleć.

Rozległo się pukanie do drzwi. Na krótkie „Wejść" Eric i Murph dołączyli do niego w jego kabinie. Stoney wydawał się ubrany w to samo, co poprzedniej nocy, ale Juan wiedział, że ma wiele białych koszul i spodni khaki. Natomiast Murph przebrał się w T-shirt z wizerunkiem płonącej postaci i napisem „Próbowałem tego w domu". Po kilku godzinach snu ostatniej nocy obaj zajęli się laptopem i kartą pamięci. Promienieli triumfem.

– Domyślam się, że hakerstwo wam nie wyszło – zadrwił Juan.

– *Au contraire, mon* prezes – zaprzeczył Murph. – Te rzeczy nie miały szans.

– Dość proste wojskowe algorytmy szyfrujące – dodał Stoney.

Juan wiedział, że nie istniał system komputerowy, do którego Eric i Murph nie potrafiliby się włamać.

– Co znaleźliście w laptopie? – zapytał.

– Kopalnię wiedzy o operacji przemytu broni – odrzekł Murph. – Manifesty okrętowe, terminy płatności, wszystko. Faceci w Langley się ucieszą.

– A co z telefonem?

119

– Uzyskanie dostępu do tamtych plików trwało trochę dłużej, bo woda spowodowała uszkodzenia – odparł Eric. – Znaleźliśmy zwykłe esemesy i połączenia, też związane z przemytem. I kilka plików. Jeden jest szczególnie interesujący.

– Dlaczego?

– Bo są tam daty. Cztery. Trzy są z trzech ostatnich miesięcy. Czwarta jest za dwa dni.

– Wciąż pracujemy nad tym, do czego się odnoszą – dorzucił Murph. – Pod każdą jest jakiś kod. Oto lista: alfa siedemnaście, beta dziewiętnaście, gamma dwadzieścia dwa, delta dwadzieścia trzy.

– Greckie litery są oczywiście w porządku alfabetycznym – powiedział Eric – ale nie udało nam się rozszyfrować wzoru postępu numerycznego.

– Zakładając, że taki jest – zastrzegł Murph. – Liczby mogły być wybrane losowo, choć wzrost sugeruje, że nie.

– I nie macie żadnych teorii, co one znaczą? – zapytał Juan.

Murph pokręcił głową.

– Szukaliśmy w laptopie czegoś odnośnie do tych kodów i dat, ale nic tam nie ma. Bez większej ilości danych jesteśmy w ślepym zaułku.

– Przekażemy te informacje Langstonowi Overholtowi. Może jego ludzie znajdą klucz do tych dat w swoich materiałach wywiadowczych. Na tym, jeśli o nas chodzi, nasza robota się skończy i będziemy mogli odebrać zapłatę. W samą porę na kwartalny podział zysków.

Cała załoga była wspólnikami w Korporacji, więc po odliczeniu kosztów zyski dzielono według stanowisk i okresu służby. Mimo długich godzin na posterunku i ryzykownych akcji każdy na pokładzie mógł się spodziewać życia w luksusie na emeryturze po latach na „Oregonie".

Ten wieczór Korporacja spędzała przy pięciogwiazdkowej kolacji. Kiedy nalewano kawę, Juan przypomniał:

– Czeka nas długi rejs do Malezji, żeby rozprawić się z piratami w cieśninie Malakka, więc mam nadzieję, że każdy zrobił plany, jak najlepiej wykorzystać postój na Jamajce.

– Namówiłam Lindę na babski dzień w nowym spa Sunset Cliff – odrzekła Julia. – Czytałam, że jest najlepsze w Montego Bay.

– W zamian za masaże i manikiury – wtrąciła się Linda – ja postawię jej lekcje windsurfingu ze mną.

– Zobaczymy, jak ci to będzie pasowało po kilku kieliszkach dobrego sauvignon blanc i masażu stóp – odparowała Julia. – A ty, Linc? Dla ciebie też masaż?

– Żartujesz? – odparł. – Przy tylu wspaniałych drogach nadmorskich? Czas wyprowadzić mój motocykl z ładowni. W Mobay jest nowy diler Harleya, który wypożycza motory, więc Eddie idzie ze mną.

– A ty, Hali? – spytał Juan. – Jakieś przygody?

– Mam przeczucie, że jedną na pewno przeżyję. MacD i Trono zabierają mnie do baru na Hip Strip o nazwie Waterfront. Twierdzą, że podają tam najlepsze mojitos na północnym wybrzeżu.

– Uważaj z tymi dwoma. Nie chcę, żebyś się po przebudzeniu zastanawiał, co się stało z całym twoim ubraniem.

Juan spojrzał na Murpha.

– Niech zgadnę, co ty zamierzasz…

– O, tak! Czas urządzić skatepark. Eric pomoże mi zbudować nowy half-pipe. Wypróbuję nowy trik o nazwie Murph Siedemset Dwadzieścia.

Juan niechętnie pozwalał Murphowi zmieniać pokład w jego własny plac zabaw, kiedy nadarzała się okazja. To była niska cena za posiadanie takiego technicznego guru w zespole.

– Bez obaw – powiedział Eric. – Sfilmuję to i pokażę wszystkim później, jak on się rozwali.

– A co z tobą, Juan? – zapytała Julia. – Jest tam jakaś plaża dla ciebie?

– Nie, zamierzam zostać na pokładzie, nadrobić zaległości w papierkowej robocie i dopilnować uzupełnienia zapasów.

– Akurat – odezwał się Max.

– Nie, naprawdę. Wszystko będzie dobrze.

Max spojrzał na Julię.

– Miałaś rację. Tylko my wiemy, co jest dla niego najlepsze.

Juan przyjrzał się obojgu i dostrzegł spisek.

– Co wy knujecie?

– Pomyśleliśmy, że możesz nie chcieć odpoczywać – odrzekł Max – więc pozwoliłem sobie wyczarterować łódź wędkarską na jutro. Kilka piw Red Stripe i zmagania z tuńczykiem dobrze ci zrobią.

Juan zerknął kolejno na każde z nich i zrozumiał, że dyskusja nic nie da. Podniósł ręce na znak, że się poddaje, i się roześmiał.

– Dobra, popłynę. Ale potem wracam do pracy.

– To chcieliśmy usłyszeć. Nie pożałujesz.

Montelíbano, Kolumbia

Kiedy helikopter schodził do lądowania, Hector Bazin przyglądał się rozległej posiadłości u stóp zalesionego wzgórza niedaleko miasteczka Montelíbano. Tarasowe ogrody, korty tenisowe i trzy pływalnie pasowały do hawajskiego kurortu. Rezydencja i teren wydawały się ostentacyjnym pokazem, że ich właściciel, Alonzo Tallon, doskonale wychodzi na handlu kokainą. Ale elegancka willa wskazywała też, że Tallona stać na przyjęcie biznesowej propozycji Bazina.

Lot helikopterem z międzynarodowego portu lotniczego w Cartagenie trwał niecałą godzinę, prawie tyle samo, ile jego prywatnym odrzutowcem z Haiti, gdzie mieszkał, do Kolumbii. Z powodu nieufności Tallona Bazin i jego trzej towarzysze musieli skorzystać z helikoptera gospodarza, zamiast wyczarterować inny. Ochroniarze z granatnikami przeciwpancernymi pilnowali, żeby żaden obcy śmigłowiec nie zbliżył się do rezydencji.

Kiedy helikopter wylądował, Bazin i jego ludzie wysiedli w tropikalny upał. Tuzin ochroniarzy celowało w nich z karabinów szturmowych Heckler & Koch G36. Bazin wystąpił naprzód i stanął przed jedynym mężczyzną bez karabinu, zastępcą Tallona, Sergiem Portillą. Bazin rozpoznał muskularnego podwładnego po cienkich wąsach i wytatuowanej na szyi płonącej czaszce. Portilla zlustrował Bazina, żeby się upewnić, że to ten sam człowiek, co na przysłanym zdjęciu.

Jak większość Haitańczyków Bazin miał gładką hebanową cerę. Był ostrzyżony przy samej skórze i mierzył metr osiemdziesiąt pięć wzrostu. Zwinny jak pantera, ukrywał dobrze umięśnione ciało pod garniturem od Armaniego.

– Muszę sprawdzić, czy nie jest pan uzbrojony – warknął Portilla.

Bazin zauważył wybrzuszenie pod jego marynarką, co oznaczało albo zbyt obcisły garnitur, albo zbyt duży pistolet.

Ludzie Bazina zaszemrali, ale uciszył ich surowym spojrzeniem. Wiedział, że to część rytuału. Nowych gości normalnie nie wpuszczano do domu, tym bardziej niezrewidowanych. Podniósł wysoko ręce i Portilla obszukał go dokładnie.

Uspokojony, że Bazin nie ma broni, Portilla pokazał mu głową, żeby poszedł za nim. Ludzie Bazina zostali przy helikopterze. Spotkanie solo było jednym z warunków wizyty u Tallona.

Powędrowali krętą drogą przez marmurowe korytarze i pokoje z puszystymi dywanami klimatyzowanej rezydencji. Bazin stłumił szyderczy uśmieszek na widok obficie złoconych ozdób. Tallon miał jarmarczny gust daleki od powściągliwości Bazina.

Gdy dotarli do okazałego gabinetu Tallona, Bazin zobaczył to samo. Złote liście na wszystkich powierzchniach, z wyjątkiem tekowych i granitowych, żeby lepiej zademonstrować swoje bogactwo. Przy jednej ścianie był dobrze zaopatrzony bar z mnóstwem drogich szkockich i porto. Na drugiej ścianie wisiał oryginalny Picasso z jego okresu kubizmu. Ogromne wiśniowe biurko stało w przeciwległym końcu pokoju.

Siedział za nim Alonzo Tallon i przyglądał się nieufnie podchodzącemu do niego Bazinowi. Jedwabna koszula Tallona opinała rozdęty od nadmiaru jedzenia i wina brzuch. Jego faliste czarne włosy lśniły w słońcu wpadającym przez okno za nim.

Tallon nie wstał, nie wyciągnął ręki. Po prostu wskazał gościowi jeden ze skórzanych foteli na wprost biurka i Bazin usiadł.

– Dziękuję, że zgodził się pan spotkać ze mną – powiedział Bazin po angielsku.

Choć jego pierwszym językiem był haitański kreolski, angielskiego nauczyli go za młodu amerykańscy misjonarze w Port-au-Prince. Nie znał hiszpańskiego i wiedział, że Tallon mówi po angielsku całkiem dobrze.

– Pański pokaz był przekonujący. Pańskie informacje wywiadowcze o nalocie DNE zaoszczędziły mojej organizacji mnóstwo pieniędzy. Udało nam się też pozbyć pięciu agentów.

Dirección Nacional de Estupefacientes, kolumbijska agencja antynarkotykowa, wzięła na cel jedną z fabryk Tallona, żeby ją zniszczyć. Dzięki cynkowi Bazina o nalocie Tallon zdążył w porę zamknąć fabrykę i zastawić tam pułapkę.

– Niech pan to potraktuje jako gest dobrej woli z mojej strony – odrzekł Bazin i się uśmiechnął. – Gratisowy, oczywiście.

– Podobno ma pan propozycję biznesową, która będzie mi zapewniała takie same informacje wywiadowcze.

– Owszem. To może być bardzo opłacalne dla nas obu.

– Pracował pan w tej branży?

– Urodziłem się i wychowałem na Haiti, ale przeniosłem się do Francji z moimi rodzicami. Chodziłem tam do szkoły i wstąpiłem do francuskich sił specjalnych. Poproszono mnie o odejście w niefortunnych okolicznościach, więc przez ostatnie trzy lata torowałem sobie nową drogę. Oferta, którą panu przedstawiam, to moje najnowsze przedsięwzięcie.

– Nie jest pan nawet obywatelem Kolumbii, a co dopiero członkiem władz. Jak pan zdobywa swoje informacje?

Bazin zrobił pauzę dla efektu.

– Wierzy pan w magię?

Tallon zmrużył oczy.

– W co?

– W magię.

– Oczywiście, że nie. To nonsens.

– Szkoda, że pan tak uważa. Bo ja sprzedaję właśnie magię.

Tallon nie wyglądał na rozbawionego.

– To jakiś żart? Przeleciał pan taki kawał drogi z Haiti, żeby mi zaproponować magię?

– Tak. Magia sprawi, że pański produkt będzie stale trafiał z Kolumbii do Meksyku, gdzie tamtejsze kartele mają trudne zadanie przemycania go do Stanów Zjednoczonych. Magia ostrzeże pana zawczasu o operacjach przechwycenia narkotyków. Powie panu, kiedy wojsko planuje spalić pańskie uprawy. Zawiadomi pana, kiedy pańscy wrogowie zamierzają przejąć pańskie interesy. Cynk o DNE był tylko próbką.

Tallon przygryzł wargę.

– Przypuśćmy, że wierzę w pańskie możliwości dostarczania mi takich informacji, magiczne lub nie. Ile to by mnie kosztowało?

Bazin wstał, podszedł do baru i nonszalancko wziął butelkę szkockiej Macallan rocznik 1939. Wyczuł, że Portilla za nim stężał. Musiało mu się nie spodobać, że gość tak niedbale obchodzi się z butelką wartą ponad dziesięć tysięcy dolarów.

– Jeszcze jej nie próbowałem – powiedział Bazin. – Słyszałem, że jest bardzo dobra.

– Niech pan się poczęstuje – odrzekł Tallon. – I uzna to za moje podziękowanie.

Bazin sobie nalał, zakręcił torfowym alkoholem w szklance i wypił mały łyk. Poczuł na języku miód i przełknął gładko.

– Jej reputacja jest usprawiedliwiona – oznajmił.

– Na pewno zażąda pan ode mnie więcej, niż jest warta ta butelka whisky.

Bazin przytaknął i opróżnił szklankę.

– Dziesięć procent pańskich zarobków brutto.

Tallon wytrzeszczył oczy i zerknął na Portillę. Obaj zaczęli się śmiać.

– Nazwanie tego absurdem byłoby niedopowiedzeniem – odparł Tallon. – Odrzucam pańską wspaniałomyślną propozycję.

Bazin zmarszczył brwi.

– Szkoda. Niestety, brak umowy ze mną może narazić pańskie interesy na ryzyko. Nagle mogą się zdarzać naloty bez pańskiej wiedzy. Transporty mogą być zatrzymywane. Aktywa bankowe zamrażane. Cała pańska operacja może stanąć. Czy dziesięć procent to taka wysoka cena za pewność, że nie będzie takich wypadków?

Tallon się zjeżył i po raz pierwszy wstał.

– Jest pan aż tak głupi, żeby przyjść do mnie i grozić mi?

– „Grozić”? Nie, oczywiście, że nie. Proponuję panu cenną usługę. Chyba mogę oczekiwać rozsądnej zapłaty za nią? Zarobię więcej, kiedy pan zarobi więcej. To bardzo sprawiedliwy układ. Obu nam zależy, żeby zarabiać tyle, ile możemy.

– I tak zarabiam mnóstwo pieniędzy.

Bazin rozejrzał się ostentacyjnie po pokoju.

– Widzę. Ale mogę dostarczać panu informacje, które ułatwią panu życie. I niech pan nie myśli, że mam ograniczone możliwości ich zbierania.

Wskazał Picassa.

– Na przykład, za tym obrazem jest sejf. Żeby się do niego dostać, przesuwa pan dźwignię pod dolnym prawym rogiem i odchyla obraz w lewo. Kombinacja to trzydzieści sześć, osiem, siedemdziesiąt dwa. W środku jest sto tysięcy dolarów amerykańskich, dwa kilo kokainy, woreczek z dwudziestoma brylantami i para identycznych rewolwerów colt z kością słoniową na chwytach. Mogę panu podać ich numery seryjne, jeśli pan chce.

Bazin patrzył prosto na Tallona, kiedy recytował zawartość sejfu. Baron narkotykowy otwierał usta coraz szerzej z każdą wymienianą rzeczą.

– Tylko ja znam kombinację do tego sejfu. Skąd pan wie, co tam jest?

– Mówiłem panu, magia. Albo może mam satelity z rentgenami, które obserwują ten dom. Lub może drony krążące tu dzień i noc. Mogłem przysłać tutaj robotników, żeby zainstalowali pluskwy we wszystkich pokojach i kamery w miejscach, gdzie nigdy ich pan nie znajdzie. Albo... – Bazin urwał dla efektu. – Zawsze jest możliwość, że ma pan zdrajcę w swoim otoczeniu.

Bazin nie spojrzał na Portillę, ale Tallon zrozumiał.

– Ty?! – krzyknął do Portilli. – Ty mnie sprzedałeś?

Portilla uniósł ręce w obronnym geście.

– Nie, szefie. Jestem lojalny wobec ciebie, przysięgam. Ten facet kłamie.

– Nie. Opisał wszystko w sejfie. Zdradziłeś mnie!

– Przysięgam, że nie!

Bazin przysunął się bliżej do baru, położył rękę obok szuflady pod nim i zwrócił się do Tallona:

– Ja przynajmniej mówię otwarcie, że chcę mieć udział w pańskich zyskach. Nic nie kombinuję za pańskimi plecami.

– To prawda? – zapytał Tallon Portillę. – Zabierasz mi pieniądze po tym wszystkim, co ci dałem?

– Nie! Proszę, Alonzo!

Ale oczy Portilli zdradzały, że kłamie. Obrócił się z wściekłą miną i wyciągnął niklowanego smith & wessona z kabury pod pachą.

Bazin nie wiedział, kogo Portilla chce zastrzelić – może ich obu – ale to nie miało znaczenia. Gdy tylko Portilla sięgnął do kabury, Bazin szarpnął szufladę i chwycił glocka, którego Tallon trzymał tam w rezerwie. Ruchem wypracowanym przez lata ćwiczeń uniósł pistolet i wpakował Portilli kulę w czoło. Tamten nawet nie zdążył jeszcze wycelować w osłupiałego Tallona.

– Podejrzewał go pan od jakiegoś czasu – powiedział Bazin. – Po prostu zrobiłem pan przysługę.

Tallon patrzył na Bazina, który trzymał jego ukrytą broń.

– Skąd pan…

– Mówiłem panu, magia. Mamy umowę?

Tallon przytaknął milcząco, potem odprawił ochroniarzy, którzy wpadli do pokoju i teraz gapili się na zwłoki Portilli.

Bazin podszedł do biurka i upuścił glocka na blat. Wyjął świstek papieru z kieszeni i położył go na pistolecie.

– Pierwszy numer to konto na Kajmanach, gdzie Portilla wpłacał kradzione pieniądze. Drugi numer to moje konto bankowe. Oczekuję comiesięcznych przelewów. I będę wiedział, jeśli pan się wstrzyma. A przy okazji, on również sypiał z pańską żoną.

Bazin wyszedł z gabinetu i wrócił do helikoptera. Kiedy jego ludzie wsiadali z powrotem, usłyszał swój telefon. Dzwonił Doktor, zapewne ciekaw postępu.

– Gdzie pan jest? – zapytał Doktor bez wstępów.

– Właśnie skończyłem sprawę w Kolumbii. Następny sukces.

– To dobrze.. Mam dla pana kolejne zadanie.

– Planuję jutro podróż do Meksyku na spotkanie z jednym z członków kartelu.

– To może zaczekać. Jest większy problem. Niezwykły statek. Nazywa się „Oregon". Mają informacje, które mogłyby zniszczyć całą naszą operację, i nawet nie wiedzą o tym.

– Jeśli nie wiedzą, to w czym problem?

– W tym, że będą wiedzieli, to tylko kwestia czasu. Może pan mieć oddział zabójców na Jamajce do jutra?

Rozdział 15

Montego Bay, Jamajka

Lekka bryza poruszała liśćmi palmowymi nad odkrytą częścią spa Sunset Cliff. Idylliczne otoczenie zostało starannie wybrane przez kurort, żeby wykorzystać spektakularny widok na Morze Karaibskie. Turyści pluskali się przy brzegu malowniczej plaży ciągnącej się od sześciometrowych klifów, które dały nazwę miejscu. W dzień białe płócienne namioty rozstawiano na szczycie trawiastego urwiska, by goście mogli bez świadków zażywać masażu na wolnym powietrzu. Przed zmierzchem namioty usuwano, żeby goście i turyści mogli oglądać zachód czerwonopomarańczowego słońca.

Linda relaksowała się na szezlongu z szampanką, kiedy pedikiurzystka zajmowała się jej palcami u nóg. Julia siedziała obok z własną obsługą. One pierwsze zeszły z „Oregona", kiedy zawinął do Montego Bay tego ranka. Obie były opatulone miękkimi białymi płaszczami kąpielowymi.

– Od wieków tego nie miałam – powiedziała Linda, wskazując dzieło pedikiurzystki.

Julia uśmiechnęła się do niej.

– Nie jesteś zadowolona, że cię na to namówiłam?

– Mogłabym się przyzwyczaić do tego.

Jacuzzi i sauna na „Oregonie" nie były tym samym, co spa z pełną obsługą.

– Powinnyśmy poprosić Juana, żeby zatrudnił specjalistkę od paznokci na statku – podsunęła Julia. – Jako lekarka wiem, że niektórym naszym chłopakom też by się to przydało. Mają obrzydliwe paznokcie.

– Wyobrażasz sobie Maurice'a robiącego manikiur i pedikiur?

Uśmiały się do łez na myśl, że dystyngowany steward obrabiałby paznokcie Franklina Lincolna. Chichotały, dopóki pedikiurzystki nie skończyły i nie zabrały swoich przyborów.

Linda pogimnastykowała bolące ramię.

– Przyznam, że miałaś rację, żeby najpierw pójść na windsurfing. Nie mogę się doczekać dobrego masażu.

– A ja przyznam, że miałam frajdę. Ale to jest lepsze.

Pracowniczka spa wróciła, żeby zaprowadzić je do namiotów. Linda i Julia poszły za nią do dwóch stanowisk masażu. Lekka muzyka klasyczna płynęła z ukrytych głośników, łatwa do usłyszenia z dala od turystów na plaży. Namioty były otwarte na ocean i Linda słyszała, jak fale rozbijają się o skały pod nimi. Stanowiska oddzielała biała płócienna zasłona. Żaden z namiotów nie był zajęty.

Pracowniczka oznajmiła, że masażystki będą za kilka minut, i poprosiła, żeby położyły się na brzuchach na stołach. Wskazała im wieszaki na płaszcze kąpielowe i wyszła.

– Wiesz co – powiedziała Julia – jeśli one mają być za kilka minut, to mogłabym przynieść jeszcze trochę szampana na przetrwanie.

– Ja to zrobię – odrzekła Linda i wzięła jej kieliszek. – Mnie też się przyda.

Kiedy Julia weszła do ostatniego namiotu, Linda się odwróciła do wyjścia. Kątem oka dostrzegła ruch dwóch cieni za białym płótnem.

Ktoś już dołączył do Julii w namiocie. Ale stłumiony jęk oznaczał, że to nie masażystka, i zaalarmował Lindę.

Cisnęła szampanki na trawę i szarpnęła zasłonę w bok. Mężczyzna w czerni trzymał rękę na ustach Julii i wyciągał nóż z pochwy na biodrze.

Linda zadziałała instynktownie. Wszyscy na „Oregonie", niezależnie od stanowiska, ćwiczyli co tydzień samoobronę. Chwyciła bambusowy wieszak i zamachnęła się nim jak kijem do kendo. Napastnik zobaczył ją w ostatniej chwili i puścił Julię, żeby uniknąć ciosu. Uniósł rękę, ale dostał mocno w ramię.

– Wezwij pomoc! – krzyknęła Linda.

Ale zanim Julia zdążyła wybiec, drugi napastnik wtargnął z sąsiedniego stanowiska, gdzie musiał czekać na Lindę. Dał nura przez stół do masażu i złapał Julię za koński ogon. Linda wbiła mu wieszak w brzuch. Stęknął, puścił włosy Julii i zgubił nóż z ząbkowanym ostrzem.

Julia zatoczyła się do tyłu i pociągnęła podgłówek stołu do masażu, próbując nie stracić równowagi. Upadła twardo, ale z wysuniętymi przed siebie długimi metalowymi prętami podgłówka.

Drugi napastnik rzucił się ku niej, ale jeszcze się nie pozbierał po uderzeniu w brzuch. Linda go podcięła i poleciał na Julię. Wylądował na niej i natychmiast znieruchomiał. Jeden z prętów wystawał z jego boku, drugi tkwił głęboko w piersi.

Zanim Linda zdążyła pomóc Julii wstać, pierwszy napastnik przycisnął jej ręce do boków niedźwiedzim uściskiem. Pociągnął ją przez namiot w kierunku klifu, żeby zrzucić ją

na skały poniżej. Wzięła głęboki oddech, żeby nie spaniko-
wać, i przypomniała sobie ćwiczenia.

Mężczyzna był za wysoki dla niej, więc nie mogła walnąć go tyłem głowy w nos. Przeniosła ciężar ciała na jedną stronę i dała krok w bok. Oswobodziła pięść i wyrżnęła
go w krocze. Siłą samego tricepsu zdołała zadać miażdżący
cios.

Napastnik ją puścił, więc przyłożyła mu łokciem w podbródek. Głowa podskoczyła mu do góry, z ust prysnęła ślina.
Linda kopnęła go w pierś i strąciła z urwiska. Podbiegła do
krawędzi i zobaczyła jego ciało w wodzie, rozciągnięte na
poszarpanych wulkanicznych skałach. Mała łódź kołysała
się w zatoczce.

Linda wróciła do namiotu. Julia usiłowała wypełznąć spod
trupa drugiego napastnika. Linda odepchnęła zwłoki na bok
i pomogła jej się podnieść.

– Jesteś cała? – zapytała.

Julia wyglądała na wstrząśniętą, ale przytaknęła.

– A ty?

– Wystarczy masaż.

– Uważam, że lepiej nie czekać na masaż.

– Ja też. Zrzućmy tego faceta z klifu. Po co mamy odpowiadać na mnóstwo pytań lokalnej policji.

Linda przeszukała kieszenie mężczyzny. Znalazła tylko
małą sumę pieniędzy i komórkę. Julia wyszarpnęła podgłówek z jego ciała. Zawlokły zwłoki na krawędź urwiska
i zepchnęły. Trup wylądował obok drugiego. Zanim policja
coś z tego zrozumie, dawno ich tu nie będzie.

– Co się właściwie stało? – spytała Julia, kiedy zawijała
zakrwawiony podgłówek w ręcznik i chowała go pod swoim
płaszczem kąpielowym.

– To nie był przypadkowy atak – odparła Linda. – Mieli
nas na celowniku.

– Po co? Wszystkie nasze rzeczy są w szafkach.

– Właśnie. To wygląda na próbę zabójstwa. Chcieli to załatwić po cichu, więc zakotwiczyli łódź na dole i wspięli się na górę, żeby zaczekać na nas.

– Co, na Boga…?

– Nie wiem. Sprawdzę telefon.

Jednorazowa komórka została zapewne kupiona tego ranka i miała być wyrzucona do oceanu po akcji. Jej użytkownik nie zadał sobie nawet trudu, żeby zabezpieczyć ją hasłem. Lista kontaktów zawierała tylko pięć numerów bez nazwisk.

– Miałyśmy szczęście, że przeżyłyśmy – stwierdziła Linda. – To byli zawodowcy.

Nic nie prowadziło do nikogo. Gdyby zabójca dopuszczał możliwość, że mu się nie powiedzie, wprowadziłby hasło.

Sprawdziła esemesy. Tylko jeden pozostał w pamięci. Napisano go po francusku i wysłano do wszystkich kontaktów.

„*Tous ont été aperçus. Attaquer dès que vous voyez une opportunité*".

– Znasz francuski? – zapytała Julię.

– Miałam literaturę francuską w college'u, ale minęło trochę czasu.

Przeczytała wiadomość szeptem i wytrzeszczyła oczy.

– Co tam jest?

Julia przełknęła ślinę.

– „Wszyscy zostali namierzeni. Atakujcie, jak tylko nadarzy się sposobność".

Nie tylko one. Wszyscy.

– Musimy ostrzec resztę. Ktoś poluje na całą załogę.

Popędziły do szatni po telefon Lindy i omal nie przewróciły nadchodzących masażystek, przepychając się, żeby uratować życie całej załodze „Oregona".

Rozdział 16

Stalowy pokład „Oregona" przypiekało słońce na bezchmurnym niebie nad nabrzeżem portu wolnocłowego w Montego Bay. Eric miał już przepoconą koszulę, bo pomagał Murphowi konstruować przenośne rampy, grindy i half-pipe wysokości dwóch i pół metra, które Juan niechętnie pozwolił mu ustawić, żeby przekształcić statek w prowizoryczny skatepark. Eric opuścił okulary przeciwsłoneczne, żeby nie zaparowały, kiedy patrzył na ekran swojej nowiutkiej kamery wideo. Klęczał, żeby mieć ujęcie pod najlepszym kątem z ogromnym statkiem wycieczkowym w tle.

Obiektyw celował w Murpha, gdy pokonywał przeszkody, kiwając głową w rytm muzyki heavymetalowej, którą tylko on słyszał w słuchawkach. Ilekroć skręcał, pot pryskał z jego włosów wystających spod kasku. Eric miał już w kadrze trochę dobrych akrobacji, ale Murph – w workowatych szortach, czarnym T-shircie z napisem „Witajcie w atomowym mieście", nakolannikach i nałokietnikach – za każdym razem wyskakiwał z powrotem. Tylko upadek na twarz mógłby go spowolnić.

Zadźwięczał telefon Erica. Odebrał, nie przerywając nagrywania.

– Tu Eric.

– Tu Linda – powiedziała szybko, zdyszana. – Jesteśmy w tarapatach.

– Co się stało?

– Julię i mnie zaatakowano.

– Mój Boże! Jesteście całe?

– Tak, ale mamy powód uważać, że reszta załogi też może być na celowniku.

– Czyim?

Opisała napastników i dodała, że jej zdaniem byli albo Francuzami, albo Haitańczykami, co nie miało dla Erica sensu.

Ale treść wiadomości brzmiała groźnie: „Wszyscy zostali namierzeni. Atakujcie, jak tylko nadarzy się sposobność".

Włosy zjeżyły mu się na głowie. Poczuł się nagle odsłonięty na pokładzie.

– Skontaktuj się ze wszystkimi na lądzie i każ im wracać na statek – poleciła Linda. – Potem przygotuj „Oregona" do odpłynięcia. Jest łatwym celem. Julia i ja jesteśmy już w drodze do portu. Będziemy za piętnaście minut.

– Przyjąłem.

Eric się rozłączył. Nie mógł przestać się rozglądać, żeby zobaczyć, czy nie jest obserwowany. Wiedział, że w zatłoczonym porcie jest sto miejsc, skąd mogą być śledzeni.

Zawołał do Murpha, żeby się zatrzymał, ale muzyka w słuchawkach dudniła tak głośno, jak w odosobnionej kabinie Murpha. Eric podszedł i zamachał rękami, ale Murpha tak pochłaniały triki, że nie zwrócił na to uwagi.

Eric bardziej poczuł, niż usłyszał zaburzenie w powietrzu. Dziura pojawiła się w half-pipie poniżej miejsca, gdzie Murph wykonywał szczególnie trudny obrót. Nie towarzyszył temu trzask karabinu, ale Eric rozpoznał otwór po pocisku.

Snajper zapewne czekał, aż Murph zrobi przerwę, ale przynagliło go machanie rękami Erica. Najwyraźniej używał tłumika.

Murph nie zdawał sobie sprawy z niebezpieczeństwa. Za chwilę byłby na górze po drugiej stronie half-pipu, znów widoczny dla snajpera.

Eric popędził w poprzek half-pipu. Murph już dojeżdżał do góry po przeciwnej stronie i przygotowywał się do następnego obrotu. Eric rzucił się ku niemu. Murph, zaskoczony, rozdziawił usta na widok biegnącego ku niemu przyjaciela.

Eric złapał go wpół i rozpęd Murpha poderwał mu nogi w powietrze ponad krawędź half-pipu. Obrócili się i wylądowali twardo na pokładzie. Murph zgubił słuchawki.

– Co jest, do cholery?! – krzyknął i chwycił się za nogę. – Chyba skręciłem sobie kostkę, przygłupie!

Eric zobaczył krew między palcami ręki Murpha. Snajper nie całkiem chybił.

– Pokaż to – powiedział Eric i odsunął rękę Murpha.

Pocisk przebił mu łydkę. Murph zbladł na widok rany.

– Postrzał?

Eric zdarł z siebie koszulę i owinął nią nogę Murpha najmocniej jak mógł, żeby uciskała ranę.

– Linda dzwoniła – wyjaśnił. – Ją i Julię zaatakowało w spa dwóch napastników. Esemes w telefonie jednego z nich wskazuje, że reszta z nas też jest na celowniku.

– Dlaczego? – zapytał Murph, krzywiąc się, kiedy Eric zawiązywał prowizoryczny bandaż.

– Dobre pytanie. Możemy tu utknąć, chyba że zdejmiemy z siebie tego snajpera.

Half-pipe stał na najbardziej płaskiej części pokładu, więc od najbliższego włazu do środka dzieliło ich trzydzieści metrów. Gdyby tam pobiegli, byliby łatwym celem. Następne pociski podziurawiły poliuretanowy half-pipe. Sfrustrowany snajper strzelał na ślepo, żeby ich wykurzyć albo zabić, kiedy usiądą. Eric się domyślał, że ukrywa się gdzieś w pobliżu terminalu paliwowego. Gdyby Eric wystawił głowę, straciłby ją.

Ale jego supernowoczesna kamera wideo miała stukrotny cyfrowy zoom. Eric wypchnął ją za koniec half-pipu i obserwował ekran, kiedy ją przesuwał w poszukiwaniu najbardziej prawdopodobnego stanowiska ukrytego snajpera. Zabójca musiał znajdować się na tyle wysoko, żeby dobrze widzieć „Oregona" w swoim zasięgu.

Eric zrobił zbliżenie zbiorników ropy wysokości piętnastu metrów i przyjrzał się im uważnie. Na dwóch pierwszych nie zobaczył nikogo, ale na trzecim dostrzegł niewyraźny zarys leżącego mężczyzny. Wciąż celował z karabinu w „Oregona" i czekał, aż się pokażą.

– Mam go – powiedział Eric i pokazał obraz Murphowi.

– Dobrze to zaplanował – odrzekł Murph przez zaciśnięte zęby. – Nie ma mowy, żebyśmy zdjęli go z gatlinga, kiedy jest na zbiorniku pełnym ropy.

– I tak nie moglibyśmy otworzyć ognia w porcie.

– Myślisz to samo co ja?

Eric przytaknął.

– Czas wezwać policję.

Przetrasował połączenie przez anonimowy serwer, żeby nie doprowadziło do nich, i zgłosił strzały w terminalu paliwowym.

Chwilę później w oddali zawyły syreny policyjne. Kamera pokazała, jak strzelec wycofuje się ze szczytu zbiornika do schodów. Wyglądało na to, że zdąży uciec, ale to już nie obchodziło Erica.

Musiał zaalarmować pozostałych. Wolałby zadzwonić najpierw do Juana, ale prezes i Max byli na morzu poza zasięgiem komórki, więc pozostawało tylko radio „Oregona". Kiedy pomagał Murphowi kuśtykać do izby chorych, wybrał wolną ręką numer Franklina Lincolna.

Rozdział 17

Kiedy Linc dostał telefon od Erica, on i Eddie zbliżali się do Międzynarodowego Portu Lotniczego imienia Iana Fleminga, nazwanego tak na cześć najsławniejszego mieszkańca północno-wschodniej Jamajki. Byli zaledwie kilka kilometrów od kurortu Golden Eye. Linc jechał na swoim wykonanym na zamówienie harleyu, Eddie na topowym modelu wypożyczonym od nowego dilera w Montego Bay. Planowali zająć najlepsze miejsca w barze przy basenie, zjeść hamburgery z martini – wstrząśniętym, nie zmieszanym – i popatrzeć na rozmaitości oceanograficzne i ubrane w bikini. Zamiast tego mieli zawrócić i wziąć kurs z powrotem prosto na „Oregona". Ale najpierw musieli się pozbyć ogona.

Na krętej trasie wzdłuż wybrzeża wypróbowali maksymalne możliwości swoich maszyn, robiąc uniki przed innymi kierowcami, którzy prawie nie zwracali uwagi na przepisy ruchu drogowego. Relaksowa jazda skończyła się w Ocho Rios, gdzie dwóch facetów na ścigaczach suzuki pojawiło się za nimi, utrzymując rozsądną odległość. Zamiast T-shirtów i szortów obaj mieli na sobie czarne skórzane kurtki, o wiele za ciepłe na ten upał.

Linc i Eddie zauważyli ich prawie natychmiast. Oczywiście mogli to być po prostu entuzjaści motocykli na przyjemnej przejażdżce, tak jak oni, ale niewielkie zmiany prędkości wskazywały, że kierowcy suzuki utrzymują ich tempo. Telefon Erica o dwóch atakach dowodził, że te ogony spróbują odnieść sukces, w przeciwieństwie do swoich kolegów.

Linc uznał, że najlepszą obroną będzie udany atak.

Wybrał głosowo numer Eddiego. Obaj mieli w uszach słuchawki komórek pod kaskami. Linc przekazał relację Erica.

– Dostali za zlekceważenie Lindy – stwierdził Eddie.

– Musimy wymyślić, co zrobić z naszymi dwoma kumplami za nami. Co oni zamierzają twoim zdaniem?

– Na ich miejscu załatwiłbym to czysto i prosto. Prawdopodobnie czekają, aż się zatrzymamy. Dwa strzały z pistoletów. Tamte maszyny są dobre do szybkiej ucieczki.

– Twoim zdaniem wiedzą, że nie jesteśmy uzbrojeni?

– Pewnie tak przypuszczają.

– To prawda, ale niepewność to nasz sprzymierzeniec.

– Snajper musiał ich ostrzec tak samo jak Eric nas – odrzekł Eddie. – A to oznacza, żc cokolwiek planują, stanie się raczej wcześniej niż później.

– Co ty na to, żebyśmy ich ubiegli?

– Wygląda na to, że masz jakiś pomysł.

Kiedy mijali lotnisko, Linc wyłożył swój plan Eddiemu. Nie mogli po prostu uciec bandytom. Harleye były szybkie, ale suzuki szybsze i zwrotniejsze. Strzelanie z motocykla w ruchu stanowiło wyzwanie, ale gdyby ścigający podjechali wystarczająco blisko, dwa celne strzały położyłyby trupem Linca i Eddiego.

– Pięćdziesiąt na pięćdziesiąt, że się uda – ocenił Linc.

Mógł to być zbytni optymizm, ale nie mieli wielu opcji.

– Dam nam takie szanse, jak będziemy nawet bez noży w strzelaninie.

– Na mapie jest agrafka jakieś półtora kilometra przed kurortem – powiedział Linc. – To będzie najlepsze miejsce.

– Wszystko zależy od wykonania.

– Kiedy tak to ujmujesz, nie brzmi dobrze.

– Poprawka. Wszystko zależy od realizacji.

– Teraz lepiej.

Wlekli się za rozklekotaną ciężarówką. Suzuki były sto metrów z tyłu, dwa samochody za nimi. Bez wątpienia dwaj motocykliści rozmawiali o przyspieszeniu akcji.

Cokolwiek zamierzali, mieli się spóźnić. Agrafka była tuż-tuż.

– Gotowy? – zapytał Linc.

– Gotowy.

– Lecimy.

Linc dał gazu i wyprzedził ciężarówkę, Eddie za nim. Zjechali przed nią w samą porę, żeby uniknąć czołowego zderzenia z ciągnikiem siodłowym na pasie w przeciwnym kierunku. Przyspieszali w zakręcie, dopóki suzuki nie znik-nęły z ich lusterek wstecznych.

Linc otworzył jedną ręką sakwę i chwycił dwa łańcuchy, którymi blokował koła motocykla, kiedy jeździł w mniej bezpiecznych portach. Eddie zrównał się z nim i wziął jeden.

Pięćdziesiąt metrów przed końcem agrafki zahamowali z poślizgiem i zawrócili. Ponieważ na Jamajce obowiązywał ruch lewostronny, jak w Wielkiej Brytanii, Linc zajmował lewy pas, a Eddie jechał prawym poboczem, żeby móc się zamachnąć łańcuchem z ręką na gazie z prawej strony kierownicy. Linca czekało trudniejsze zadanie, miał zakręcić łańcuchem nad głową. Czuł, jak trzeszczą mu knykcie lewej ręki, gdy ściskał jego koniec.

Jak się spodziewali, suzuki wypadły zza łuku drogi, gotowe do pościgu. Widok nadjeżdżających z przeciwka celów zaskoczył bandytów. Zawahali się. Sięgnęli pod kurtki i wyciągnęli pistolety samopowtarzalne, ale za późno.

Eddie zamachnął się łańcuchem jak lassem i wypuścił go prosto w zbliżające się suzuki. Łańcuch trafił w przedni błotnik i okręcił się wokół szprych. Suzuki wyrzuciło swojego jeźdźca nad kierownicą w powietrze, przekoziołkowało i spadło na niego. Wrzeszczący mężczyzna zamilkł.

Linc zakręcił łańcuchem nad głową, gdy pędził na swojego przeciwnika. Bandyta oddał dwa niecelne strzały, zanim łańcuch walnął w jego kask. Głowa odskoczyła mu do tyłu i wykonał salto. Motocykl jechał dalej, jakby prowadził go niewidzialny człowiek, dopóki nie skręcił między drzewa.

Linc wrócił do leżącego. Chcieli się dowiedzieć, kto stoi za atakami i skąd tamci dokładnie wiedzą, gdzie są członkowie załogi „Oregona".

Kiedy podszedł do bandyty, zobaczył, że przesłuchania nie będzie. Mężczyzna miał szyję wygiętą pod kątem niemożliwym dla żywego człowieka. Linc pobiegł do Eddiego. Zastał go klęczącego nad kierowcą drugiego suzuki. Eddie zdjął mu kask.

– Żyje? – spytał Linc.

– Ale nie długo.

Linc zrozumiał dlaczego. Suzuki zmiażdżyło brzuch mężczyzny. Obrażenia wewnętrzne musiały być rozległe.

– Kim jesteś? – zapytał go Eddie.

Mężczyzna odpowiedział po francusku.

Linc spojrzał na Eddiego.

– Wiesz, co on mówi?

– Nie znam francuskiego. Ale dowiemy się.

Zerknął uważnie na swój telefon. Dioda nagrywania się świeciła. Bandyta mamrotał jeszcze przez dwadzieścia sekund. Potem wykaszlał krew i wydał ostatnie tchnienie.

Pojazdy zwalniały przy masakrze, zaczynali się zbierać gapie.

– Wynośmy się stąd – powiedział Eddie.

– Wziąłbym ich broń, ale wolałbym nie tłumaczyć, skąd ją mamy, gdyby policja nas zatrzymała.

– Słusznie.

Kiedy jechali na swoich harleyach z powrotem w kierunku Montego Bay, zadzwonili do Erica.

– Pozbyliśmy się ogona – oznajmił rzeczowo Eddie. – Zero ofiar po naszej stronie.

– Wszyscy się znaleźli? – spytał Linc.

– Mark wciąż próbuje wywołać Juana i Maksa – odparł Eric. – Linda i Julia właśnie dotarły na nabrzeże. Zostają Hali, MacD i Mike Trono.

– Gdzie oni są?

– Nadal w tamtym barze na Hip Strip. MacD przysłał mi esemesa, że mają problem.

Rozdział 18

MacD wstał od stolika, zatoczył się do tyłu, wpadł na swoje krzesło i zakołysał na boki. Hali Kasim i Mike Trono podtrzymali go. Obaj nie wydawali się w dużo lepszym stanie.

Kieliszki zawalały ich stolik razem z trzema butelkami piwa. Zamawiali kolejki whisky przez ostatnie dwadzieścia minut, odkąd zauważyli, jak facet przy barze zerka na nich ukradkiem.

W Waterfront Bar & Grill roiło się od turystów ze statku wycieczkowego, studentów na przerwie wiosennej i młodych małżeństw na wakacjach. Część oglądała koszykówkę i krykieta na ekranach telewizorów zdobiących ściany baru, ale większość rozkoszowała się bryzą od oceanu, obserwując znad drinków i hamburgerów piękności na plaży z jednej strony i pieszych na ulicy z drugiej.

W lokalu nie bywali miejscowi, więc kiedy MacD zobaczył przy barze samotnego faceta, który wydawał się zainteresowany meczem krykieta Indie Zachodnie – Anglia, pomyślał, że jakiś Jamajczyk przyszedł na telewizję. Ale w czasie kilku przerw reklamowych, kiedy obraz ciemniał, zauważył, że mężczyzna obserwuje odbicie ich stolika w ekranie.

Facet najwyraźniej miał na oku ich trzech, ale nie wiedzieli dlaczego, dopóki nie dostali telefonu od Erica. Zabicie ich w barze nie byłoby czystą robotą przy tylu świadkach i utrudniłoby ucieczkę. Ale gdyby zamachowcy zaczekali, aż ich cele wyjdą, mogliby oddać kilka strzałów i zniknąć, zanim ktoś by się zorientował, co zaszło.

Jeszcze nim Eric ich ostrzegł, postanowili pobawić się trochę z facetem, gdyby chciał ich oskubać w jakiś sposób. Każdy kieliszek popijali piwem i po każdej kolejce zachowywali się coraz głośniej i gorzej. Ale zamiast łykać whisky, wypluwali ją do częściowo pustych butelek piwa, stosując starą sztuczkę barmanek. Facet musiał już przekazać swoim kumplom, że ci trzej są kompletnie zalani.

Co zaczęło się jako żart, stało się teraz śmiertelnie poważne.

MacD ruszył chwiejnie do toalety, omijając stoliki. Facet przy barze był na jego drodze. MacD łapał się oparć stołków barowych, pozornie, żeby nie stracić równowagi. Kiedy doszedł do ich obserwatora, obsunęła mu się ręka i pchnął go w plecy.

Mężczyzna obejrzał się odruchowo. Gdyby MacD był kimś innym, facet z pewnością krzyknąłby do niego, żeby uważał, jak chodzi. Ale ponieważ starał się nie zwracać na siebie uwagi, nie odezwał się.

– Przepraszam, kolego – wybełkotał MacD. – Nie chciałem cię przewrócić.

– *Mwen pa konprann* – odrzekł mężczyzna. – Nie znać angielski.

I wrócił do oglądania telewizji.

MacD wytrzeszczył oczy, jakby właśnie spotkał dawno niewidzianego kuzyna. Wiedział od Erica, że zamachowcy mogą być Haitańczykami, a facet odpowiedział „Nie rozumiem" po kreolsku. MacD pochodził z Luizjany i nauczył się kreolskiego i francuskiego od swojego dziadka, a wielu Haitańczyków jest dwujęzycznych. Haitańska i luizjańska odmiana kreolskiego mają wiele podobieństw. MacD postanowił go zaskoczyć.

– Przyjacielu – zawołał po kreolsku – mówisz w moim języku! Jesteś z Haiti?

Facet z pewnością się nie spodziewał, że MacD zna jego ojczysty język.

– Próbuję… oglądać telewizję – wyjąkał.

– Mówisz po kreolsku! Jestem z zalewisk Luizjany. Praktycznie jesteśmy spokrewnieni.

– Muszę już iść.

Haitańczyk pokazał barmanowi, że chce zapłacić.

MacD otoczył go ramieniem.

– Iść? Teraz? Pozwól, że ja i moi kumple postawimy ci drinka. Jak się nazywasz?

– Naprawdę muszę iść.

MacD musnął ręką twardy metalowy przedmiot na dole pleców Haitańczyka. Broń.

– Daj spokój, brachu. Jeden drink ci nie zaszkodzi.

Barman położył rachunek przed mężczyzną.

– Muszę iść – powtórzył Haitańczyk.

– Przynajmniej pozwól mi zapłacić za ciebie.

MacD pochylił się do przodu i rzucił dwadzieścia dolarów amerykańskich na rachunek. Jednocześnie wyszarpnął pistolet zza paska Haitańczyka i wbił mu lufę w nerkę.

– Zabiję cię tu bez problemu – zagroził. – Kumasz? Jeśli tak, kiwnij powoli głową.

Haitańczyk to zrobił.

MacD chwycił serwetkę i przykrył rękę z bronią. Skinął do Halego i Trona, którzy natychmiast przestali udawać pijanych i wstali. Wycofali się we czterech do tylnego korytarza z toaletami. Wprowadzili Haitańczyka do męskiej toalety i zaryglowali drzwi.

Hali czuwał, kiedy MacD i Trono rewidowali Haitańczyka. Oprócz pistoletu SIG Sauer kaliber .40, który teraz trzymał MacD, facet nosił składany nóż. Miał też komórkę z tym samym esemesem po francusku, który przekazała Linda. Dwa inne wskazywały, że komunikował się z kimś na zewnątrz Waterfrontu.

– Kim jesteś? – zapytał MacD po kreolsku.

– Nic nie powiem.

– Powiesz mnóstwo, jak cię zabierzemy na statek.

– Nie.

– Nie jesteś amatorem, ale nie jesteś w tym najlepszy. Jesteś żołnierzem, tak?

Haitańczyk nie odpowiedział.

– Bo widzisz, żołnierze są dobrzy w atakowaniu, ale nie tak dobrzy w szpiegowaniu – ciągnął MacD. – Natomiast my jesteśmy trochę wyszkoleni w tamtych rzeczach. Takich, jak przesłuchiwanie.

Haitańczyk patrzył wyzywająco.

– Myślisz, że mnie nastraszysz?

– Zobaczymy. Kto jest na zewnątrz?

– Nikt – odrzekł Haitańczyk z uśmiechem.

– Więc możemy po prostu wyjść od tyłu?

– Idźcie – odparł bez wahania.

– Mają ludzi od frontu i z tyłu – powiedział MacD do Halego i Trono.

– Wyśpiewał ilu? – spytał Trono.

– Nie. I nie wyciągniemy z niego nic tutaj. Będziemy musieli zabrać go na statek, żeby się dowiedzieć, kim jest.

– Jak się stąd wydostaniemy? – zapytał Hali. – Wykorzystamy go jako zakładnika?

– Może im nie zależeć na nim – zauważył Trono. – Mogliby go zastrzelić razem z nami.

– Słusznie – przyznał MacD. – Pokażcie mi ten telefon. Zostańcie z nim.

Wziął pistolet i zostawił Trono z nożem przystawionym do gardła Haitańczyka. Zabrał też rolkę papieru toaletowego.

– Co chcesz zrobić? – spytał Hali.

– Jeszcze nie wiem. Miej swój telefon pod ręką.

MacD wrócił do baru i przysunął się do okna od frontu, nie pokazując się. Napisał esemesa po francusku: „Wszyscy trzej wyjdą od frontu za dwie minuty. Zatrąbcie dwa razy, że przyjęliście".

Wiadomość poszła. Po chwili dwa krótkie klaksony zabrzmiały z lewej. Wyjrzał i zobaczył toyotę SUV-a. Parkowała przy krawężniku, dwaj Haitańczycy siedzieli w środku. Obaj wpatrywali się uważnie w drzwi frontowe.

MacD podszedł do stolika amerykańskich studentów, gdzie stała bateria piw. Jeden miał panamę na głowie, kraciastą koszulę na T-shircie i mniej więcej takie same wymiary, jak MacD.

– Dam ci sto dolców za twój kapelusz i koszulę – powiedział MacD.

Student spojrzał na swoich trzech kumpli, potem znów na MacD.

– To żart?

– Nie – zaprzeczył MacD i wyjął nowiutką setkę. – Już.

– Dobra! – odparł student ze śmiechem i się rozebrał.

Wyrwał banknot z ręki MacD, przybił piątkę z kumplami i zamówił następną kolejkę.

MacD włożył kapelusz i koszulę. Dwóch ludzi w samochodzie nie spodziewa się, że wyjdzie tylko jeden z nich, a inne ubranie uczyni go niewidocznym.

Wyłonił się wolno z drzwi, jakby na przechadzkę. Patrzył na otwarte okno, nie na toyotę, kapelusz zasłaniał jego twarz.

Minął SUV-a i inny samochód, potem się schylił i zawrócił. Zobaczył w bocznych lusterkach, że bandyci nadal obserwują drzwi Waterfrontu.

Podszedł do toyoty i gwałtownie otworzył tylne drzwi. Zanim zdążyli zareagować, przystawił sig sauera do karku kierowcy.

– Nie ruszać się – rozkazał po kreolsku. – Rozumiecie?

Przytaknęli. Wsiadł z tyłu i przyłożył lufę pistoletu do rolki papieru toaletowego.

– Tłumik biedaka – wyjaśnił. – Nie zmuszajcie mnie, żebym go użył.

Na kolanach każdego z nich leżał pistolet maszynowy Heckler & Koch MP7.

– Teraz, najwolniej jak możecie, wyjmijcie magazynki z waszej broni i rzućcie je za siebie. Potem odciągnijcie zamki i pokażcie mi, że komory są puste.

Mężczyźni zerknęli na siebie i zrobili, co im kazał.

– Dobra. Teraz rzućcie broń na podłogę z tyłu, pojedynczo. Kierowca pierwszy.

Mężczyzna odwrócił się na siedzeniu i uniósł MP7. Potem go upuścił, a pasażer rzucił się z nożem w kierunku MacD.

Nagły atak nie pozostawił MacD wyboru. On albo oni. Strzelił najpierw do pasażera, a potem do kierowcy przez oparcia siedzeń. Huki stłumił gruby papier toaletowy. Obaj osunęli się do przodu. Zapach prochu wypełnił SUV-a. MacD upewnił się, że nie żyją, potem zlustrował ulicę wokół siebie. Nikt nie zauważył krótkiej walki.

– Naprawdę żałuję, że zmusiliście mnie do tego – powiedział do trupów i zadzwonił do Halego.

– Front czysty. Możecie go wyprowadzić.

– Mamy transport?

Choć MacD chciał wziąć SUV-a, nie mogli usunąć martwego kierowcy z siedzenia niepostrzeżenie.

– Musimy pojechać taksówką.

– Wyjdziemy za dwie minuty.

MacD przypiął oba ciała pasami bezpieczeństwa i posadził je tak, jakby mężczyźni drzemali. Potem starł odciski palców z SUV-a.

Trono i Hali opuścili bar z Haitańczykiem przed sobą. Trono trzymał go chwytem krav maga za palce, co pozwalało mu kontrolować więźnia i jednocześnie mieć nóż w drugiej ręce.

MacD podszedł do nich.

– Twoi przyjaciele nie chcieli współpracować – oznajmił po kreolsku.

Haitańczyk rozdziawił usta na widok swoich bezwładnych kompanów w SUV-ie. Stracił pewność siebie i spanikował.

– Nie możecie mnie zabrać. Oni zabiją całą moją rodzinę, jeśli pomyślą, że wam pomagam.

– Kto? – zapytał MacD przez hałas nadjeżdżającej ciężarówki. – Dla kogo pracujesz?

– Zabijcie mnie teraz, proszę!

MacD pokręcił głową z niedowierzaniem. Ktoś miał pełną kontrolę nad tymi ludźmi.

– Chce, żebyśmy go zabili – powiedział do Halego i Trona.

Obaj zareagowali zdumieniem.

– Co?

– Żartujesz.

Zanim MacD zdążył wyjaśnić, Haitańczyk wyszarpnął rękę, łamiąc sobie dwa palce, i wbiegł na jezdnię prosto przed ciężarówkę. Uderzony osłoną chłodnicy, wpadł pod koła. Kilka kobiet wrzasnęło. Dwóch mężczyzn rzuciło się na pomoc, ale się wycofali na widok stanu ciała.

Wszyscy trzej byli zaszokowani, że mężczyzna wolał zginąć niż dać się uwięzić.

– Wynośmy się stąd – powiedział MacD.

Kiedy pedałowali pieszo do następnej ulicy, żeby poszukać taksówki, MacD zadzwonił na „Oregona". Odebrała Linda.

– Gdzie jesteście? – zapytała.

– W drodze na statek.

– Wszyscy cali?

– Nic nam się nie stało. Zdam relację po powrocie.

– Pospieszcie się. Przygotowujemy się do wyjścia w morze.

– Wszyscy już wrócili?

– Nie. W tym problem. Nie możemy się skontaktować z Maksem i prezesem.

Rozdział 19

Juan już nie pamiętał, kiedy ostatni raz wziął wolny dzień. Dziś też by tego nie zrobił, gdyby Max nie nalegał. Ale teraz, na zbudowanej na zamówienie szesnastometrowej pełnomorskiej łodzi wędkarskiej Carolina o nazwie „Cast Away", z piwem Red Stripe w ręce i czterema ogromnymi tuńczykami żółtopłetwymi w chłodziarce, nie wiedział, dlaczego zawsze się opierał.

Łódź znajdowała się dziesięć mil morskich od wybrzeża, cztery wędziska tkwiły w obrotowym krześle wędkarskim na podwyższeniu, często używany skórzany pas wędkarski wisiał na poręczy. Juan i Max byli jedynymi pasażerami luksusowego czarteru. Kapitan Craig Reed, gadatliwy bostoński strażak, który na emeryturze przeniósł się do Montego Bay, żeby otworzyć firmę wędkarską, prowadził łódź i grał rolę jedynego załoganta. Juanowi i Maksowi pozostawało rozkoszować się piękną pogodą, popijać piwo i czekać na następne branie.

— Wiesz, Reed miał dobry pomysł – powiedział Max i pociągnął łyk z butelki.

— Jaki?

— Jak przejść na emeryturę z klasą.

Juan przechylił głowę.

— Myślisz o odejściu z Korporacji?

Max wzruszył ramionami.

— Może nie jutro, ale któregoś dnia. Jestem na wodzie, odkąd dostałem przydział na tamtą łódź patrolową w Wietnamie.

— I uwielbiasz to.

— Owszem. Dlatego kupno czarteru wędkarskiego mnie pociąga.

— W Korporacji masz za mało emocji?

— Czasami aż za dużo.

— To cię odmładza.

— Szkoda, że nie odchudza – odrzekł Max, klepiąc swój okrągły brzuch.

Julia stale mu przypominała o diecie, ale pasta szefa kuchni była zbyt kusząca.

— Mógłbym zainstalować ruchomą bieżnię na twoim stanowisku w centrum operacyjnym.

— Jak to zrobisz, na pewno odejdę.

— Więc mamy umowę. Żadnej bieżni, żadnej emerytury.

Stuknęli się butelkami i wypili kolejny łyk.

– Wiecie co?! – zawołał Reed ze swojego siedzenia na pokładzie nad nimi. – Wygląda na to, że ktoś z nami rywalizuje o to najlepsze miejsce.

Inny czarter wędkarski ciął wodę milę morską od nich, pędząc ku nim z pełną prędkością. Wyglądał na osiemnastometrowego landeweera, łódź z górnej półki, która deklasowała „Cast Away".

– Szybko płynie – stwierdził Juan.

Reed zmarszczył brwi.

– To „Oceanaire". Łódź Colina Portera. Piękny, w pełni customizowany, najszybszy czarter w Montego Bay. Ale co Colin tu robi? Mówił mi dziś rano, że będzie na wschód stąd.

– Dziwne, że pruje prosto na nas – zauważył Max.

– Zapytam go, co jest grane.

Reed spróbował przez radio, ale zamiast odpowiedzi Juan usłyszał z głośnika wysoki dźwięk, jakby wycie elektrycznej wiertarki.

Reed walnął w konsolę.

– Co jest z tym urządzeniem?

Juan spojrzał na Maksa.

– Nie brzmi to jak sygnał zagłuszający?

– Owszem.

Max przyjrzał się zmrużonymi oczami nadpływającej łodzi, kiedy zrozumiał, o co chodzi Juanowi.

Nie było po co sprawdzać komórek. Nawet gdyby nikt ich nie zagłuszał, znajdowali się daleko poza zasięgiem jakiejkolwiek stacji bazowej.

– Ktoś nas zagłusza? – spytał Reed i też popatrzył na „Oceanaire". – Colin? To bez sensu.

Juan zlustrował horyzont.

– Nie ma innych łodzi w polu widzenia.

– To musi być awaria – powiedział Reed. – On pewnie po prostu płynie do nas, żeby się przywitać albo polecić nam najlepsze łowisko.

– Robił już coś takiego?

– No... nie.

– Dziwny zbieg okoliczności, nie uważasz? Pędzą na nas pełnym gazem tuż po tym, jak radio ci padło?

– Ale zagłuszać nasz sygnał? Po co by to robił?

– Pytanie za milion dolarów – odparł Max.

Juan nachylił się do Maksa.

– Coś jest nie tak – powiedział cicho.

– Też mam takie wrażenie – odrzekł Max.

– Jeśli mają przenośny zagłuszacz na tamtej łodzi, to zabranie go wymagało zaplanowania. Nie kupili go w najbliższym sklepie żelaznym.

– Co oznacza, że nie chcieli, żebyśmy wezwali pomoc.

– O ile się orientuję, nikt nawet nie wie, że tu jesteśmy.

– W takim razie lepiej uważać niż potem żałować.

Juan spojrzał w górę na Reeda.

– Wiesz, pewnie masz rację, że nie ma się czym przejmować, ale może byłoby dobrze jakoś się zabezpieczyć. Zauważyłem podwodną kuszę na ścianie ze sprzętem wędkarskim.

– Tamtą staroć? Nawet nie wiem, jak się jej używa. Kupiłem ją, bo pomyślałem, że ktoś z moich klientów zechce z nią zapolować, ale nikt się dotąd nie zainteresował. Teraz to tylko ozdoba.

– Nie będziesz miał nic przeciwko temu, że będą ją miał pod ręką? Na wszelki wypadek.

Noga bojowa Juana została na „Oregonie".

– Żartujesz?

– Lubię być przygotowany na najgorsze.

– Strzelałeś już z czegoś takiego?

– Kilka razy.

Reed spojrzał na niego z powątpiewaniem, potem zerknął na radio i skinął niechętnie głową.

– Bądź ostrożny. Mam tylko jeden harpun do niej. Prawdę mówiąc, nawet nie wiem, czy ona działa.

Juan dał nura do kabiny i podszedł do ściany z zapasowymi wędkami. Na samej górze wisiała półtorametrowa kusza podwodna Riffe z chwytem pistoletowym. W wodzie miała skuteczny zasięg nieco ponad sześciu metrów. Mimo że powietrze stawia mniejszy opór, zasięg niewiele by się zwiększył, ale lepsze było to niż nic.

Juan zdjął kuszę i strzałę do niej ze ściany. Harpun z ponacinanym stalowym grotem był wystrzeliwany przez potrójny gumowy naciąg przymocowany do obu stron tekowego łoża. Juan załadował strzałę i napinał naciąg, dopóki zaczep nie zahaczył o jej drzewce. Nie zawracał sobie głowy rozwijaną linką harpuna. Gdyby miał go użyć, nie zamierzał nic wciągać.

Wrócił na górę i zobaczył, że „Oceanaire" zbliża się do nich. Oparł kuszę o przegrodę, nie na widoku, ale w swoim zasięgu.

– Max, może dołączysz do Craiga na mostku?

Gdyby zrobiło się niebezpiecznie, Juan chciał, żeby Max przejął ster. Max wspiął się na górę i stanął obok Reeda.

„Oceanaire" zwolniła i skręciła tak, żeby móc podejść do nich wzdłuż burty. Niecała długość łodzi dzieliła ją od „Cast Away". Silniki obu pracowały na biegu jałowym na spokojnym morzu. Juan stanął na kłębach paluchów, ręce trzymał luźno, nieskrępowany.

Było widocznych czterech mężczyzn, dwóch na mostku i dwóch na rufowym pokładzie wędkarskim. Sternik miał na sobie szorty i T-shirt, trzej pozostali wyglądali dziwnie nie na miejscu w długich spodniach i lekkich marynarkach. Turyści by się tak nie ubrali. Wszyscy przyglądali się uważnie „Cast Away", bez uśmiechu.

– Porter, co tu robisz?! – krzyknął Reed.

Colinem Porterem, właścicielem „Oceanaire", musiał być ten w T-shircie. Spojrzał na mężczyznę obok siebie, jakby się zastanawiał, co odpowiedzieć. Muskularny facet o krótkich włosach i postawie wojskowego stał w pozie pokazującej, że jest dowódcą. Miał wystające kości policzkowe, szczękę jak wyciosaną z marmuru i spojrzenie, które mogłoby zamrozić roztopioną lawę.

Juan się zastanawiał, kto to jest. Miejscowy policjant? Ktoś z jamajskich sił zbrojnych? Natychmiast odrzucił obie ewentualności. Nikt taki nie używałby zagłuszacza radia.

Zanim zdążył pospekulować dalej, silnik „Oceanaire" umilkł.

– Reed, oni chcą was zabić! – wydarł się Porter na całe gardło.

Odchylił się do tyłu i rzucił za burtę coś o wyglądzie kluczyków.

Facet obok niego odwrócił się i bez mrugnięcia okiem strzelił mu w głowę z pistoletu. Ciało Portera upadło na reling i wylądowało w wodzie.

Kiedy mężczyzna strzelał do kapitana łodzi, jego ludzie chwycili karabiny szturmowe ukryte w schowkach przed nimi i wycelowali je w „Cast Away".

W tym samym momencie Juan złapał kuszę i wymierzył z niej do najbliższego bandyty. Wszyscy jednocześnie nacisnęli spusty.

Harpun trafił mężczyznę na rufie w sam środek piersi. Strzelec poleciał do tyłu, seria z jego uniesionej broni przeszła nad głową Juana.

Bandyta obok niego celował w mostek. Kiedy Juan dawał nura w ukrycie, dostrzegł, jak Max pcha przepustnicę do przodu. Nagły ruch ocalił Reedowi życie. Dostał kulę w ramię, zamiast w głowę. Pozostałe pociski przeszyły sufit sterówki.

Trzymali głowy nisko, gdy następne serie omiatały kadłub „Cast Away". Po niecałej minucie byli poza zasięgiem i strzały ucichły. „Oceanaire" stała nieruchomo w wodzie za nimi.

Juan wdrapał się na mostek. Max uciskał ranę Reeda zakrwawioną szmatą. Juan go zastąpił, żeby Max mógł prowadzić łódź.

Reed był przytomny i czujny. Ramię miał w kiepskim stanie. Nie wydawał się być w szoku. Pewnie przeżył gorsze rzeczy jako strażak.

Juan obejrzał dokładnie ranę. Reed się krzywił, ale nie skarżył.

– Nie ma otworu wylotowego i pocisk chyba minął tętnice – orzekł Juan. – Miałeś szczęście.

– Jasne – odparł Reed przez zaciśnięte zęby. – Czuję się tak, jakbym właśnie wygrał na loterii.

– Gdyby nie twój przyjaciel, żaden z nas by nie żył. Wyrzucił kluczyk do stacyjki za burtę, żeby nas uratować.

– Nie mogę uwierzyć, że Porter zginął. Był porządnym człowiekiem, a tamten bydlak zastrzelił go z zimną krwią. Kim są tamci ludzie? Dlaczego próbują nas zabić?

– Nie wiem, ale się dowiemy. Najpierw musimy cię odstawić do szpitala.

– Powrót do Montego Bay zajmie nam co najmniej pół godziny – wtrącił się Max.

Zerknął przez ramię na nich, ale zatrzymał wzrok na oceanie. Spochmurniał.

– Niestety nie sądzę, żebyśmy mieli te pół godziny.

Juan się odwrócił i zobaczył, że „Oceanaire" już nie stoi w miejscu. Grzywiaste fale wyrastały przed jej dziobem.

Zabójcy musieli się zorientować, jak odpalić silnik, i teraz gnali pełnym gazem. „Oceanaire" szła kursem pościgowym i zbliżała się.

Rozdział 20

Radio ciągle do niczego – oznajmił Max.

– Jesteśmy zdani na siebie, dopóki nie dotrzemy do portu – odrzekł Juan z ręką na ranie Reeda.

Postrzał okazał się groźniejszy, niż się początkowo wydawało. Były strażak oddychał z trudem i Juan się zastanawiał, czy odłamek kości nie przebił mu płuca.

– Oceniam, że maksymalnie za dziesięć minut będą nas mieli w zasięgu ognia. Strzał z kuszy się udał, ale to była nasza jedyna broń.

– Masz jeszcze coś, czego moglibyśmy użyć? – zapytał Juan Reeda.

Blady Reed tylko pokręcił przecząco głową.

– Musi być coś, czym moglibyśmy się bronić – powiedział Max. – Jak nas dogonią, to albo nas wykoszą ze swojej łodzi, albo dokonają abordażu, jeśli spróbujemy schować się w środku. Tak czy owak, nie podobają mi się nasze szanse.

– Więc muszę coś wymyślić – odparł Juan i położył zdrową rękę Reeda na szmacie. – Dasz radę to uciskać?

Reed przytaknął słabo. Juan niechętnie go zostawiał, ale nie mógł zrobić nic więcej, dopóki nie dotrą w bezpieczne miejsce. Jeśli dotrą.

Zszedł na dół i zobaczył, jak jeden z dwóch pozostałych na „Oceanaire" mężczyzn wspina się z karabinem na odkryty pokład dziobowy. Jego kompan prowadził łódź. Strzelec się położył i wziął na cel „Cast Away", ale nie otworzył ognia, najwyraźniej nie chcąc marnować amunicji, dopóki nie będą w skutecznym zasięgu. Max podobnie zwlekał z unikiem, dopóki tamten nie naciśnie spustu. Taki manewr teraz tylko pozwoliłby ścigającym dogonić ich szybciej.

Wykorzystana kusza leżała na pokładzie obok krzesła wędkarskiego, gdzie Juan ją rzucił. Butelki po piwie, które spadły ze swoich miejsc, kiedy Max dał gazu, obijały się o pawęż.

Juan dał nura do kabiny, żeby poszukać czegoś, co mogłoby się przydać. W dobrze zaopatrzonym w jedzenie i napoje kambuzie nie było nic bardziej zabójczego niż nóż stołowy. Juan miał swój scyzoryk, ale mógłby go wykorzystać tylko w walce wręcz.

Otworzył właz do przedziału silnikowego i zszedł na dół zobaczyć, czy coś znajdzie. Choć mocno pachniało ropą i olejem, diesel wyglądał na dobrze utrzymany. Juan natrafił na zestaw narzędziowy, ale tylko z kluczem nastawnym i kilkoma śrubokrętami. Nic się nie nadawało do obrony przed karabinem szturmowym.

Zamierzał wyjść z maszynowni, gdy zatrzymał go obrzydliwy odór. Uświadomił sobie, że jednak mają broń: paliwo. Musiał je wystrzelić na „Oceanaire", ale nie wiedział jak, dopóki nie przypomniały mu się butelki po piwie.

Wybiegł na pokład i zebrał cztery. Wziął też przenośną pompę zęzy i wrócił na dół.

Otworzył zbiornik paliwa i włożył wąż pompy do środka. Kilka pompnięć wystarczyło do napełnienia każdej z charakterystycznych pękatych butelek.

Zaniósł je razem z narzędziami do kambuza, gdzie przetrząsnął szuflady i znalazł zapalniczkę. Wyjął kamizelkę ratunkową ze schowka, wyciągnął scyzoryk i rozciął ją, żeby się dostać do pianki w środku. Pokroił ją szybko na kawałki i wepchnął je do butelek, żeby pianka się rozpuściła w oleju napędowym i zmieniła go w lepki żel. Potem wetknął ręczniki kuchenne do szyjek. Odwrócił każdą butelkę, żeby nasączyć prowizoryczne knoty paliwem dieslowskim.

Miał teraz cztery koktajle Mołotowa. Musiał jeszcze wymyślić, jak nimi trafić w cel.

Najprościej byłoby je rzucić, ale wystawiłby się na ogień karabinowy. Może raz by trafił, zanimby dostał kulę, ale łodzie musiałyby być obok siebie, żeby wcelował. Potrzebował jakiegoś mechanizmu do wystrzelenia butelek i nagle sobie uzmysłowił, że kusza nadaje się do tego.

Na pokładzie zobaczył, że „Oceanaire" jest niebezpiecznie blisko. Bandyta strzelił kilka razy, ale miał małe szanse trafić w ruchomy cel z tej odległości.

– Cokolwiek kombinujesz – krzyknął Max – lepiej się pospiesz!

– Jeszcze dwie minuty – odpowiedział Juan, wkładając koktajle Mołotowa do chłodziarki dla łatwego dostępu.

– Zrobię, co będę mógł.

– Tylko o to proszę.

Juan odciął nożem trzy gumy naciągu od obu stron kuszy i związał je razem, żeby mieć dwie dłuższe. Śrubokrętem z zestawu narzędzi odkręcił prędko oparcie obrotowego krzesła wędkarskiego i rzucił je na pokład. Przywiązał jedne końce gum naciągu do obu metalowych poręczy krzesła, a drugie do skórzanego pasa wędkarskiego. Mógł go zgiąć w połowie i ukształtować doskonałą miseczkę do trzymania butelki po piwie.

Proca była gotowa. A ponieważ krzesło się obracało, mógł celować w promieniu stu osiemdziesięciu stopni. Do wystrzeliwania koktajli Mołotowa nie potrzebował teraz wystawiać głowy ponad pawęż więcej niż na kilka centymetrów.

Oczywiście przy założeniu, że urządzenie zadziała. Był tylko jeden sposób, żeby to sprawdzić, ale nie można stracić elementu zaskoczenia.

Juan przekradł się z powrotem na mostek.

– Max, zawróć.

Max nie wierzył własnym uszom.

– Słucham? Chcesz, żebym zawrócił?

– Ucieczka tylko opóźnia nieuniknione. Mam małą niespodziankę dla tamtych piratów. Koktajle Mołotowa. Jestem gotowy do ich wystrzelenia.

– To musimy dać im się zbliżyć.

Juan przytaknął.

– Nie na więcej niż pięćdziesiąt metrów.

– A, to dobrze. Myślałem, że chcesz to utrudnić.

– Wiem, że lubisz wyzwania.

Juan wrócił na dół na pokład rufowy, kiedy Max wykonywał manewr.

Juan miał najwyżej dwie minuty, żeby zdążyć, zanim tamci będą w zasięgu. Załadował nieotwartą butelkę piwa do procy i naciągnął gumę do oporu. Dobrze naoliwione krzesło obracało się łatwo, gdy poruszał miseczką tam i z powrotem.

„Oceanaire" była dokładnie na wprost nich, więc atakujący nie mogli zobaczyć, co Juan robi. Wycelował w jakąś górę na horyzoncie, wstrzymał oddech i wypuścił pocisk.

Butelka poszybowała w przestrzeń z brzdęknięciem gumy. Poleciała łukiem i wylądowała w ich kilwaterze jakieś pięćdziesiąt metrów dalej. Juan przećwiczył rzuty jeszcze dwa razy, zanim to opanował. Teraz potrzebował prawdziwego celu.

– Przygotuj się! – zawołał Max.

– Schyl się! – odkrzyknął Juan.

Przywarł do przegrody i zapalił pierwszy koktajl Mołotowa, gdy „Cast Away" zataczała drugie półkole. Bandyta na pokładzie już prowadził ogień trzystrzałowymi seriami jak wyszkolony żołnierz, nie trzymał spustu do opróżnienia magazynka. Pociski trafiały w sterówkę, jego główny cel.

„Oceanaire" wróciła na kurs pościgowy. Kiedy znalazła się bezpośrednio za nimi, Juan włożył płonącą butelkę do miseczki i naciągnął gumę. Wymierzył i puścił.

Butelka poszła w powietrze, ale natychmiast zobaczył, że nie wziął poprawki na szybkość ścigającej ich łodzi. Koktajl Mołotowa przeleciał nad „Oceanaire" i spadł nieszkodliwie za jej rufą.

Juan zapalił następny i wycelował niżej. Bandyta się zorientował, że ma teraz ważniejszy cel niż mostek i skierował ogień tuż nad pawęż. Gdyby woda była gładsza, mógłby łatwiej trafić Juana, ale małe fale sprawiły, że pociski uderzyły w przegrodę nad głową Juana.

Juan wystrzelił drugi koktajl, tym razem za nisko. Butelka roztrzaskała się o dziób „Oceanaire" powyżej linii wodnej, ale rozbryzgi zgasiły płomienie.

Sternik „Oceanaire" albo nie widział koktajli Mołotowa, albo nie przejmował się nimi, bo nie zmieniał kursu. Juanowi zostały tylko dwie bomby.

Zapalił trzecią i załadował ją do procy. Tym razem zaryzykował i uniósł głowę wyżej, żeby dobrze wycelować. Wypuścił butelkę i pociski zagwizdały obok jego głowy.

Juan i bandyta wiedzieli, że butelka trafi w cel, gdy tylko ją wystrzelił. Mężczyzna się poderwał, żeby zrobić unik przed koziołkującą butelką, ale za późno. Rozbiła się na pokładzie niecałe pół metra przed nim i opryskała jego i łódź płonącą żelową mieszanką.

Ogień ogarnął bandytę. Jego wrzaski rozchodziły się po wodzie, kiedy się miotał w agonii. Juan myślał przez chwilę, że mężczyzna skróci swoje męki skokiem za burtę, ale na „Oceanaire" rozległ się odgłos pojedynczego strzału.

Płonący bandyta osunął się na pokład, uwolniony od cierpienia przez sternika łodzi.

Juan przygotował ostatnią butelkę, ale okazała się niepotrzebna. Porywacz musiał sobie uświadomić, że stracił przewagę i szanse się wyrównały. „Oceanaire" skręciła i wzięła kurs na najbliższą plażę. Zabójca miałby szczęście, gdyby zdążył do brzegu, zanim zdoła ugasić pożar lub łódź zatonie.

„Cast Away" i tak nie nadawała się do dalszej walki. Silnik przerywał. Kilka pocisków musiało przebić kadłub i uszkodzić diesla lub drasnąć przewód paliwowy. Sami mieliby szczęście, gdyby się dowlekli do Montego Bay.

Juan wspiął się z powrotem na mostek.

– Dobry strzał, przyjacielu – pochwalił Max.

– Jesteś cały?

– Oparcie mojego siedzenia poświęciło się dla mnie. A ty? Trzy pociski utkwiły w grubej skórze.

– Ani draśnięcia – odrzekł Juan.

Schylił się i zobaczył, że Reed stracił przytomność.

– Co z nim? – zapytał Max.

– Nie jest dobrze.

– Daję pełny gaz, ale jeśli silnik się zatrze, będziemy musieli zaczekać na ratunek.

– Reed nie wytrzyma tyle czasu. Sprawdź radio.

Wycie ustało. Byli poza zasięgiem zagłuszacza. Max wezwał pomoc na kanale alarmowym. Odpowiedź zaskoczyła ich obu.

– Max, tu Linda. Jesteście cali?

– Juan i ja tak, ale mamy ciężko rannego na pokładzie.

– Wyszliśmy z portu piętnaście minut temu i płyniemy po was.

Nie musiała dodawać, że „Oregon" namierzył ich dzięki podskórnym lokalizatorom, które mieli w udach wszyscy członkowie załogi.

– Spuściliśmy riba na wodę – ciągnęła. – Powinniście go zobaczyć lada chwila.

Juan i Max spojrzeli na siebie z niepokojem. Skoro „Oregon" opuścił port tak nagle, to musiało się wydarzyć więcej, niż Linda im powiedziała. Ale nie mogli rozmawiać o tym na otwartej linii.

– Przyjąłem, Linda. Zdamy sobie wzajemnie relacje, jak się zobaczymy. Niech Julia przygotuje się do przyjęcia ofiary postrzału.

– Zrozumiałam. Bez odbioru.

Sztywnokadłubowa łódź pneumatyczna pędziła ku nim, zmniejszając szybko odległość. Kiedy zrównała się z nimi, Max wyłączył krztuszący się silnik „Cast Away".

MacD i Trono przeskoczyli na wędkarski czarter.

– Wygląda na to, że trochę powalczyliście, prezesie – powiedział MacD, przyglądając się uszkodzeniom.

– Owszem, ale szkoda, że nie możecie zobaczyć tamtych facetów.

– Chyba widzimy – odrzekł Trono i wskazał smugę dymu zbliżającą się do brzegu. – To oni?

Juan przytaknął.

– Gomez przygotowuje helikopter?

– Ponieważ staliśmy w porcie, robił rano rutynowy przegląd maszyny. Będzie mógł wystartować za pół godziny. Chcesz, żebyśmy popłynęli za nimi?

– Nie, musimy jak najszybciej przetransportować kapitana łodzi na „Oregona". Został postrzelony.

Najdelikatniej, jak mogli, przenieśli we czterech Reeda do riba.

Kiedy go ułożyli, Juan polecił:

– MacD, zostań na „Cast Away". Przyślemy kilku mechaników, żeby ją z powrotem uruchomili. Potem pomyślimy, co z nią zrobić.

Rib wystartował, przeskakując fale.

– Nie mogę się doczekać opowieści, jak sobie poradziliście z kimś, kto podziurawił wam łódź tyloma pociskami – powiedział Trono, kiedy opatrywał Reeda.

– Dlaczego „Oregon" wyszedł w morze wcześniej? – zapytał Max.

– Nie tylko was dwóch dziś zaatakowano.

– Są jakieś ofiary? – spytał Juan.

– Tylko Mark Murphy. Dostał kulę w nogę. Hux powiedziała, że nic mu nie będzie, choć musi sobie odpuścić jazdę na deskorolce na jakiś czas.

– Kogo jeszcze zaatakowano?

– Wszystkich, którzy zeszli na ląd.

Juan i Max wymienili zaniepokojone spojrzenia. Załogę wzięto na celownik, wiedząc dokładnie, gdzie będzie. Nasuwał się tylko jeden wniosek.

Ktoś naruszył bezpieczeństwo „Oregona".

Rozdział 21

Hector Bazin wyskoczył z płonącej „Oceanaire" i popłynął do brzegu dwie minuty przed eksplozją łodzi, która zatonęła z ciałami jego ludzi na pokładzie. Uzbrojony w pistolet SIG Sauer, porwał pierwszy napotkany samochód, przerdzewiały pikap z rozkojarzonym rastafarianinem za kierownicą, który śmierdział marihuaną. Jeden strzał w głowę i Bazin miał transport. Ukrył zwłoki wśród drzew i pojechał szybko w kierunku Międzynarodowego Portu Lotniczego Sangster w Montego Bay.

Jego zamoczony telefon nie działał, a nie mógł ryzykować użycia komórki zabitego, żeby kazać swojemu pilotowi zatankować i przygotować do startu gulfstreama. Nie chciał, żeby powiązano to zabójstwo z odrzutowcem. Miał nadzieję, że reszcie jego ludzi poszło lepiej i są gotowi do odlotu.

Po drodze wściekał się z powodu niewykorzystanej okazji. Przy tylu celach jednocześnie nie był w stanie zasięgnąć od Doktora informacji wywiadowczych w czasie rzeczywistym, bo gdyby je miał, przewidziałby strategię obronną Juana Cabrilla. Ale to go nie usprawiedliwiało. Bazin wiedział, że prezes będzie na tamtej łodzi bez broni, i to powinno wystarczyć.

Bazin nie był przyzwyczajony do takich porażek jak ta. Od najmłodszych lat w slumsach Port-au-Prince potrafił prosperować w trudnych warunkach. Jeśli czegoś potrzebował – jedzenia, wykształcenia, pieniędzy – znajdował sposób na zdobycie tego. Jak setki tysięcy innych biednych dzieci na Haiti był *restavekiem*, dzieckiem posłanym na służbę do bogatszej rodziny.

Mimo dostępu do nauki i wystarczającej ilości jedzenia, by rosnąć i nabierać siły, nie cierpiał swojego nowego domu u wysokiego rangą urzędnika ministerstwa spraw zagranicznych. Bito go regularnie za najdrobniejsze przewinienia. Drugiego *restaveca* w tym samym domu, starszego o rok sierotę nazwiskiem Jacques Duval, traktowano zupełnie inaczej, bo był ulubieńcem, adoptowanym synem ministra, który nie mógł zostać ojcem.

Karanie cielesne tylko się nasiliło, kiedy ich wszystkich przeniesiono do ambasady Haiti w Paryżu. Po szczególnie ciężkim pobiciu Bazin trafił do szpitala ze złamaną szczęką, ramieniem i żebrami. Skorzystał z okazji i postarał się o azyl we Francji. Z braku innych umiejętności wstąpił do Legii Cudzoziemskiej i dostał się do elitarnego oddziału jej komandosów.

Uwielbiał szkolenie i akcje wojskowe, ale irytowało go zwierzchnictwo, które tylko mu przypominało o jego dzieciństwie spędzonym jako *restavec*. Chciał sam decydować o swoim losie, więc odszedł z Legii po dziesięciu latach i został najemnikiem. Nawiązał liczne kontakty i wyszkolił własnych żołnierzy wybranych spośród ogromnej rzeszy biednych młodych mężczyzn na Haiti.

Wiedział, że Cabrillo i jego załoga też są najemnikami. Ale mieli mylne wyobrażenie, że ich operacje to jakieś szlachetne powołanie. Bazin robił to po prostu dla pieniędzy. Przyjąłby każde dobrze płatne zlecenie bez względu na to, czego by wymagało. Zatrudniał tylko ludzi tak samo bezwzględnych jak on. Jednych dlatego, że to lubili, innych dlatego, że wiedzieli, co z nimi zrobi, jeśli go zawiodą lub zdradzą.

Jego reputacja zwróciła na niego uwagę Doktora, który się z nim skontaktował przez różnych pośredników. Pieniądze płynęły od początku, a w ciągu ostatniego półrocza stały się wręcz lawiną gotówki.

Pierwszym zadaniem, jakie Bazin wykonał dla Doktora, było pośrednictwo w sprzedaży wykradzionej amerykańskiej wojskowej technologii wenezuelskiej admirał Dayanie Ruiz. Chodziło o podwodnego drona z programu amerykańskiej marynarki wojennej o nazwie Pirania. Bazin nie wiedział, co admirał zamierza z tym zrobić, i nie obchodziło go to. Dostał znaczną część wielomilionowej ceny sprzedaży. Więc kiedy Doktor zaproponował mu wyłączny kontrakt na dużo większą operację, zgodził się bez wahania.

Miał zdobyć potajemnie sprzęt naukowy, co go zaskoczyło. Według wskazówek Doktora zabrał się z pomocą inżynierów i techników do budowy tajnego obiektu pozornie bez celu. Dopiero kiedy wszystko w końcu zaczęło działać, Bazin się zorientował, jaką Doktor ma wizję. Dzielił się z Bazinem zapierającymi dech w piersi szczegółami i dawał jasno do zrozumienia, że jeśli Haitańczyk będzie się go trzymał, posiądzie taki majątek i władzę, o jakich mu się nie śniło.

Wykorzystywanie kolumbijskich baronów narkotykowych było tylko środkiem do osiągnięcia celu. Choć sprzedaż drona zapewniła fundusze na uruchomienie pierwszej fazy operacji, Doktor potrzebował następnych milionów, żeby zrealizować ostateczny plan, i kartele kokainowe dostarczały pieniądze. Odkąd Bazin to załatwił, cieszył się zaufaniem Doktora i kiedy usłyszał, do czego doprowadzi druga faza, chętnie zgodził się wziąć w tym udział.

Wydawało się, że tylko załoga „Oregona" stoi im na drodze.

Bazin wjechał do Montego Bay i zostawił pikapa na opuszczonym parkingu. Ubranie już mu wyschło. Złapał taksówkę do części lotniska dla prywatnych odrzutowców, przeszedł szybko kontrolę paszportową i wszedł na pokład gulfstreama.

W kabinie zastał tylko jednego ze swoich ludzi, Davida Pasqueta, byłego członka jednostki specjalnej haitańskiej policji i snajpera, który miał zastrzelić Erica Stone'a i Marka Murphy'ego.

– Gdzie reszta? – zapytał go Bazin.

Pasquet pokręcił ponuro głową.

– Nikt więcej nie przyjdzie.

Bazin popatrzył na niego z niedowierzaniem.

– Nie żyją?

– Według meldunków policji, których słucham, sam ledwo tu dotarłem.

Bazin zajrzał do kokpitu i kazał pilotowi startować, jak tylko dostanie pozwolenie.

– Co się stało? – warknął, kiedy wkładał świeże ubranie.

– Mogę tylko spekulować – zaczął Pasquet – ale myślę, że co najmniej jedna z kobiet w spa przeżyła atak i ostrzegła pozostałych. Kiedy byłem gotowy do strzału, moje cele właśnie się chowały. Chyba drasnąłem jednego z nich, ale policja przyjechała, zanim zdążyłem ich wykończyć. „Oregon" wyszedł w morze ponad godzinę temu.

Bazin opowiedział mu o swojej walce na wodzie z Juanem Cabrillo.

– Łącznie z dwoma, którzy byli ze mną, straciliśmy dziś dziewięciu ludzi.

Bazin pokręcił głową. Nie wziął najlepszych, ale lepszych nie mógł znaleźć w tak krótkim czasie.

– Ta załoga jest groźna nawet bez swojego magicznego statku. Staliśmy się zbyt pewni siebie przez to, że mieliśmy przewagę dzięki inwigilacji.

– Myślisz, że plan jest w niebezpieczeństwie? – spytał Pasquet.

– To zależy od Doktora.

Kiedy odrzutowiec wystartował, Bazin przygotował się do rozmowy telefonicznej, którą musiał odbyć. Nie zapowiadała się przyjemnie.

Doktor jak zwykle był zwięzły.

– No i?

– Uciekli.

– Ilu?

Bazin się skrzywił.

– Wszyscy.

W telefonie zapadła cisza. Trwała denerwującą chwilę.

– Daję ci najlepsze informacje wywiadowcze, jakie można kupić, a ty pozwalasz im uciec?

– Plany powstały naprędce – odrzekł Bazin, choć wiedział, że to marna obrona.

– Wiesz, że tylko cztery dni zostały do naszej akcji przechwycenia drona. Nie możemy sobie pozwalać na niewymuszone błędy.

– Mogę zapewnić, że to się nie powtórzy.

– Jeśli amerykańskie wojsko odkryje, że drony Piranii nie tylko wykradziono, ale również wykorzystano, może to w końcu doprowadzić do ciebie i do mnie. Jeśli to się stanie przed akcją, cały plan może się zawalić. Rozumiesz?

– Mamy ostrzec Wenezuelczyków, że ich operacje mogą być zagrożone?

– Nie. Mam dostęp do kodu sterowania dronami omijający zabezpieczenia. Kiedy wykonają dziś swoje zadanie, ustawię je na samozniszczenie. Zatoną i nikt więcej o nich nie usłyszy.

– A co z admirał Ruiz?

– A co ma być? Drony zrobiły swoje dla niej. Poza tym to jej wina. Gdyby nie wypuściła „Oregona”, nie mielibyśmy tego problemu.

– A „Oregon”?

– Będę miał go na oku na wszelki wypadek.

– Wyszli z Montego Bay. Powinni być blisko miejsca, gdzie musiałem przerwać pościg za łodzią wędkarską Juana Cabrilla.

– Nie mogę ich inwigilować, jeśli nie wiem dokładnie, gdzie są. Niech pilot odrzutowca okrąży tamten rejon i poda mi współrzędne.

– Nie mogli odpłynąć daleko przez ten czas, kiedy jechałem na lotnisko – odparł Bazin. – Znajdziemy ich.

Powiedział pilotowi, dokąd lecieć. Wyznaczył trasę, którą „Oceanaire” przebyła z portu w Montego Bay do łowisk, i dodał odległość, jaką statek miał czas pokonać od wyjścia w morze. Chmury wisiały nisko, poniżej tysiąca metrów, więc pilot musiał zejść pod nie, żeby poszukać statku.

Zmniejszali wysokość i Bazin się przygotował do wysłania współrzędnych GPS Doktorowi od razu, jak zauważy „Oregona". Ale kiedy wyszli z chmur, zobaczyli tylko niebieskie morze rozciągające się we wszystkich kierunkach od wybrzeża Jamajki. Jedynym widocznym statkiem był wycieczkowiec na horyzoncie. Poza tym – pusto. Nawet po „Cast Away" nie zostało śladu, co zapewne oznaczało, że spoczywa na dnie. A co do frachtowca, Bazin nie mógł pojąć, gdzie się podział.

„Oregon" zniknął.

Rozdział 22

Trzydzieści mil morskich na wschód od Jamajki

Juan był pewien, że jamajskie władze wypytują szczegółowo o trupy na całej wyspie i zniknięcie dwóch czarterowych łodzi wędkarskich. Nie chciał ryzykować powrotu do Montego Bay.

Zamiast zreperować łódź Craiga Reeda i odstawić ją do Montego Bay bez niego, podnieśli ją jednym z żurawi „Oregona" i umieścili w największej ładowni, gdzie technicy mieli naprawić silnik i uszkodzenia gratis za wszystkie kłopoty, które sprawili.

Gdy tylko „Cast Away" została zabezpieczona, Juan kazał dać całą naprzód, żeby wynieść się z rejonu jak najszybciej na wypadek, gdyby ich przeciwnicy mieli jeszcze coś w zanadrzu. Trzy godziny później jedna z łodzi ratunkowych „Oregona" zabrała Eddiego, Linca i jego motocykl z Ocho

Rios. Lokalny salon Harleya musiał wysłać kogoś po wypożyczoną maszynę Eddiego.

Kiedy załoga była w komplecie i płynęli w siną dal, Juan poszedł do izby chorych. Julia pisała coś na swoim tablecie.

– Co z naszym gościem? – zapytał.

Odłożyła tablet na biurko, wyciągnęła się do tyłu i przeczesała palcami włosy. Oprócz lekkiego zmęczenia w oczach nie widać było u niej żadnych oznak stresu, który przeżyła.

– Operacja poszła dobrze. Krwawienie wewnętrzne powodowało wzrost ciśnienia wokół opłucnej. Wyjęłam kulę, założyłam drenaż opłucnowy i zszyłam rany. Powinien stanąć na nogi za kilka dni. Sześć tygodni do pełnego wyzdrowienia.

– To dobra wiadomość. Obudził się?

– Nie. Dam ci znać, jak będzie gotowy na odwiedziny.

– Dzięki. Jak dojdzie do siebie, przekaż mu, że jego łódź jest w rękach fachowców.

– Dobrze.

– A co z naszym odważnym deskorolkarzem?

– Parę szwów i orteza stopowo-goleniowa. Będzie miał ładną bliznę do imponowania paniom.

– Jest zdatny do służby?

– Na pewno może siedzieć na swoim stanowisku w centrum operacyjnym, ale nie kazałabym mu biegać.

– Bez obaw – odrzekł Juan. – Już zlikwidowaliśmy jego skatepark.

Julia przetarła oczy.

– Wszystko w porządku? – spytał. – Zwykle nie bierzesz udziału w takich akcjach jak dziś z Lindą.

– Nic mi nie jest. Cieszę się, że mogłam wrócić do ratowania ludzi, zamiast ich zabijać.

– Gdybyście nie pokonały tamtych facetów, stracilibyśmy dziś mnóstwo członków załogi.

– To wszystko zasługa Lindy. Ja tylko się potknęłam w dobrym kierunku.

– Craig Reed ma szczęście, że tak się stało. Wpadnę później.

Poszedł w stronę dziobu do kabiny Marka Murphy'ego oddalonej od pozostałych kwater, żeby je izolować od muzyki, którą Mark puszczał na cały regulator. Drzwi były uchylone, więc zapukał pro forma i wszedł. W czasie przestoju spodziewał się zobaczyć go z Erikiem przy grze wideo przed ogromnym telewizorem, ale zastał ich z tabletami. Wyprostowana i cała w bandażach noga Murpha spoczywała na kanapie, orteza stała na podłodze obok niego.

– Cieszę się, że nie dołączyłeś do mnie w Klubie Długiego Johna Silvera – powiedział Juan. – Tylko mnie na tym statku wolno mieć drewnianą nogę.

– I chętnie zostawię ci to wyróżnienie – odparł Murph. – Stwierdziłem, że nie lubię, jak do mnie strzelają.

– Skończyliście analizę naszego bezpieczeństwa komputerowego? – spytał Juan, zamykając drzwi.

– Przerobiliśmy to trzy razy – odrzekł Eric. – Nic.

– Gdyby ktoś majstrował przy naszej sieci – dodał Murph – powinniśmy coś znaleźć do tej pory. Nasz firewall jest pewny jak zawsze. Nie ma żadnego intruza w naszych serwerach.

– A co z podsłuchami?

– Żadna sieć oprócz naszej nie wysyła sygnałów z tego statku – odpowiedział Murph.

– A ja sprawdziłem centrum operacyjne, salę konferencyjną i mesę wykrywaczem pluskiew. Wszędzie czysto.

Juan zmarszczył brwi.

– Zostaliśmy zaatakowani w pięciu różnych miejscach jednocześnie. Potrzebne są szczegółowe informacje wywiadowcze, żeby to skoordynować.

– Każdy mógł mieć ogon po zejściu na ląd – podsunął Eric.

– Jednego czy nawet dwóch z nas mogliby śledzić. Ale wszystkie pięć grup? I musieliby wiedzieć, dokąd się wybieramy, żeby czekać na nas w Montego Bay z taką siłą ognia.

– Poza tym – dorzucił Murph – skąd ktoś mógł wiedzieć, że my dwaj będziemy odsłonięci na pokładzie? Musiał znaleźć tamten zbiornik ropy, żeby stamtąd strzelać.

– Więc nie mamy penetracji sieci i nikt nas nie podsłuchuje pluskwami na naszych spotkaniach – podsumował Juan. – Szukam jakiegoś innego wyjaśnienia, jak informacje, gdzie będziemy, mogły trafić w niepowołane ręce.

Na twarzy Erica pojawił się wyraz niedowierzania.

– Myślisz, że możemy mieć szpiega na pokładzie?

Juan westchnął ciężko.

– Nie przyjęliśmy do załogi nikogo nowego od ponad roku. Sprawdziliśmy każdego pod kątem finansowym i osobistym. Nie rozumiem, jak to możliwe.

– Chcesz, żebym zaczął szukać wśród członków załogi, których dziś nie zaatakowano?

Juan pokręcił głową.

– Jeszcze nie. Nie wierzę, że na „Oregonie" jest zdrajca, a takie założenie wpędzi wszystkich w paranoję. Działamy i żyjemy razem, jesteśmy ze sobą zbyt blisko, żeby się wzajemnie podejrzewać. To by nas zniszczyło jako zespół. Chcę innego wytłumaczenia.

– Ale skąd mogli wiedzieć, gdzie będziemy, jeśli nie byli z nami, kiedy o tym rozmawialiśmy?

Juan chwytał się każdego wyjaśnienia, które nie wiązało się z polowaniem na czarownice, ale nie zaszkodziło się zabezpieczyć.

– Możemy dostać więcej odpowiedzi, jak to zrobiono, jeśli się dowiemy, kto to zrobił.

Obaj wzruszyli ramionami i Juan wyszedł. W centrum operacyjnym zastał MacD i Halego w słuchawkach na uszach. Przytrzymywali je obiema rękami.

Juan oparł się o konsolę.

– To nagranie Eddiego?

Hali przytaknął.

– MacD twierdzi, że potrafi przetłumaczyć, co facet mówi.

– Coś przydatnego?

MacD wzruszył ramionami, co wydawało się nowym ulubionym zwyczajem załogi.

– Facet chyba majaczył. Eddie powiedział, że mocno walnął głową w ziemię, zanim wykitował.

– Co on mówi?

– Powtarza w kółko jedno zdanie. „Doktor” – ktokolwiek to jest – „obiecał, że świat będzie inny za cztery dni”. Mówi to tak, jakby żałował, że tego nie dożyje. Rozumiecie coś z tego?

Juan dołączył do wzruszających ramionami.

– Brzmi złowieszczo.

– Może się na coś leczył? – podsunął Hali.

– To dlaczego mówi „świat będzie inny”?

– Może jego świat.

– Nie – zaprzeczył MacD. – Zdecydowanie mówi po prostu „świat”.

– To wciąż nie wyjaśnia – powiedział Juan – dlaczego on i jego kumple chcieli nas usunąć z drogi.

– Mogli myśleć, że coś wiemy o tym doktorze.

– Albo co się stanie za cztery dni – dodał Hali.

– Jeśli ktoś ma jakąś teorię, zamieniam się w słuch – oznajmił Juan.

Linda podeszła i wręczyła mu kilka kartek papieru.

– Właśnie dostaliśmy to z CIA. To wstępna lista wszystkich wartych odnotowania wydarzeń, do jakich doszło w dniach, które są w telefonie tamtego porucznika wenezuelskiej marynarki wojennej. Robią teraz głębsze analizy tego.

Juan zobaczył cztery greckie litery i kody. Tworzyły pary z datami, ale wciąż wydawały się tak samo zagadkowe jak w dniu, kiedy Murph i Eric włamali się do telefonu. Alfa 17, beta 19, gamma 22, delta 23. Czwarta w kolejności zgadzała się z dzisiejszą datą.

– Znaleźli jakąś korelację?

– CIA sprawdziła każdy ciąg arytmetyczny, jaki przyszedł im do głowy. Nic nie pasuje. I nie wydaje się, żeby coś łączyło daty.

Juan przejrzał listę wydarzeń. Zawierała różne ewentualności i obejmowała cały świat: zabójstwa, wypadki drogowe, polityczne przemowy i wiece, zjawiska meteorologiczne, terrorystyczne zamachy bombowe, imprezy sportowe. Nic nie pasowało do wzoru, jaki widział Juan.

Jedna pozycja zwróciła jego uwagę: zatonięcie statku. Większość ludzi nie zdaje sobie sprawy, z jaką regularnością statki na pełnym morzu idą na dno. Przeciętnie w ciągu roku jest ich ponad sto, a dwa tysiące marynarzy traci życie. Nawet w epoce śledzenia GPS-em, prognoz pogody i łączności satelitarnej wiele statków znika bez śladu, padając ofiarą awarii mechanicznych, pożarów, sztormów i monstrualnych fal.

Wymieniony statek pasował do gammy 22. Był frachtowcem o nazwie „Santa Cruz" i poszedł na dno z całą załogą.

Liczyła dwudziestu dwóch ludzi.

Włosy zjeżyły się Juanowi na głowie.

– A co z tym? – zapytał, wskazując wrak na liście.

– Z „Santa Cruz"? CIA uważa, że liczba członków załogi to zbieg okoliczności. Ich analityk powiedział mi, że łatwo jest znaleźć przypadkowe związki numeryczne ze wszystkim. W dniu alfa 17 w Nowym Jorku doszło do karambolu siedemnastu pojazdów, a w Calgary po zamieci leżało siedemnaście cali śniegu.

– Chodzi mi o samą nazwę „Santa Cruz". Oświeć mnie.

Podeszli do jej terminalu, gdzie miała zdalne połączenie ze światową bazą danych o statkach. Wpisała „Santa Cruz".

– Pływał pod panamską banderą, ale należał do wenezuelskiego towarzystwa żeglugowego Cabimas Shipping.

Właścicielem firmy jest jeden z najbogatszych ludzi w Wenezueli, Ricardo Leal – wyjaśniła Linda i szybko znalazła tysiące wzmianek o nim. – Wygląda na to, że pan Leal ma polityczne aspiracje. Wielu się spodziewa, że wykorzysta swój majątek, żeby wystartować w wyborach prezydenckich w przyszłym roku.

Juan znów popatrzył na listę i zrozumiał związek.

– Linda, sprawdź w bazie danych, jakie statki zatonęły w ciągu ostatnich trzech miesięcy.

– Mimo że nie ma żadnych innych statków na liście CIA?

– Daty ich zatonięć i zgłoszeń ich zaginięć mogą się różnić. Czasami statek nie jest uważany za zaginiony przez kilka dni po utracie kontaktu z nim.

Linda wyświetliła listę i porównali ją z liczbami w telefonie. Zrobiła gwałtowny wdech, kiedy zobaczyła zgodność.

Liczby nie tworzyły ciągu. Porucznik rejestrował liczebność załogi każdego statku.

Alfa 17 – kontenerowiec „Cantaura" przepadł u wybrzeża Portugalii z siedemnastoma członkami załogi.

Beta 19 – tankowiec „Tucupita" zgłoszony jako zaginiony, gdy okrążał przylądek Horn z dziewiętnastoma członkami załogi.

Gamma 22 – „Santa Cruz" z dwudziestodwuosobową załogą zniknął na środku Atlantyku.

Wszystkie należały do Cabimas Shipping. Pierwsze dwa nie nadały SOS ani nie zawiadomiły, że coś jest nie tak, zanim kontakt się urwał. Po prostu przepadły.

– Trzy zaginione statki w ciągu trzech miesięcy? – spytała Linda. – To nie może być przypadek.

– Dam głowę, że ubezpieczyciel Leala mówi to samo. Na pewno uważają, że on celowo zatapia swoje statki albo tak kiepsko o nie dba, że się rozpadają. Z obu powodów nie dostałby ubezpieczenia. A bez ubezpieczenia nikt już nie powierzyłby ładunku jego firmie.

– Myślisz, że Ruiz ma na celowniku jego statki?

– Możliwe. Jeśli ona też ma ambicje polityczne, to jaki jest lepszy sposób na pozbycie się największego rywala niż doprowadzenie go do bankructwa?

– On musi teraz stać na krawędzi ruiny – powiedziała Linda.

– Następne zatonięcie może go załatwić – przyznał Juan. – Sprawdź liczebność załóg reszty jego statków, żebyśmy zobaczyli, czy mamy zgodność.

Odpowiedź przyszła natychmiast. Tylko jeden statek Cabimas miał dokładnie dwudziestotrzyosobową załogę: samochodowiec „Ciudad Bolívar".

– Gdzie jest teraz?

Linda weszła do bazy danych o żegludze morskiej.

– Wypłynął z Veracruz w Meksyku dwa dni temu z ładunkiem samochodów i sprzętu budowlanego. Zmierza do Puerto Cabello w Wenezueli.

– Czyli byłby kilkaset mil morskich na południe od Jamajki – odrzekł Juan. – Właśnie znaleźliśmy naszą odpowiedź.

– Na co?

– Na pytanie, dlaczego ktoś próbował nas zabić – wytłumaczył Juan. – Ruiz planuje zatopić dziś „Ciudad Bolívara" i tylko my możemy jej przeszkodzić.

Rozdział 23

Maria Sandoval prawie skończyła codzienną inspekcję pokładów samochodowych „Ciudad Bolívara". Jako kapitan statku odpowiadała za bezpieczeństwo ładunku. Dlatego regularnie kontrolowała stan wnętrza samochodowca, żeby mieć pewność, że nie przecieka i słona woda nie uszkodzi pojazdów w ładowniach. Sprawdzała też, czy każdy z nich jest na swoim miejscu.

„Ciudad Bolívar" był dumą floty Cabimas. Przy długości dwustu trzynastu metrów i wysokości jedenastu pięter mógł transportować do pięciu tysięcy aut. Obsługiwał głównie rosnący rynek południowoamerykański. W ten rejs zabrał znacznie mniej samochodów, bo pokład numer dziesięć podniesiono, żeby pomieścić ciężki sprzęt budowlany – równiarki, koparki, żurawie samojezdne, wywrotki i buldożery – wszystkie dla Brazylii. Na pokładzie poniżej stały auta i SUV-y dla Wenezueli i Argentyny.

Ładunek był wart ponad sto pięćdziesiąt milionów dolarów i Maria traktowała obowiązek dbania o niego poważnie. Z krótkimi ciemnymi włosami i okrągłą twarzą nie wyglądała na swoje trzydzieści osiem lat. Silni nowi załoganci lekceważyli ją, kiedy ich spotykała ubrana w nijakie spodnie i luźny jasny sweter. Pilnowała dyscypliny, bo pierwszy raz dowodziła statkiem, i chciała odnieść sukces jako jedyna kobieta kapitan w firmie. Po stracie trzech frachtowców Cabimas w ciągu trzech miesięcy załoga była nerwowa. Maria miała wiele bezsennych nocy, niespokojna o statek, stała się więc szczególnie wyczulona na wszystko, co mogło stwarzać ryzyko.

Pojazdy robocze zaparkowano w długich rzędach centymetry od siebie, żeby maksymalnie wykorzystać przestrzeń w ogromnym, jasno oświetlonym wnętrzu. Maria była sama w ładowni. Mimo wibracji silników statku i dudnienia wentylacji brak innych dźwięków w wielkim pomieszczeniu sprawiał upiorne wrażenie.

Sprawdzała mocowania wybranych losowo pojazdów na rorowcu. Wiedziała, że jej ludzie robią to regularnie, ale wolała mieć pewność. Gdyby któryś pojazd poluzował się na wzburzonym morzu – zwłaszcza ponadpięćdziesięcioto- nowy – mógłby mocno uszkodzić inne lub wywołać pożar.

Mniejsze pojazdy przypięto parcianymi pasami, zaś robo-cze – grubymi stalowymi łańcuchami. Tylko huragan katego-rii piątej mógłby je ruszyć, a prognoza pogody zapowiadała spokojną żeglugę aż do Puerto Cabello.

Maria skończyła kontrolę i była zadowolona z wyniku. Wymagała dużo od swojej załogi i nigdy się nie zawiodła.

Szła do schodów na mostek, gdy usłyszała zgrzytanie. Do-chodziło nie z maszynowni, lecz jakby z kadłuba.

Zanim zdążyła wykonać jakiś ruch, zabrzmiał alarm. Wzdrygnęła się odruchowo. Zamiast krótkich sygnałów oznaczających pożar, rozlegały się długie wycia syreny.

Przebicie kadłuba! Statek nabiera wody!

Przechył byłby niezauważalny dla kogoś nieznającego statku, ale Maria go wyczuła. Popędziła do schodów i od-czepiła walkie-talkie od paska spodni.

– Jorge! – krzyknęła przez wycie syreny na schodach. – Melduj!

Przycisnęła radiotelefon do ucha. Usłyszała, że Jorge, jej oficer wykonawczy, odpowiada, ale syrena zagłuszała jego słowa.

– Cała stop! – krzyknęła i nie zaczekała na odpowiedź.

Pokonała biegiem dziesięć kondygnacji i otworzyła z roz-machem drzwi sterowni, zdyszana. Statek zwalniał, maszy-ny zostały zatrzymane, jak kazała. Jorgemu towarzyszyło dwóch ludzi – nawigator Miguel i sternik Roberto. Działali sprawnie, bez paniki, ale w stresie.

Jorge, łysiejący brzuchaty mężczyzna z kozią bródką, starszy od niej o dziesięć lat, spojrzał na nią, kompletnie zdezorientowany.

– W co uderzyliśmy? – zapytała.

– W nic, pani kapitan – odrzekł. – Nie ma żadnych in-nych statków w zasięgu wzroku, a głębokość jest stała, gru-bo ponad trzy tysiące metrów. Nie mogliśmy wpaść na rafę.

– A na zgubiony kontener?

176

– To nieprawdopodobne.

– Jak duże jest przebicie?

– Przebicia. Mamy zalane przedziały w ośmiu miejscach.

– Co?!

Jorge pokazał jej wizualizację uszkodzeń. Wydawały się skoncentrowane z lewej burty.

– Ktoś widział, co się stało?

– Załogant, który widział przebicie w przedziale dziobowym, powiedział, że to dziura średnicy piętnastu centymetrów jakby zrobiona świdrem.

Marię to zaskoczyło. To było po prostu niemożliwe. Jedno duże pękniecie mogłaby zrozumieć. Ale osiem mniejszych otworów w podwójnym kadłubie? To się nie zdarzało.

– Udało mu się załatać dziurę?

– Nie, pani kapitan. Za duże ciśnienie. Musiał odgrodzić przedział. Zamknąłem też wodoszczelne drzwi do maszynowni. Mamy sporą powódź w niektórych ładowniach, bo nie zdążyliśmy w porę odgrodzić reszty uszkodzonych przedziałów. Ale tamte zamknięte pomieszczenia wciąż się wypełniają wodą.

Dziesięciostopniowy przechył statku szybko rósł. Maria musiała już trzymać się konsoli. Wiedziała, że jeśli nic nie zrobią, „Ciudad Bolívar" przewróci się do góry dnem i zatonie w ciągu minut.

Nie mogli zatkać dziur, ale mogli spróbować tak zbalansować statek, żeby się nie położył na burcie. Zbiorniki balastowe były już pełne, więc nie mogli dolać wody z prawej burty, żeby wyprostować statek.

Maria musiała jakoś zahamować przechył. Jak wszyscy kapitanowie samochodowców słyszała, że „Cougar Ace", taki sam statek do transportu aut jak jej, o mało się nie przewrócił do góry dnem, kiedy kapitan zarządził cyrkulację wody balastowej przed wpłynięciem na wody Alaski, żeby nie skazić amerykańskiego wybrzeża obcymi gatunkami.

Awaria podczas tej czynności spowodowała, że „Cougar Ace" się położył, ale nie aż tak, żeby się odwrócić do góry dnem. Dzielna ekipa ratunkowa mocno się natrudziła, żeby go wyprostować po trzydziestu dniach na burcie.

W przeciwieństwie do kontenerowca, gdzie większość ładunku znajduje się na odkrytym pokładzie, samochodowiec jest całkowicie zamknięty. Żaden inny rodzaj statku towarowego nie przetrwałby położenia się na burcie, bo przy tak ekstremalnym przechyle niższe zewnętrzne pokłady przepuściłyby wodę do kadłuba.

Od wypadku „Cougar Ace'a" większość dużych statków, łącznie z „Ciudad Bolívarem", miała komputerową aplikację monitorowania ładunku, która pomagała załodze tak ustawić pojazdy w środku, żeby uzyskać optymalną stabilność samochodowca. Zapewniała też możliwie najbezpieczniejsze przemieszczanie wody balastowej.

Opróżnienie zbiorników balastowych „Cougar Ace'a" doprowadziło do wypadku, ale Maria miała nadzieję, że uratuje swój statek w ten właśnie sposób.

– Miguel, wezwij pomoc – rozkazała. – Jorge, wprowadź monitoring zalanych pomieszczeń.

– Po co?

– Bo chcę wiedzieć, które zbiorniki balastowe z lewej burty opróżnić.

Spojrzał na nią jak na wariatkę.

– Szybko! – popędziła go.

Przechył osiągnął piętnaście stopni.

– Tak jest, pani kapitan.

Kiedy Miguel wzywał pomoc, palce Jorge śmigały po klawiaturze. Dwie minuty i następne pięć stopni przechyłu później oznajmił:

– Zbiorniki balastowe trzy i cztery to nasza jedyna nadzieja. Ale jeśli numery są chybione, nie zdążymy opuścić statku.

Odpowiadała za ładunek, ale załoga była jeszcze ważniejsza.

– Jorge – odrzekła – weź Roberta i Miguela, zbierzcie resztę ludzi w punkcie zbornym i przygotujcie łódź ratunkową do zwodowania.

Ponieważ szalupa była z lewej burty i bliżej wody, powinni zdążyć ją spuścić. Przynajmniej nie groziła im śmierć z wyziębienia w tropikalnym klimacie.

– Zostajemy, pani kapitan – odparł Jorge.

Miguel i Roberto przytaknęli.

– Nie ma mowy. Jedna osoba wystarczy, żeby to zrobić. Jeśli się uda i statek się wyprostuje, zabiorę was z powrotem na pokład. Ale jeśli się przewróci do góry dnem, po co mamy ginąć wszyscy?

– Tylko pani?

– To mój statek. Zajmijcie się załogą. Dajcie mi znać, jak będziecie odpływać.

Jorge przełknął ślinę, ale zrozumiał, że dalszy sprzeciw jest bezcelowy.

Z wymuszonymi uśmiechami i życzeniami powodzenia zostawili ją samą, trzymając się, czego mogli, na przechylonym pokładzie.

Pomyślała, że zanim jej ludzie będą bezpieczni, może nie zdoła utrzymać się w pionie ani nawet wydostać ze sterowni. Nie była samobójczynią i nie ekscytowała jej bohaterska śmierć. Chciała przeżyć. Musiała mieć zapasowy plan na wypadek, gdyby poszło źle.

Dotarła z mostka do węża strażackiego na zewnętrznej ścianie. Otworzyła szafkę, wyciągnęła go i rozwinęła tak, że dysza znalazła się w sterowni i zsunęła na drugą stronę. Maria wróciła do terminalu komputerowego na mostku i przywiązała się szlauchem w pasie.

Dwie minuty później Jorge zawiadomił przez radio, że zwodowali łódź ratunkową i wszyscy są obecni. Odpływają na bezpieczną odległość, gotowi zabrać ją, gdyby postanowiła skoczyć ze statku. Podziękowała mu i powiedziała, że pozna jej decyzję, kiedy zobaczy, co się stało ze statkiem.

Przechył doszedł do czterdziestu stopni i groził jej utratą równowagi. Wąż wpijał się jej w biodro. Gdyby jej plan się powiódł, uratowałaby statek. Jeśli nie, samochodowiec mógł się przewrócić, zanim miałaby szansę z niego uciec.

Maria, żarliwa katoliczka, przeżegnała się i pocałowała krzyżyk na szyi. Potem wcisnęła polecenie opróżnienia zbiorników balastowych 3 i 4, modląc się, żeby pompy nadal działały.

Brak gwałtownej reakcji rozczarował ją. Żadnego nagłego ruchu, żadnego hałasu maszynerii. Ale ekran pokazywał, że pompy funkcjonują. Poziom w obu zbiornikach się obniżał.

Wstrząs zakołysał statkiem i przechył wzrósł o dziesięć stopni w ciągu sekund. Maria się przestraszyła, że dokonała złego wyboru. Jej ostatnie posunięcie zabije ją i zatopi statek.

Podeszwy jej butów w końcu straciły przyczepność i stopy wysunęły się spod niej. Uderzyła barkiem w pokrytą gumą podłogę. Tylko szlauch zabezpieczał ją przed wypadnięciem przez drzwi i reling na metalowy pokład poniżej.

Jak wspinacz opuszczający się na linie z urwiska, postawiła stopy na podłodze i chwyciła oburącz wąż. Musiała się wdrapać tam, gdzie był przymocowany do zewnętrznej ściany, zanim kąt wzniesienia uniemożliwi jej podpieranie się nogami. Była silna, ale nie miała tak muskularnych ramion, żeby się podciągać samymi rękami.

Ścigała się z przechyłem statku. Wspinała się z jedną ręką cały czas na szlauchu. Jedno obsunięcie i mogłaby rozbić sobie głowę o którąś konsolę.

Była w połowie drogi na górę, gdy wąż zawadził o radio przy jej pasku. Zanim zdążyła je złapać, odczepiło się, spadło i roztrzaskało o reling. To samo mogło się stać z nią.

Z nową energią zrobiła ostatnie kroki w górę i wydźwignęła się na zewnętrzną metalową ścianę sterowni. Położyła się na plecach i oddychała głęboko, wyczerpana po wysiłku. Dopiero teraz zdała sobie sprawę, że przechył się ustabilizował. Choć statek się nie prostował, niebezpieczeństwo, że się przewróci do góry dnem, minęło.

Maria oceniła przechył na siedemdziesiąt stopni. Białe ściany stały się tymczasowymi podłogami. Uwolniła się od szlauchu, wstała i poszła na zewnątrz wzdłuż kwater załogi na szczycie nadbudowy, uważając, żeby nie nastąpić na któreś okno. Nie było sensu wracać do sterowni i próbować dalej regulować napełnienie zbiorników balastowych w nadziei, że statek się podniesie do pionu. Mógłby się równie łatwo przewrócić do góry dnem. Lepiej niech zajmie się tym specjalistyczna firma ratownictwa morskiego.

Maria osłoniła oczy przed oślepiającym słońcem nad horyzontem na zachodzie. Do zmroku pozostało kilka godzin i musiała sprawdzić, czy może się bezpiecznie opuścić do lewej burty, żeby dołączyć do załogi. Mogła otworzyć drzwi do wnętrza, ale wędrówka odwróconymi korytarzami nie była warta ryzyka. Postanowiła poczekać na pokładzie na statek ratowniczy. Chyba że w zasięgu znajdował się jakiś okręt wojenny, bo samochodowiec był za daleko od wybrzeża, żeby mógł ją zabrać helikopter.

Osłoniła ręką oczy i lustrowała morze, aż zauważyła łódź ratunkową, która okrążała rufę „Ciudad Bolívara". Mogła sobie tylko wyobrazić, jaki widok ma załoga – zielony kadłub przechylony pod nienaturalnym kątem, pojedyncza śruba nad wodą i czerwone dno odsłonięte pierwszy raz od opuszczenia suchego doku.

Pomachała energicznie rękami. Mężczyźni odpowiedzieli tym samym. Usłyszała ich wiwaty. Kiedy się zbliżyli na tyle, na ile się odważyli, krzyknęła do nich z góry, że straciła radio i zostanie na pokładzie do przybycia pomocy. Uznała, że dopóki nie nadciągnie nieoczekiwany szkwał, obozowanie pod gwiazdami nie będzie takie złe, zważywszy okoliczności.

Minęła godzina. Maria leżała i odpoczywała. Zastanawiała się nad zagadkowymi uszkodzeniami, które prawie zatopiły jej statek. Nie przychodziło jej do głowy nic, co mogło zrobić okrągłe dziury w kadłubie.

Z zamyślenia wyrwał ją daleki odgłos silnika. Usiadła prosto i poszukała wzrokiem statku na horyzoncie. Zobaczyła, że ze wschodu nadpływa szara łódź długości dwudziestu czterech metrów. Za mała na towarowiec, ale też nie o wyglądzie jachtu. Rozpoznała stary kuter rybacki.

Musiał być w okolicy i usłyszał wzywanie pomocy. Jorge prawdopodobnie rozmawiał z nim teraz przez radio. Kiedy kuter się zbliżał, Maria już sobie wyobrażała, jak zawieszą liny asekuracyjne, żeby ją opuścić na dół.

Pomachała, kiedy zwolnił i podszedł do burty łodzi ratunkowej, ale nie widziała nikogo na pokładzie. Jej załoganci stłoczyli się w otwartym włazie, wymachując rękami i krzycząc radośnie.

Drzwi na kutrze otworzyły się gwałtownie i ośmiu mężczyzn wypadło na pokład. Każdy trzymał coś czarnego. Wiwaty jej załogi zmieniły się w krzyki przerażenia. Nie rozumiała tego, dopóki nie usłyszała charakterystycznego terkotu broni automatycznej. Stała i patrzyła zaszokowana na straszną scenę, kiedy lufy pluły ogniem i serie pocisków rozrywały jej ludzi. Trwało to sekundy.

Jeden z mężczyzn wrzucił dwa przedmioty do łodzi ratunkowej i zatrzasnął właz. Rozległy się dwa przytłumione huki i wkrótce płomienie ogarnęły łódź. Zatonie w ciągu minut, zabierając na dno jej załogantów i nie pozostawiając żadnego śladu.

Marię tak hipnotyzował pożar, że nie zwracała uwagi na kuter. Ktoś na pokładzie musiał ją dostrzec, bo wokół niej pociski zaczęły się odbijać od metalu.

Bez zastanowienia puściła się pędem do najbliższych drzwi, robiąc desperackie uniki przed kulami. Pociski padały blisko niej i zdała sobie sprawę, że nie zdąży otworzyć drzwi i dostać się do środka, zanim zostanie trafiona. Musiała ukryć się wcześniej.

Skoczyła w następne okno i napięła mięśnie nóg, gdy rozbijała stopami szybę i wpadała przez otwór do środka statku.

Rozdział 24

Porucznik Pablo Dominguez wciągał się ku sterowni po wężu strażackim, który zwisał wygodnie z jej otwartych drzwi. Gdyby admirał Ruiz się dowiedziala, że „Ciudad Bolívar" nie został zatopiony, jego ucieczka z miejsca zbrodni nie miałaby znaczenia. Już raz ją zawiódł i dostał drugą szansę, żeby się wykazać, nadzorując tę akcję. Gdyby znów nawalił, byłby martwy.

Wywoływania z nadlatującego helikoptera były niemiłym zaskoczeniem. Nie spodziewał się śmigłowca tak daleko od lądu. Obecność maszyny oznaczała, że jakiś statek zbliża się do ich pozycji. Dlatego zaryzykował wspinaczkę na samochodowiec – musiał go zatopić, zanim nadejdzie pomoc.

Admirał Ruiz kupiła projekt łodzi podwodnej Pirania od człowieka, którego Dominguez znał tylko jako Doktora. Uczestniczył on w ściśle tajnym amerykańskim programie budowy dronów i jakoś przemycił plany z USA. Dzięki wiedzy Doktora Ruiz miała osiem gotowych miniaturowych łodzi podwodnych.

Skonstruowano je w technice stealth. Napędzane zasilanymi z akumulatorów wirnikami poruszały się praktycznie bezdźwięcznie, więc mogły podpłynąć do statku całą grupą, niewykryte. Kiedy miały cel w zasięgu, rozdzielały się dla maksymalnej skuteczności i wchodziły do akcji. Przyczepiały się do kadłuba silnymi magnesami i uruchamiały swoją jedyną broń: obrotową dyszę, która wystrzeliwała milimetrowej szerokości strumień wody morskiej pod ciśnieniem ponad pięciu i pół tysiąca barów. Przemysłowe lasery wodne są używane do cięcia aluminium, marmuru i granitu. Nie osmalają jak palnik i nie rozdzierają jak piła. Kompaktowa wersja w piranii wykorzystywała wodę morską jako ostrze i mogła przeciąć dwuipółcentymetrową stal podwójnego kadłuba statku w ciągu sekund. Jednoczesne przedziurawienie kadłuba przez grupę miniłodzi podwodnych powodowało zatonięcie statku, zanim załoga się zorientowała, że została zaatakowana.

Choć skuteczne, piranie miały wady. Ponieważ zasilały je akumulatory, ich zasięg i żywotność były bardzo krótkie. Mogły być użyte tylko raz, potem wymagały całkowitego naładowania. Kuter rybacki specjalnie przygotowano do transportu i ładowania dwuipółmetrowych bezzałogowców. Zwodowano je na kursie samochodowca i zostawiono. Miniłodzie podwodne czekały, aż ich kamery pokładowe zobaczą statek. Kuter wycofał się na pozycję odległą o mile morskie, żeby nie być w pobliżu miejsca zbrodni, kiedy statek pójdzie na dno. Dominguez sterował bezzałogowcami tabletem i namierzył nim cel. Miniłodzie podwodne przechwyciły samochodowiec, żeby go zatopić. Kuter miał je wyłowić i zlikwidować rozbitków.

Pierwsze trzy ataki poszły bezbłędnie. Każdy statek zatonął, zanim załoga zdążyła zwodować łodzie ratunkowe, i ludziom Domingueza pozostało tylko pozbycie się kilku marynarzy, którym udało się wyskoczyć za burtę. Ale kapitan Maria Sandoval zdołała jakoś zapobiec przewróceniu się statku do góry dnem. Piranie ładowały się teraz, ale mogły być znów użyte dopiero za pół godziny. Gdyby statek ratowniczy przypłynął wcześniej, jego załoga mogłaby uratować

„Ciudad Bolívara" i Dominguez nie zamierzał dopuścić do tego.

Wiedział, że nie może czekać, aż bezzałogowce się naładują. Musiał w jakiś inny sposób zatopić statek, dlatego wspinał się na mostek. Rozważał podpalenie samochodowca, ale pokładowy system gaśniczy szybko stłumiłby pożar. Poza tym miał elegantsze wyjście. Jako doświadczony marynarz wiedział, że opróżnienie zbiorników balastowych z lewej burty powinno spowodować przewrócenie się statku.

Mógłby opróżnić zbiorniki balastowe z prawej burty, ale samochodowiec już tak się przechylił, że mógłby się odwrócić do góry dnem, zanim on zdążyłby wrócić na kuter. Postanowił ustawić lewe zbiorniki na wypuszczanie wody cienką strużką, żeby mieć dużo czasu na ucieczkę kutrem.

Dotarł na mostek i podciągnął się do terminalu komputerowego. Znalazł obsługę zbiorników balastowych i ustawił lewe na opróżnianie. Kiedy będą puste, strona statku wynurzona z wody będzie ważyła dużo więcej niż strona w wodzie. Samochodowiec obróci się z powrotem na kil, a potem dalej, aż się przewróci do góry dnem. Woda wleje się do ładowni przez wentylatory. Jak tylko wrota załadowcze ustąpią pod rosnącym ciśnieniem w środku, statek opadnie na dno.

Dominguez się uśmiechnął, zadowolony ze swojego sprytnego planu zapasowego. Z pewnością dostanie pochwałę od admirał za uratowanie operacji.

Po aktywacji procedury opróżniania wyciągnął pistolet i zniszczył strzałami wszystkie terminale. Teraz nikt nie przerwie opróżniania z tego miejsca. Stanowisko techniczne w maszynowni było jedynym innym punktem, skąd można było obsługiwać zbiorniki balastowe. Kiedy przechył się zmniejszy i będzie można korzystać ze schodów, wyśle tam człowieka, żeby roztrzaskał również tamten terminal na wypadek, gdyby Maria Sandoval nie zginęła od ich ognia karabinowego.

Dominguez zaklął pod nosem, kiedy warkot helikoptera zmienił się w ryk. Ratownicy przybyli wcześniej, niż się spodziewał.

Podróżując na przednim siedzeniu śmigłowca MD 520N „Oregona", Juan nie mógł oderwać wzroku od widoku, jakiego jeszcze nie oglądał. Wezwanie pomocy przygotowało go na to, że „Ciudad Bolívar" będzie odwrócony do góry dnem, ale nie spodziewał się statku leżącego na burcie kilem do nich, gdy nadlatywali z północy. Wielkie złote litery na zielonym tle tworzyły nazwę towarzystwa żeglugowego, „CABIMAS", wzdłuż sterburty. Scena przywodziła na myśl wycieczkowiec „Costa Concordia" spoczywający na skałach, które rozpruły jego kadłub. Ale ten widok był jeszcze bardziej niewiarygodny, bo samochodowiec utrzymywał się nieruchomo w wodzie na pełnym morzu.

– Nie co dzień widzi się coś takiego – stwierdził Gomez Adams, gdy schodził helikopterem w dół.

– Przynajmniej nie będziemy potrzebowali sprzętu spawalniczego – zauważył Eddie, który siedział z tyłu między Linkiem i MacD. Kilka miesięcy wcześniej natrafili na całkowicie przewrócony megajacht i musieli rozciąć jego kadłub, żeby uratować pasażerów. Byli gotowi zrobić to samo z samochodowcem, ale butla z acetylenem okazała się zbędna, kiedy zobaczyli, że jest dostęp do wnętrza statku. Zwoje nylonowej liny mogły się jednak przydać.

„Oregon" podążał za nimi z maksymalną prędkością, ale miał dotrzeć za pół godziny.

– Uda ci się wylądować? – zapytał Juan Gomeza.

– Mogę dotknąć płozami kadłuba, żebyście nie musieli opuszczać się na linach, ale nie widzę nic tak płaskiego, żeby usiąść.

– Jak długo możesz zostać?

– Dopóki „Oregon" nie przypłynie.

Helikopter „Oregona", trzymany w ostatniej ładowni, mógł być podnoszony i opuszczany na platformie do startu i powrotu na swoje miejsce. MD 520N był nietypową konstrukcją bez wirnika ogonowego. Zastąpiono go wentylatorem przetłaczającym powietrze przez belkę ogonową na zewnątrz, co zapewniało stabilizację maszyny i umożliwiało obracanie jej. Była tak zwrotna, że Gomez się chwalił, że potrafi być szybszy od kolibra. Miał takie umiejętności, że Juan prawie mu wierzył.

Poderwali śmigłowiec w powietrze, gdy tylko odebrali wezwanie pomocy. „Oregon" kierował się z Jamajki na wschód, odkąd Juan się zorientował, że „Ciudad Bolívar" jest w niebezpieczeństwie. Wielokrotne telefony do towarzystwa żeglugowego, ostrzegające o zagrożeniu, spotykały się z nieufnością co do motywów osób dzwoniących i Juan nie dziwił się temu. Bez bardziej konkretnej analizy niebezpieczeństwa firma mogła tylko niejasno ostrzec kapitana statku. Zanim znaleźli się w zasięgu bezpośredniego kontaktu radiowego ze statkiem, samochodowiec już nadawał wezwania pomocy. Kiedy SOS-y nagle ucichły, żaden statek oprócz „Oregona" nie był bliżej niż pięć godzin drogi od „Ciudad Bolívara".

Juan zarządził start helikoptera, żeby mogli jak najszybciej dotrzeć do samochodowca. Mimo ciągłego wywoływania statku podczas lotu, nie dostali odpowiedzi. Choć nie wiedzieli, czy w grę wchodzi piractwo, zupełny brak ocalałych z poprzednich zatonięć nakazywał ostrożność. Wszyscy czterej pasażerowie śmigłowca byli uzbrojeni i Juan miał swoją nogę bojową.

— Sprawdźmy, gdzie jest łódź ratunkowa, zanim zejdziemy — zaproponował Juan. — Nie może być daleko.

Niepokoił się, bo jeśli ją zwodowano, ktoś już powinien odezwać się z niej przez radio.

— Okrążę statek, żebyśmy mogli mu się przyjrzeć — odrzekł Gomez.

Zszedł nisko i zobaczyli szczegóły kadłuba. Pochylnie do ładowania pojazdów na rufie i z prawej burty wydawały się nietknięte i na swoim miejscu. Juan zbadał wzrokiem dno i dostrzegł dziurę średnicy piętnastu centymetrów w czerwonej farbie tuż powyżej linii wodnej blisko dziobu. Była jedynym widocznym uszkodzeniem.

– Wygląda, jakby mieli problem z jakimś gryzoniem – ocenił Linc.

– Albo ktoś szukał ropy w dnie statku – podsunął MacD.

Juan był najbardziej doświadczonym marynarzem w helikopterze, ale nie potrafił wymyślić nic bardziej realistycznego niż ich żarty.

– Zrób kilka zdjęć tego, Linc.

Gomez zatrzymał maszynę w zawisie na czas fotografowania, po czym poleciał dalej i wokół rufy. Dopiero po jej okrążeniu zobaczyli z lewej burty kuter rybacki. Przywierał do samochodowca blisko sterowni na dziobie.

Juana zaskoczył jego widok, tym bardziej, że nikt nie odpowiadał na ich wywoływania. Ani śladu łodzi ratunkowej, ale mogła być pod wodą, nadal na żurawiku. Juan najpierw sądził, że kuter zabiera załogę, ale kiedy Gomez się zbliżył, Juan zrozumiał, że się myli.

Osiem kabli tkwiło w wodzie obok kutra. Biegły do obiektów unoszących się na powierzchni, ale Juan nie mógł ich rozpoznać. Dziesięciu mężczyzn stało na kutrze. Jeden asekurował człowieka, który trzymał się liny na przechylonym pokładzie samochodowca. Zamiast roboczego ubrania załoganta opuszczającego statek, mężczyzna miał na sobie czarny strój i wspinał się po linie ku sterowni.

Kiedy Gomez doleciał bliżej, Juan zobaczył, że mężczyzna na samochodowcu ma broń automatyczną na plecach i balansuje na relingu. Patrzył na helikopter i mówił do mikrofonu ze słuchawkami. Juan natychmiast go rozpoznał.

To był porucznik Dominguez z magazynu w Wenezueli.

188

– Tamci nie wyglądają mi na ratowników – powiedział Eddie.

Jakby w odpowiedzi na jego uwagę, ludzie na kutrze chwycili karabiny szturmowe i otworzyli ogień. Pociski posiekały kadłub śmigłowca, zanim Gomez zdążył skręcić nad samochodowiec i zniknąć tamtym z widoku.

Juan spojrzał na tylne siedzenie.

– Ktoś dostał?

– Jesteśmy cali – odrzekł Eddie za wszystkich.

– To tamten porucznik marynarki, którego związaliśmy w Wenezueli – przypomniał Juan Lincowi.

– Wiem. Chyba mnie poznał.

– Jeśli chcą zatopić statek – odezwał się MacD – to po co on włazi na pokład?

– Ich pierwotny plan musiał nie wypalić – odparł Juan. – Nasze wywoływania wystraszyły Domingueza, bo nie spodziewał się nikogo tutaj jeszcze zastać. Mógł szukać innego sposobu, żeby posłać statek na dno i pozbyć się dowodu.

– Oraz świadków – dodał Linc. – Załoga mogła być jeszcze na pokładzie.

Gomez postukał w paliwomierz.

– Mamy nowy problem, prezesie. Jeden pocisk trafił w zbiornik paliwa i tracimy je. Co mam robić?

– Dasz radę wrócić na „Oregona"?

– Chyba tak, ale musiałbym się zwijać natychmiast.

– Wszyscy gotowi na wycieczkę? – zapytał Juan.

– Szkoda przelecieć taki kawał drogi i podwinąć ogony – odrzekł Linc.

Eddie i MacD przytaknęli. Wiedzieli, na co się pisali.

– Dobra. Gomez, wysadź nas na rufie zaraz za kominem, żebyśmy mieli jakąś osłonę. Jak się zorientują, że jesteśmy na pokładzie, Dominguez weźmie ze sobą na statek tylu ludzi, ilu będzie mógł. Pewnie postawią kogoś na zewnątrz, więc będziemy musieli dostać się do środka, żeby dotrzeć na dziób.

Gomez zawisł nad rufą, uważał przy tym, żeby komin był między nim a kutrem. Opuścił delikatnie płozy helikoptera na reling, MacD otworzył drzwi i zszedł na statek jednym płynnym ruchem. Eddie rzucił mu kilka zwojów liny, potem on i Linc poszli zgrabnie w jego ślady.

Zanim Juan zdążył wysiąść, Gomez powiedział:

– Weźcie moją tratwę ratunkową.

– Przyda ci się, jeśli nie dolecisz na „Oregona" – odparł Juan.

– A wam, jeśli oni zatopią ten statek.

– Nie. Jeśli pójdzie na dno, Dominguez nie zostawi ocalałych przy życiu. Ta akcja to wszystko albo nic. Do zobaczenia niedługo.

Nie czekając na odpowiedź, Juan zdjął słuchawki z mikrofonem, wysiadł i zatrzasnął za sobą drzwi. Zanim dotarł do najbliższego włazu, żeby dołączyć do pozostałych, śmigłowiec oddalał się szybko w kierunku północnego horyzontu.

Rozdział 25

Maria Sandoval delikatnie zacisnęła rozdarty rękaw swetra wokół lewego bicepsa, który rozcięła szyba przy skoku przez okno. Prymitywny bandaż nasiąkł krwią, ale nie chciała przerwać krążenia i mieć niesprawną rękę.

Kiedy przebiła szkło, spadła trzy metry na wewnętrzną ścianę jakiejś kabiny. Musiała tam siedzieć z pięć minut. Rozpamiętywała śmierć całej swojej załogi i próbowała zrozumieć atak, zapewne taki sam jak na inne statki firmy. To nie byli piraci, skoro nie brali zakładników. Najwyraźniej chcieli zatopić statek z nią na pokładzie i nie zamierzali zrezygnować tylko dlatego, że cudem go uratowała.

Nie mogła wrócić na mostek, żeby zawiadomić przez radio o swojej sytuacji. Gdyby napastnicy dokonali abordażu, tam skierowaliby się najpierw. Po opatrzeniu rany Maria poszukała kryjówki, żeby doczekać przybycia pomocy.

Z powodu ekstremalnego przechyłu statek, który tak dobrze znała, stał się dla niej obcy. Musiała sobie stale przypominać, że lewa burta jest teraz dołem, a prawa górą.

Kwatery załogi – łącznie z kabiną, gdzie teraz się ukrywała – kambuz, mesa i biura mieściły się w jednopiętrowym bloku mieszkalnym na szczycie statku za mostkiem. Każdy pokład poniżej zajmował ładunek lub urządzenia do prowadzenia statku.

Maria chciała znaleźć się jak najdalej od mostka. Opuściła się do korytarza. Stopa zsunęła się jej na klamkę drzwi naprzeciwko i otworzyły się gwałtownie. Ciemne pomieszczenie poniżej omal jej nie wchłonęło. Złapała się czegoś w ostatniej chwili i opadła na kolana obok ziejącej czeluści.

Wstała i poszła korytarzem ku rufie. Pierwszą przeszkodą na jej drodze były zamknięte dwuskrzydłowe drzwi. Żeby dostać się dalej, musiałaby stanąć na nich. Framuga na ich szczycie okazała się za wąska przy obecnym przechyle statku. Dwa lekkie nadepnięcia dowiodły, że drzwi wytrzymają. Ruszyła, spodziewając się, że puszczą i spadnie trzydzieści metrów na drugą stronę statku.

Usłyszała helikopter i pomyślała, że jest uratowana. Ale strzały odstraszyły go, zanim zdążyła spróbować z nim się skontaktować.

Po kilku kolejnych przeskokach nad otwartymi drzwiami kabin dotarła do końca bloku mieszkalnego. Miała trzy możliwości: ukryć się w jednej z kabin, które minęła, wyjść na odkryty pokład lub spróbować zejść po schodach do ładowni, gdzie mogłaby się schować wśród tysięcy samochodów.

Ponieważ na zewnątrz zostałaby natychmiast zauważona, a napastnicy chyba spodziewali się, że jest w kwaterach załogi, wybrała ładownię.

Dopiero teraz się zorientowała, że przechył statku zmalał o pięć stopni i zmniejsza się dalej prawie niedostrzegalnie. Wydawało się, że statek się prostuje.

Najpierw poczuła ulgę, ale potem przyszła jej do głowy straszna myśl, że coś jest nie tak. Była pewna, że zamknęła zbiorniki balastowe. Jeśli któreś z nich teraz przeciekały, to pozostałe nietknięte należałoby ponownie zbalansować.

Musiała się dostać do stanowiska technicznego, choć nie było mowy, żeby dotarła do maszynowni przy takim przechyle statku. Musiałaby zejść po schodach, a potem zaczekać, aż pokłady będą do przejścia.

Nacisnęła klamkę drzwi na klatkę schodową i drzwi opadły z dużo głośniejszym hałasem, niż się spodziewała. Włożyła głowę do otworu i zobaczyła ruch na stopniach w dole. Ktoś nadchodził.

Wstała i rozejrzała się za jakąś bronią. Jedyną taką rzeczą blisko niej była gaśnica. Zdjęła ją ze ściany i przykucnęła, gotowa opryskać napastnika pianą, a potem walnąć go metalowym pojemnikiem. Oddychała nierówno, ale tłumiła odgłos, wciągając powietrze ustami.

Nie wiedziała, czy to jeden człowiek, czy kilku, ale to nie miało znaczenia. Nie była w formie do ucieczki.

Ku jej zaskoczeniu nie głowa wyłoniła się z drzwi klatki schodowej, lecz lusterko na patyku. Jej największą szansą był atak na intruza, więc pobiegła naprzód, skierowała wylot gaśnicy w dół otworu i nacisnęła zawór.

Mężczyzna poniżej osłonił oczy i opadł na kolana, żeby uniknąć szprycy.

– Wstrzymać ogień! – zawołał, ale nie do niej, tylko do kogoś za nim. Głos miał dziwnie spokojny i opanowany, i nawet wydało jej się, że słyszy w nim ulgę.

Puściła zawór i uniosła gaśnicę w postawie obronnej. Jeśli chcieli ją złapać żywą, nie zamierzała ułatwiać im tego. Zobaczyła, że na klatce schodowej jest czterech mężczyzn. Ten, którego opryskała, wstał i podniósł ręce do góry. Pistolet maszynowy na jego ramieniu wisiał nieszkodliwie u jego boku. Mężczyzna był wysokim, muskularnym, krótko ostrzyżonym blondynem. Uśmiechnął się do niej przyjaźnie.

– Jest okej – powiedział amerykańską angielszczyzną.

– Kim pan jest?

– Nazywam się Juan Cabrillo. Jestem kapitanem statku, który zareagował na wasze wezwanie pomocy. To są Eddie, Linc i MacD.

Trzej mężczyźni, uzbrojeni po zęby jak ich kapitan, skinęli głowami na powitanie.

– To wy byliście w helikopterze?

Juan przytaknął.

– Niestety, pilot musiał wrócić na nasz statek. Pani ramię wygląda, jakby potrzebowało pierwszej pomocy. Niech pani to odłoży.

Jego słowa brzmiały sensownie, a ona była zdesperowana. Rzuciła gaśnicę. Wszyscy czterej wyszli z klatki schodowej.

– Jesteście z amerykańskiej marynarki wojennej? – spytała.

– Nie. Po prostu dobrymi samarytanami. Pozwoli pani, że jeden z moich chłopaków założy na to świeży bandaż?

Skinęła głową. Eddie ją posadził, otworzył apteczkę i zdjął jej byle jaki bandaż.

Obejrzał ranę i orzekł:

– Nie wygląda to tak źle, ale Hux będzie musiała założyć kilka szwów.

Zaczął owijać jej ramię gazą i taśmą.

– Cieszę się, że nie ucierpiała pani bardziej. Jest pani kapitanem tego statku, jak się domyślam?

Spojrzała na niego zmrużonymi oczami.

– Maria Sandoval. Skąd pan wiedział?

– Kiedy odebraliśmy wezwanie pomocy, poszukaliśmy szybko informacji o pani statku i zobaczyłem pani nazwisko jako kapitana. Nie wyobrażam sobie, że jest dużo innych kobiet w załodze.

– Mojej załodze – poprawiła cicho.

– Gdzie oni są?

– Nie żyją. Tamci dranie zabili ich wszystkich, gdy moi ludzie opuścili statek naszą łodzią ratunkową.

Współczucie błysnęło w oczach Juana. Jako kapitan mógł sobie wyobrazić, jak to jest stracić załogę w ten sposób.

– Przykro mi.

– Dlaczego oni to robią?

– Porozmawiamy o tym później. Najpierw musimy im przeszkodzić w zatopieniu statku. Widzieliśmy jednego z nich na mostku.

Maria zbladła.

– Więc ustawił więcej zbiorników balastowych na opróżnianie. Dlatego statek prostuje się sam. Wypompowałam dwa zbiorniki, żeby się nie przewrócił do góry dnem.

– Szybko pani wpadła na pomysł, jak uratować swój statek.

– Kiedy przypłynie wasz?

– Najwcześniej za dwadzieścia minut.

Marii opadły ramiona na tę wiadomość.

– Nie wiem nawet, jak zrobili tamte dziury w moim statku.

– To musi być jakaś łódź podwodna – odrzekł Juan. – Widzieliśmy jedną z dziur, kiedy tu przylecieliśmy. Jest idealnie okrągła.

– Zrobili jednocześnie osiem dziur w kadłubie, a my nic nie wykryliśmy sonarem. Jaka łódź podwodna może to zrobić?

– Nie wiem. Może być ich więcej niż jedna. Jeśli tak, to prawdopodobnie są zdalnie sterowane.

– To już nie żyjemy. Jak je powstrzymamy przed następnym atakiem?

– Mogą być bronią jednorazowego użytku. Ludzie na zewnątrz nie wspinaliby się na statek, gdyby łodzie podwodne miały wrócić.

– Musimy zapobiec całkowitemu opróżnieniu zbiorników balastowych – powiedziała Maria. – Statek będzie za ciężki na górze, jeśli to się stanie. Kiedy przechył w drugą stronę osiągnie punkt krytyczny, przewrócimy się do góry dnem.

Przechył wciąż malał.

– Myślisz, że mają materiały wybuchowe? – zapytał Juana Eddie.

– Gdyby mieli dość, żeby zrobić dużą dziurę w statku, umieściliby je na zewnątrz kadłuba.

– Mieli granaty – powiedziała Maria. – Tak zatopili łódź ratunkową.

Scena wryła jej się w pamięć.

Juan z powrotem odwrócił się do niej.

– Skąd można obsługiwać zbiorniki balastowe?

– Tylko z mostka i z maszynowni.

– Jaki ma pani ładunek?

– Auta i SUV-y na wszystkich pokładach oprócz najniższego. Tam jest sprzęt budowlany.

– Z ładowni można się dostać bezpośrednio na mostek?

– Tak.

– Tamten facet prawdopodobnie zniszczył terminal na mostku – wtrącił się Linc. – Ja bym tak zrobił.

Maria nie zapytała, skąd on to wie. Ale sądząc po uzbrojeniu, ci mężczyźni na pewno nie byli załogą zwykłego statku handlowego. Musieli być byłymi wojskowymi. Ale nie miała wrażenia, że są piratami. Zbyt pomocni i troskliwi wobec niej.

– Mają nad nami co najmniej dwukrotną przewagę liczebną – powiedział Juan – więc frontalny atak jest ryzykowny. Będziemy musieli spróbować ich oskrzydlić. Może pani chodzić, pani kapitan?

– Mario. Tak, mogę. A dlaczego?

Juan wyjął mały tablet z kieszeni. Ku jej zdumieniu wyświetlił na ekranie szczegółowy plan jej statku.

– Skąd pan to ma? – zapytała.

Uśmiechnął się do niej.

– Pamiętasz, jak ci mówiłem o naszych poszukiwaniach? Pokaż nam najszybszą drogę do maszynowni.

Rozdział 26

Blok mieszkalny kończył się w połowie długości „Ciudad Bolívara". Odkryty pokład nad tylną połową statku był metalową płaszczyzną otoczoną wentylatorami. Juan i jego grupa musieli przeciąć jeden z pokładów samochodowych. Maria towarzyszyła im. Nie chcieli zostawiać jej samej, kiedy ludzie Domingueza przeszukiwali statek, a poza tym nalegała, żeby pójść z nimi.

Przechył wciąż malał. Na szczęście, bo zejście po linach do maszynowni na najniższym pokładzie rufowym zajęłoby godziny, a nie mieli tyle czasu. Maria znała swój statek lepiej niż ktokolwiek inny. Oceniała, że będą mieli dziesięć minut stosunkowo łatwej wędrówki, kiedy przechył będzie przechodził z trzydziestopięciostopniowego na lewą burtę w trzydziestopięciostopniowy na prawą. Gdyby się zwiększył, nie utrzymaliby się na nogach bez lin asekuracyjnych.

Oczywiście, wszystko byłoby wątpliwe, gdyby opróżnianie spowodowało nieprzewidziany brak równowagi w środku ciężkości statku. Lub gdyby jeden z pojazdów się urwał i uruchomił lawinę pozostałych, które wylądowałyby po jednej stronie statku. Wtedy koniec mógłby nadejść tak nagle, że nie zdążyliby znaleźć wyjścia. „Ciudad Bolívar" stałby się ich grobowcem trzy tysiące metrów pod powierzchnią Morza Karaibskiego.

Kiedy wybierali drogę w dół klatki schodowej, stając na poręczach, Maria zapytała:

– Jak myślicie, ryzyko niespodziewanego utonięcia powstrzyma tego Domingueza przed wysłaniem ludzi do maszynowni?

Juan spojrzał na Linca.

– Niestety, spotkaliśmy już porucznika i rozpoznał Linca. Przez nas źle wtedy wypadł przed swoimi przełożonymi, więc to jest dla niego sprawa osobista. Jest typem, który będzie chciał mieć pewność, że nie wyjdziemy stąd żywi. Nawet gdyby musiał zaryzykować własne życie. Jeśli wróci z niczym, admirał Ruiz urwie mu głowę.

– Być może dosłownie – dodał Linc.

Maria wytrzeszczyła oczy.

– Admirał Dayana Ruiz?

– Znasz ją? – spytał Juan.

– Spotkałam ją tylko raz, kiedy służyłam w marynarce wojennej. Była trzy stopnie wyżej ode mnie. Jest znakomitym taktykiem, ale ma opinię bezwzględnej.

– Teraz się dowiadujesz, jak bezwzględnej. Uważamy, że zatapia statki twojej firmy, żeby wyeliminować ją z branży i doprowadzić do bankructwa właściciela dla własnych politycznych korzyści.

Maria przystanęła.

– Skąd to wiecie? Zaraz. Nie byliście po prostu na przepływającym statku. Wiedzieliście, że to się stanie, że mój statek jest celem.

– Próbowaliśmy ostrzec twoją firmę, ale nie chcieli nas słuchać, więc sami wybraliśmy się tutaj.

– Jesteście Amerykanami, ale nie wojskowymi. Co to za połączenie?

– Tego nie mogę ci zdradzić, ale powiedzmy po prostu, że Ruiz i Dominguez nie są zbyt zadowoleni po naszych kontaktach służbowych z nimi.

Maria wydawała się usatysfakcjonowana i nie drążyła tematu głębiej, więc ruszyli dalej w dół po schodach prostującego się statku. Kiedy dotarli na pokład z pojazdami roboczymi, Maria ich zatrzymała.

– Najłatwiej będzie dostać się tam stąd – oznajmiła. – Możemy zejść po pochylni na samym końcu do schodów, które prowadzą do maszynowni. Jak będę na stanowisku technicznym, w ciągu kilku sekund zastopuję opróżnianie zbiorników balastowych. Mam nadzieję, że to się stanie, kiedy statek będzie w pionie.

Choć Juanowi zależało, żeby dotrzeć do maszynowni przed Dominguezem, zaczekali z zejściem ze schodów, aż pokład będzie do przejścia. Nawet przy obecnym, tylko trzydziestopięciostopniowym, przechyle statku musieliby iść bardzo ostrożnie, żeby nie spaść z tego metalowego wzgórza.

Z bronią gotową do strzału, Juan dał pierwszy krok na pokład samochodowy. Gumowe podeszwy jego butów zapewniały dobrą przyczepność, więc mógł ogarnąć wzrokiem ogromną ładownię.

Ruchomy pokład powyżej podniesiono, żeby pomieścić wielkie maszyny. W świetle jasnych lamp fluorescencyjnych widział długość boiska futbolowego w obu kierunkach. Tylko wewnętrzne pochylnie załadowcze przesłaniały widok. Przez chwilę lustrował ładownię, ale nie zobaczył żadnego ruchu. Upiorna cisza panowała w rozległej przestrzeni.

– Czysto – zwrócił się do pozostałych. – Mario, pokaż nam drogę. Eddie, trzymaj ją. Linc, idź pierwszy.

Linc oparł rękę na pokładzie jak dekarz schodzący wolno z dachu po śliskich gontach. Eddie wziął Marię za zdrowe ramię i wyprowadził ją z klatki schodowej. Kiedy się przyzwyczaili do przechyłu pokładu, ruszyli ku pochylni. MacD za nimi, Juan osłaniał tyły.

Teraz, na większej powierzchni, Juan łatwo wyczuwał, że statek powoli się poziomuje. Za kilka minut będzie całkiem równo.

Od pochylni załadowczej dzieliło ich zaledwie sześć metrów. Po dotarciu do niej mogliby się opierać o jej lewą ścianę podczas wędrówki.

Juan usłyszał brzęk za sobą. Odwrócił się w samą porę, żeby zobaczyć, jak Dominguez z pięcioma ludźmi wpadają do ładowni z klatki schodowej blisko mostka jakieś sto metrów z tyłu.

– Padnij! – krzyknął sekundę wcześniej, nim Wenezuelczycy otworzyli ogień.

Pociski zrykoszetowały od metalu i roztrzaskały przednie szyby. Juan odpowiedział ogniem i przekonał się, jak trudno jest celować, kiedy się stoi na tak przechylonej podłodze. Wziął na muszkę Domingueza, ale porucznik zsunął się na dół i zatrzymał na spychaczu. Zamiast jego kula Juana trafiła innego mężczyznę, który wrzasnął, upadł i zniknął z widoku.

Juan spojrzał w przód. Nikt z jego grupy nie ucierpiał.

– Schodźcie po pochylni!

Eddie chwycił Marię i ruszył za Linkiem, ale następna seria odbiła się od podłogi obok niej. Maria przez moment przestała uważać i się poślizgnęła.

Zsunęła się w dół pokładu, ale Eddie zjechał niżej, zatrzymał ją ramieniem i praktycznie rzucił Lincowi, który zacisnął swoją wielką dłoń na jej nadgarstku i przyciągnął ją do siebie.

Eddie stracił równowagę, a MacD był za daleko, żeby mu pomóc. Eddie szukał po omacku oparcia, ale już zsuwał się coraz szybciej i nie miał się czego złapać. Przemknął pod podwoziem równiarki.

Linc doprowadził Marię do pochylni, gdzie położył się płasko, żeby dokładniej wycelować w Domingueza. Teraz ich przeciwnicy strzelali jeszcze bardziej bezładnie.

Juan nie zważał na pociski odbijające się od ścian wokół niego. Podbiegł do równiarki i oparł się o jej koło, gdy MacD osłaniał go ogniem. Juan wyjrzał zza opony i zobaczył z ulgą, że Eddie trzyma się osi ciężarówki w połowie drogi do lewej burty. Samodzielna wspinaczka z powrotem zajęłaby mu kilka minut. Nie mieli tyle czasu.

– Rzuć mi swoją linę! – zawołał Juan do MacD.

– Zakotwiczę ją tu na górze – odpowiedział MacD, zdejmując zwój z ramienia.

– Nie, ty i Linc musicie zabrać Marię do maszynowni. Jeśli nie przerwie opróżniania zbiorników balastowych, będzie po nas.

MacD skrzywił się i rzucił zwój. Juan go złapał i zawiesił na ramieniu. Linc strzelał, żeby MacD mógł dołączyć do niego i Marii.

Spojrzeli ostatni raz na Juana. Machnął ręką, żeby szli. Osłaniał go, przynajmniej na razie, lemiesz równiarki przed nim.

Juan włączył mikrofon krtaniowy.

– Jak tam, Eddie?

– Nieźle się poharatałem, ale chyba nic sobie nie złamałem. Z Marią wszystko w porządku?

– Jest cała. Wysłałem ją naprzód z Linkiem i MacD.

– Mam wejść na górę?

– Nie, schodzę do ciebie. Spróbujemy zatrzymać Domingueza tutaj, żeby ich nie ścigał.

Juan przywiązał linę do zawieszenia równiarki, żeby móc kontrolować swoje schodzenie. Rozwinęła się aż do przeciwległej ściany ładowni. Eddie złapał się jej i puścił oś.

Juan panował nad szybkością schodzenia do Eddiego. Kiedy się zbliżył do niego, zwolnił bardziej, niż się spodziewał. Ale sprawił to statek.

Tempo korekcji przechyłu znacznie wzrosło. Gdy Juan znalazł się pod ciężarówką w sąsiedztwie Eddiego, statek odwracał się na sterburtę.

– Chyba...

Juan nie zdążył dokończyć. Pociski zrykoszetowały od nadwozia ciężarówki i musiał się schować za koło. Dwóch ludzi Domingueza czołgało się pod maszynami roboczymi, żeby wziąć go na muszkę.

Statek mógł się położyć na burcie lada moment, a to było groźniejsze niż strzelający do nich ludzie.

Rozdział 27

Gdy tylko nastąpiła nagła zmiana, Maria wiedziała, co nadchodzi. Poleciła Lincowi i MacD wsiąść do najbliższego SUV-a. Wszystkie pojazdy na statku zostawiono otwarte z kluczykami w stacyjkach dla szybkiego wyładunku.

Fala pędząca ku nim miała tylko metr dwadzieścia wysokości, ale mogła zwalić ich z nóg i porwać, gdyby nie uciekli.

Dali nura do SUV-a i zatrzasnęli drzwi, kiedy otoczyła ich woda. Na razie nic im się nie stało, ale Maria bardziej bała się tego, że przemieszczenie ciężaru przewróci statek do góry dnem.

Wstrzymywała oddech, gdy woda spływała po pochylni i zbierała się po stronie sterburty. Przechył miał tylko dziesięć stopni – chwilowo. Choć szybka zmiana ustała, Maria czuła, jak „Ciudad Bolívar" powoli się odwraca. Musiała puścić gródź na którymś z niższych poziomów, ale zbiorniki balastowe wyraźnie nie ucierpiały i nadal się opróżniały.

Prawy bok ich samochodu był już zanurzony i woda zaczynała przeciekać do środka. Linc przekręcił kluczyk w stacyjce i opuścił szybę z lewej strony. Wypełzli i stanęli na masce sąsiedniego SUV-a.

– Tędy – powiedział Linc.

Ruszyli ku lewej burcie, przeskakując po maskach rzędu samochodów zaparkowanych zderzak przy zderzaku.

Po dwóch minutach wskakiwali na pokład obok klatki schodowej do maszynowni. Przy mniejszym przechyle łatwiej im się schodziło, ale stopnie były mokre i śliskie po zalaniu wodą zaledwie kilka minut wcześniej. Światła zgasły na skutek zwarcia, więc Linc i MacD włączyli latarki na czas krótkiej wędrówki w dół.

Kiedy otworzyli wodoszczelne drzwi, uszy poraził im ryk wciąż pracujących silników. Przystanęli na pomoście nad dwoma wielkimi dieslami, które napędzały śrubę statku i wytwarzały energię elektryczną. Przestrzeń zajmowała cztery poziomy i przecinały ją schody, rury i przewody wentylacyjne. Normalnie urządzenia były czyste jak w hali wystawowej, ale plamy oleju i smaru widniały tam, gdzie woda przepłynęła, zanim się zebrała na dnie. Maszynownia została mocno zalana, zanim ją ewakuowano i szczelnie zamknięto z mostka.

– Gdzie jest stanowisko techniczne? – zapytał Linc.

Maria wskazała oddzielne pomieszczenie na rufie.

MacD spojrzał na wodę w dole. Musiała mieć co najmniej dwa metry głębokości.

– Jest jakaś droga okrężna?

Maria pokręciła przecząco głową.

– Musimy przepłynąć.

Coś w wodzie przykuło jej uwagę. Było częściowo ukryte w cieniu prawego silnika. Wyciągnęła rękę w kierunku MacD.

– Mogę pożyczyć latarkę?

Wzruszył ramionami i dał jej.

Włączyła ją i wycelowała w to coś.

Zobaczyła stopę.

Zrobiła gwałtowny wdech i oświetliła ciało. Unosiło się na wodzie twarzą w dół. Pistolet w kaburze świadczył, że to nie członek załogi.

Linc popchnął ją w dół za wentylator w tym samym momencie, kiedy MacD otworzył ogień do ukrytej postaci. W odpowiedzi zagwizdały pociski. Nie oni dotarli do maszynowni pierwsi.

Eddie dostał od Juana ostrzeżenie o fali w samą porę, żeby wykorzystać swoją kocią zwinność. Wskoczył na drabinkę kabiny wywrotki i wspiął się, zanim uderzyła go woda. Ale ponieważ Juan był schowany całkowicie pod swoją ciężarówką, zdążył tylko owinąć linę wokół osi i nadgarstka. Wstrzymał oddech i przeczekał falę jak ryba na haczyku z przynętą.

Kiedy woda przepłynęła na drugą stronę, zobaczył, że dwóch bandytów, którzy strzelali do niego, unosi się na powierzchni bezwładnie. Nie ruszali się. Jeden miał na twarzy głęboki ślad uderzenia w jakiś metalowy występ.

– Prezesie, jesteś cały?! – zawołał Eddie.

Juan odwinął linę z nadgarstka i wyczołgał się spod ciężarówki obok Eddiego.

– Nic mi się nie stało, ale mam teraz więcej współczucia dla merlinów. Dominguez stracił co najmniej trzech ludzi. Widzisz go gdzieś?

– Zgubiłem go.

– Nie przejmuj się. Znajdziemy go.

Pokład był wciąż tylko lekko przechylony, ale nie na długo.

Manewrując pod maszynami roboczymi i wokół nich, Juan i Eddie popełzli do sterburty. Za ostatnim rzędem pojazdów musieliby przebyć trzy metry odsłonięci, żeby dotrzeć do drzwi klatki schodowej.

Ukucnęli za buldożerem. Juan wyjrzał zza niego i iskry poleciały z miejsca, gdzie pociski trafiły w metal. Schował się.

– Dominguez najwyraźniej spodziewał się tego – powiedział.

– Widziałeś, gdzie jest?

– Jakieś trzydzieści metrów od nas. Nie zdążyłem zobaczyć, czy jest sam. Nie przedostaniemy się we dwóch.

– Na co jesteśmy gotowi, żeby to teraz zakończyć?

Juan włączył mikrofon krtaniowy.

– Linc, chcę usłyszeć, że właśnie zamykacie zbiorniki balastowe.

Rykowi w tle towarzyszyły strzały.

– Cieszę się, prezesie, że jesteś cały, sądząc po głosie – odrzekł Linc. – Ale niestety oni dotarli tu pierwsi. Dwóch utonęło, jeden zwiał. Choć nie sądzimy, żeby zdążyli zniszczyć stanowisko techniczne.

– Maria może się tam dostać?

– Jeszcze nie, ale pracujemy nad tym. Przydałaby się nam jakaś pomoc.

– Jesteśmy trochę zajęci – odparł Juan – ale będziemy w kontakcie.

– Przyjąłem.

Juan opadł na brzuch. Jego mokre ubranie zachlupało na metalu. Był pewien, że jeden z ludzi Domingueza wykona manewr okrążający.

Tam. Stopy przemknęły zza osłony jednego wielkiego koła do drugiego. Juan przewidział jego trasę i ulokował czerwony punkt wskaźnika celu półtora metra za kołem.

Jakby na zawołanie, stopy się pojawiły. Juan poprowadził swój cel i posłał w niego trzystrzałową serię. Jeden pocisk trafił w kolano i mężczyzna upadł, wyjąc. Zobaczył Juana i spróbował strzelić, ale Juan wykończył go następną serią.

– Wiemy, gdzie jesteś, Dominguez! – krzyknął po hiszpańsku. – Nie możesz tam tkwić wiecznie.

Dominguez nie odpowiedział. Zamiast tego, granat odbił się od ściany, potoczył po podłodze i znieruchomiał przy łańcuchu kotwiczącym przód buldożera do pokładu. Juan i Eddie dali nura za jego lemiesz, który zadźwięczał od eksplozji.

Juan wyjrzał i zobaczył, że wybuch rozerwał łańcuch. Nic już nie trzymało przodu czterdziestotonowej maszyny w miejscu oprócz jej gąsienic.

– Musimy załatwić Domingueza i zejść do maszynowni – powiedział Juan.

– Zobaczyłem, gdzie jest, jak rzucał granat – odrzekł Eddie. – Na pace wywrotki. Ma dobre pole widzenia i pozycję obronną. Atak frontalny nie byłby najlepszym pomysłem.

Pokład przechylił się bardziej i buldożer stracił przyczepność. Zsunął się ku sterburcie ze zgrzytem metalu o metal i uderzył w wywrotkę obok niego. Juan wstrzymał oddech. Obawiał się, że to początek lawiny pojazdów. Łańcuchy kotwiczące ciężarówkę zazgrzytały w proteście pod dodatkowym ciężarem, ale nie puściły.

– To nie wytrzyma długo, jeśli przechył się zwiększy – powiedział Eddie.

– Zgadzam się z tym.

Juan znów połączył się z Linkiem.

– Nie, żebym was poganiał, ale mamy tu buldożer luzem, który może zabrać ze sobą pół ładowni na sterburtę. Jeśli nie zastopujecie tego przechyłu za kilka minut, nikt z nas stąd się nie wydostanie.

Marii serce waliło niczym młot, kiedy w maszynowni rozbrzmiewały strzały. Nie miała pojęcia, jakim cudem Linc i MacD są tacy spokojni.

– Zostało dwóch za tamtymi rurami nad silnikiem – zameldował MacD, zanim znów nacisnął spust.

– Prezes mówi, że sytuacja na górze jest krytyczna – oznajmił Linc. – Musimy się natychmiast dostać na stanowisko techniczne. Dasz radę?

– Może, ale nie wiedziałbym, co tam trzeba zrobić.

– Maria mogłaby ci powiedzieć przez radio, jak zamknąć odpływy zbiorników.

– Nie, ja to muszę zrobić – wtrąciła się Maria. – Instruowanie MacD będzie za długo trwało.

Potem dodała:

– To mój statek. Nie pozwolę Ruiz go zatopić.

Linc niechętnie ustąpił.

– Okej. Oni nie mają dobrego kąta do ostrzału na dolnym poziomie, ale nawet przy naszym ogniu osłonowym będziesz za bardzo widoczna na schodach z pomostu. Zdejmą cię, zanim zrobisz pięć metrów.

Spojrzał wymownie na wodę w dole i Maria zrozumiała, o co mu chodzi. Zamiast dotrzeć na dół schodami, będzie musiała skoczyć nad poręczą prosto do wody.

– Dam radę – odparła pewniej, niż się czuła.

– Mamy drugi problem – oświadczył MacD. – Został mi tylko jeden magazynek.

– Mnie też. Strzelaj celnie. Gotowa?

Maria wzięła głęboki oddech i przytaknęła.

– Na mój sygnał – powiedział Linc. – Trzy, dwa, jeden... Teraz!

Obaj się poderwali i otworzyli ogień trzystrzałowymi seriami jedną po drugiej. Maria nie czekała, żeby zobaczyć efekty. Skoczyła na nogi, okrążyła przewód wentylacyjny i przerzuciła ciało nad poręczą, modląc się, żeby woda była tak głęboka, jak myślała.

Przebiła powierzchnię stopami i zatrzymała się na pokładzie. Światła wystarczyło, żeby mogła widzieć stopnie przed sobą, ale olej w wodzie szczypał ją w oczy.

Chciała odruchowo je zamknąć i się wynurzyć, ale im mniej była wystawiona na ogień bandytów, tym lepiej. Przepłynęła delfinem całą odległość pod wodą. Brakowało jej powietrza, kiedy dotarła do schodów stanowiska technicznego.

Wyskoczyła z wody, spodziewając się kuli w głowę, gdy tylko się wynurzy, ale ogień wciąż koncentrował się na drugim końcu maszynowni. Zaczerpnęła powietrza i wciągnęła się na schody. Przebycie tych trzech stopni było najdłuższą wędrówką w jej życiu, ale kiedy otworzyła gwałtownie drzwi i wpadła do środka, omal nie wydała zwycięskiego okrzyku. Drzwi zamknęły się za nią, odcinając ją od odgłosu silników i strzałów.

Podbiegła do terminalu i wstukała na klawiaturze obsługę zbiorników balastowych. Była tak pochłonięta zamykaniem odpływów, że jej umysł ledwo zarejestrował powrót hałasu z maszynowni. Ktoś otworzył drzwi.

Maria nie zadała sobie trudu, żeby sprawdzić, kto to jest, ale już nie musiała, kiedy usłyszała okrzyk:

– ¡Alto!

Zignorowała go i nacisnęła przycisk myszki. Ekran potwierdził, że zbiorniki są zamknięte, po czym eksplodował w gradzie pocisków.

Zamknęła oczy i przygotowała się na swój koniec, ale śmierć nie nadeszła. Odwróciła się i zobaczyła, że bandyta patrzy niewidzącym wzrokiem i ma krwawą dziurę w czole. Moment później osunął się na podłogę. Okrągły otwór widniał w szybie za nim, a na zewnątrz stał Linc z uniesionym pistoletem.

Wpadł do środka i upewnił się, że mężczyzna nie żyje.

– Jesteś ranna? – zapytał.

– Nie. Udało mi się zamknąć zbiorniki balastowe, zanim on zniszczył terminal.

– Brawo. Ten facet ruszył za tobą, więc ja za nim. MacD zdjął ostatniego z nich, ale sprawdza resztę maszynowni, żeby mieć pewność.

Radio zabitego zatrzeszczało. Linc je podniósł. Posłuchał i pokręcił głową.

– Nie znam hiszpańskiego – powiedział i wręczył je Marii.

Posłuchała i przetłumaczyła.

– „Jakiś statek przypłynął. Porusza się z niesamowitą szybkością".

– „Oregon".

Rozmowa trwała i Maria zesztywniała, gdy usłyszała następne zdanie.

Linc też stężał.

– Co?

– Łodzie podwodne są naładowane i gotowe do ataku. Ale ich celem nie jest „Ciudad Bolívar". Dominguez ma jakieś urządzenie sterujące. Wysyła je, żeby zatopiły wasz statek.

Kiedy Linc powiedział przez radio o urządzeniu sterującym bezzałogowcami podwodnymi, Juan polecił mu zawiadomić „Oregona", że mają wypatrywać wszelkich jednostek podwodnych. Ale bez żadnych informacji o nich, nie wiedział, czy będą mogli je zauważyć lub prześcignąć. Musiał odebrać urządzenie sterujące Dominguezowi i unieruchomić łodzie podwodne.

Eddie okrążył wywrotkę, gdzie ukrywał się Dominguez. Juan czekał za nią w cieniu błotnika innej ciężarówki. Eddie przygotował się do wypłoszenia Domingueza.

– Jestem na pozycji – szepnął Juan przez radio.

– Ja też – odrzekł Eddie.

Juan wpakował pół magazynka w bok wielkiej skrzyni wywrotki. Dominguez i jego kompan wyjrzeli zza jej krawędzi i odpowiedzieli ogniem. Eddie wykorzystał ich nieuwagę i hałas i wspiął się do kabiny. Uruchomił hydrauliczny podnośnik skrzyni.

Zaczęła się podnosić z wyciem. Juan miał nadzieję, że Dominguez będzie się starał zostać w wywrotce, ale porucznik przeskoczył przez burtę obok niego. Jego kompan zrobił to samo z drugiej strony. Eddie musiał się nim zająć.

Juan popędził za Dominguezem po przechylonym pokładzie. Widział urządzenie sterujące w jego ręce, ekran świecił. Dominguez zahamował, żeby się odwrócić i strzelić do Juana, ale stracił równowagę i musiał się podeprzeć.

Juan rzucił się na niego, broń wyleciała im z rąk. Zwarli się w stalowym uścisku i potoczyli. Juan uderzył plecami w gąsienicę kolejnego buldożera i stracił oddech. Ale wyrwał Dominguezowi urządzenie sterujące.

Zobaczył trzy punkty na siatce. Dwa znajdowały się obok siebie i miały nazwy „Ciudad Bolívar" i „Bahia Blanco", co musiało oznaczać kuter rybacki. Przy trzecim widniał napis „Nieznany". To musiał być „Oregon". Linie krzyżowały się na nim.

Dominguez wyciągnął nóż z pochwy na biodrze. Juan nie chciał upuścić urządzenia sterującego i zablokował cios drugą ręką. Dominguez złapał go za gardło wolną dłonią i odciął mu dopływ powietrza.

Juan koncentrował się na urządzeniu sterującym. Dominguez przygwoździł mu ramię kolanem, ale Juan wciąż mógł ruszać ręką. Drżały mu palce, kiedy zbliżał kciuk do „Bahia Blanco". Stuknął raz i linie skrzyżowały się na kutrze. Przycisk na ekranie zażądał „Potwierdź cel". Juan nacisnął go i machnięciem nadgarstka odrzucił urządzenie od siebie. Zsunęło się w dół pokładu i zniknęło z widoku.

Wbił kciuk wolnej ręki w lewe oko Domingueza. Porucznik puścił jego gardło i krzyknął. Odzyskawszy zdolność oddychania, Juan przekręcił nóż i dźgnął Domingueza w pierś. Zaszokowany porucznik zrobił gwałtowny wdech, zarzęził i przewrócił się na bok.

Juan wstał i zobaczył Eddiego. Wskazał głową bezwładne ciało.

– Masz doskonałe wyczucie czasu.

– Mój też już jest przeszłością. Co z „Oregonem"?

– Bezpieczny. Ale kuter powinien pójść na dno lada chwila.

– Więc nie został nikt, żeby wyjaśnić, dlaczego ktoś chciał nam przeszkodzić w uratowaniu tego statku.

– Nie sądzę, że to ma coś wspólnego z „Ciudad Bolívarem" – odrzekł Juan. – Myślę, że ktokolwiek nasłał tamtych haitańskich zabójców na Jamajce, nie chciał, żebyśmy się

dowiedzieli o tych łodziach podwodnych. Jak je wydobę-
dziemy, znajdziemy jakieś odpowiedzi.

Rozdział 28

Juan i pozostali wyszli na pokład w samą porę, żeby zobaczyć, jak dymiący wrak kutra rybackiego znika pod falami.
Max powiedział Juanowi, że kuter eksplodował, zapewne
gdy jedna z łodzi podwodnych przecięła przewód paliwowy. Słońce zaszło już dawno. „Oregon" przeszukał morze
szperaczami, ale nie znalazł żadnych rozbitków.

Zostawili ciała Domingueza i innych na samochodowcu.
Ponieważ incydent zdarzył się na wodach międzynarodowych na statku wenezuelskiej firmy, ale zarejestrowanym
w Panamie, jurysdykcja była w najlepszym razie mglista. Jakiekolwiek dochodzenie wszcząłby prawdopodobnie ubezpieczyciel, ale wszystkie dowody prowadziłyby do wenezuelskiej marynarki wojennej.

Gomez załatał zbiornik paliwa MD 520N i zabrał całą
piątkę na „Oregona", który chwilowo nazywał się „Norego",
na wypadek gdyby nie zdążyli się oddalić przed przybyciem
innych statków ratowniczych.

Kiedy Marii opatrzono rany, Juan zaproponował, żeby się
przebrała i poszła do ogólnie dostępnej mesy coś zjeść i wy-
pić kawę. Potem dołączył na pokładzie do Maksa i Murpha,
żeby nadzorować wydobycie łodzi podwodnych.

Trzy z nich przetrwały eksplozję i unosiły się na powierzchni w oczekiwaniu na następną komendę. Juan szukał urządzenia sterującego, ale przepadło w stojącej wodzie
w ładowni „Ciudad Bolívara". Samochodowiec wciąż miał
przechył, ale na razie był stabilny.

Juan przyglądał się uważnie łodziom podwodnym przez lornetkę, kiedy jego załoga przygotowywała żuraw do ich wyłowienia. Smukły kształt upodabniał je do myśliwców odrzutowych. Miały krótkie skrzydła, ster kierunku, wlot wody na dziobie i wylot na rufie. Na wierzchu wyrastał występ, który mieścił coś, czym przyczepiały się do kadłuba i dziurawiły go.

Krótka antena do odbioru komend z urządzenia sterującego sterczała z korpusu.

– Nie mogę się doczekać, żeby rozebrać jedną z tych ślicznotek – powiedział Max, zacierając z radością ręce. – Może udałoby mi się zbudować taką dla nas. Nigdy nie wiadomo, kiedy mogłaby się przydać.

– Widziałeś kiedyś taką konstrukcję?

– Nie, ale wydaje się o wiele za wyrafinowana jak na twór Wenezuelczyków. Domyślam się, że kupili to od Chińczyków lub Rosjan.

– Albo ukradli – wtrącił się Murph, który fotografował bezzałogowce w wodzie. – Kiedy opracowywałem systemy, musieliśmy oceniać potencjalne technologie dla wojska. Jedną był podwodny dron stealth do atakowania okrętów, ale dopiero trafił na deskę kreślarską, jak odchodziłem. Te mogły bazować na tamtym pomyśle.

– Jeśli bazują na amerykańskiej technologii – odrzekł Max – to CIA będzie chciała je odzyskać. Przewiduję, że Langston Overholt wypisze duży czek w najbliższej przyszłości.

Juan musiał przyznać, że to odkrycie będzie interesującą wiadomością dla jego dawnego mentora i łącznika z CIA.

– Skoro mowa o czekach – powiedział – dzwoniłeś do Atlas Salvage?

Max przytaknął.

– Niedługo wyruszą z Kingston swoim oceanicznym holownikiem. Właściciel, Bill Musgrave, negocjuje kontrakt z Cabimas. Odpala nam dziesięć procent znaleźnego.

Ratownictwo morskie było lukratywnym i niebezpiecznym zajęciem, więc wypłaty stanowiły zwykle jakiś procent wartości statku i ładunku. W tym przypadku byłoby to ponad sto milionów dolarów, gdyby udało się dostarczyć statek z powrotem do portu nietknięty, więc Korporacja dostałaby porządną działkę.

Niezła dniówka. A mieli właśnie zgarnąć jeszcze więcej.

Żuraw opuścił sieć ku wodzie, żeby nurkowie w ribie owinęli nią każdy bezzałogowiec do podniesienia.

Bez ostrzeżenia pierwsza łódź podwodna poszła pod powierzchnię.

– Co za... – wypalił Max.

Druga zniknęła. Potem trzecia.

Juan połączył się przez radio z centrum operacyjnym.

– Tracimy łodzie podwodne. Przygotowują się do ataku? Meldujcie.

– Nie, prezesie – odparła Linda. – Sonar pokazuje, że celują prosto w dno.

Juan kazał nurkom złapać jedną, ale za późno. Wszystkie trzy pruły trzy tysiące metrów w dół do dna morskiego. Nawet gdyby zdołali w końcu je wydobyć, niewiele by z nich zostało po uderzeniu w dno z szybkością, z jaką opadały.

– Wyślij te zdjęcia Overholtowi – polecił Juan Murphowi. – Porozmawiam z naszym gościem.

Wszedł do fałszywej mesy, wziął sobie kubek kawy i usiadł z Marią.

– Moja załoga dobrze cię traktuje? – zapytał.

Rozejrzała się po obskurnym wnętrzu.

– Wszyscy są cudowni. Nigdy bym nie pomyślała, że na statku w tym... hm, stanie, będzie takie wspaniałe jedzenie.

– To wszystko pozory. Statek jest czyściejszy, niż wygląda. Wydajemy pieniądze na to, co się liczy. Słuchaj, muszę cię poprosić o przysługę.

– Proszę bardzo. Zrobię wszystko. Uratowaliście mnie i mój statek.

– Bylibyśmy wdzięczni, gdybyś nie wspominała o naszym zaangażowaniu.

– Dlaczego? Ty i twoi ludzie powinniście dostać medale za to, co zrobiliście.

– Transportujemy takie ładunki, że nie lubimy zwracać na siebie uwagi.

Nie zaszkodziło sprawić na niej wrażenia przemytników. Ich umiejętność posługiwania się bronią i znajomość taktyk walki tylko to potwierdzały.

Maria spojrzała na niego znacząco.

– Rozumiem. A trupy na moim statku?

Juan miał gotową odpowiedź.

– Piraci. Próbowali zająć statek, kiedy tonął, i zabili twoją załogę.

– A kto zabił ich?

– Konkurencja wewnątrzgrupowa. Nie ma honoru wśród złodziei, którzy w końcu zostaną zidentyfikowani jako czarne owce w wenezuelskiej marynarce wojennej. Reszta odpłynęła swoją łodzią, kiedy nie mogli ruszyć statkiem w drogę.

Juan widział, że Maria to przetrawia.

– To ma sens – powiedziała w końcu. – Przynajmniej tyle mogę dla was zrobić.

– Dzięki. Uważam, że na razie powinnaś zostać z nami. Oczywiście decyzja należy do ciebie, ale jeśli naprawdę stoi za tym admirał Ruiz, możesz być w niebezpieczeństwie. Przypuszczam, że ona nie lubi niedokończonych spraw. To znaczy, jeśli nie masz nic przeciwko temu, żeby być zaginioną, dopóki to nie ucichnie.

– Myślę, że przez jakiś czas nie będę dowodziła moim statkiem. A mój były mąż na pewno się tym nie przejmie. Ale powinnam przynajmniej zawiadomić Cabimas.

– Powiedz im prawdę. Obawiasz się o swoje życie, bo napastnicy uciekli. Kiedy ich złapią, poczujesz się na tyle bezpieczna, że wrócisz.

Zastanowiła się nad sugestią.

– Dobrze – odrzekła. – Chyba to zrozumieją. Na razie ważniejsze dla nich będzie odzyskanie statku.

– Świetnie. Każę mojemu stewardowi Maurice'owi przygotować dla ciebie odpowiednią kabinę.

– Jeszcze raz dziękuję, kapitanie Cabrillo.

Posłał jej uśmiech.

– Cieszę się, że mogę pomóc.

Zostawił ją w rękach Maurice'a i poszedł do siebie, gdzie przetrasowano telefon od Langstona Overholta.

– Uruchomiłeś tu wszystkie alarmy tamtymi zdjęciami – oznajmił burkliwy osiemdziesięciokilkulatek. – Nikt się nie spodziewał, że one wypłyną – dwuznacznik niezamierzony.

– Więc to amerykańska konstrukcja?

– Marynarka wojenna pracowała nad tym przez lata, dopóki jakiś wirus nie wstrzymał programu. Cały software sterujący się uszkodził i pliki z projektami zostały usunięte. Tylko ktoś z zespołu mógł to zrobić.

– Więc to była robota kogoś wewnątrz. Dlaczego się nie spodziewaliście, że projekt już trafił za granicę?

– Bo zidentyfikowaliśmy złodzieja. To był konstruktor uzbrojenia nazwiskiem Douglas Pearson. Dokumentację odzyskano w jego domu. On zawirusował program.

– Siedzi w więzieniu?

– Nie żyje. A przynajmniej tak uważamy. Uczestniczył w ćwiczeniach, kiedy jego łódź zniszczył niesprawny dron powietrzny. Ciała nie znaleziono, ale przypuszczamy, że spłonęło w katastrofie i utonęło.

– Teraz nie jesteście tacy pewni?

– O, jesteśmy pewni, że żyje. Jeśli te łodzie podwodne zbudowali Wenezuelczycy, to nie mogli zrobić tego tak szybko bez niego. Należał do zaledwie garstki ludzi, którzy dokładnie znali program. Dwaj inni zginęli w tej samej katastrofie, a reszta nadal pracuje tutaj u wykonawców zamówień dla wojska. Nie uważamy, że są winni, ale sprawdzamy ich ponownie na wszelki wypadek. Myślę, że Pearson jest sprawcą.

– Więc chcę go dopaść tak samo jak wy – odrzekł Juan i opowiedział o zamachach na załogę „Oregona".

– Skąd wiedział, gdzie jesteście? – zapytał Overholt.

– Bardzo bym chciał znać odpowiedź na to pytanie. Ale myślę, że dzieje się coś jeszcze. Wydaje się, że on ma armię haitańskich żołnierzy pod swoim dowództwem i może planować jakąś większą operację.

– To pewnie on zatopił łodzie podwodne. Sądzisz, że ma ich więcej?

– Nie wiem, ale jeden z Haitańczyków powiedział, że świat się zmieni za cztery dni. Jeśli Pearson w tym uczestniczy, brzmi to tak, jakby miał środki, żeby to zrobić.

– I tak już jest źle, że wykradziona amerykańska broń zatopiła trzy statki i uszkodziła czwarty. Nie możemy pozwolić, żeby jej użył do ataku terrorystycznego.

– Skoro uważaliście, że on nie żyje – odrzekł Juan – to przypuszczam, że nie wiecie, gdzie może być.

– Nie, i sami nie możemy go szukać. Znasz Waszyngton. To by przeciekło w jakieś pięć sekund. Zlecam tobie znalezienie Pearsona. Jeśli zdobędziesz wiarygodny dowód zagrożenia, będę mógł ostrzec odpowiednie agencje.

– Więc uważam, że najlepiej zacząć od miejsca, gdzie po raz ostatni widziano go żywego. Może przeoczono jakieś tropy we wraku łodzi. Dirk Pitt go wydobył?

– NUMA podniosła łódź z dna Chesapeake, ale Dirk zlecił śledztwo w sprawie wypadku firmie Gordian Engineering, badającej katastrofy.

– Z kim mam się skontaktować?

– Z samym głównym inżynierem. Sprowadzono go ze względu na delikatną naturę wykorzystywanej technologii. Ma wszystkie poświadczenia bezpieczeństwa najwyższej kategorii. Juan usłyszał w tle szelest przekładanych papierów.

– Mam. Jest jeszcze w Patuxent i rekonstruuje wrak. To doktor Tyler Locke.

Słońce dawno zaszło i Hector Bazin nie widział nic poza zasięgiem reflektorów terenowej toyoty, którą prowadził David Pasquet. Na Haiti, najbiedniejszym kraju na półkuli zachodniej, mieszkańców wsi nie było stać na generatory prądotwórcze i nocne oświetlenie ograniczało się do opalanych drewnem pieców. W pagórkowatej środkowej części Haiti, którą teraz przemierzali, panowała taka ciemność, że granica z bogatszym sąsiadem na zachodzie, Republiką Dominikany, była łatwo widoczna na nocnych zdjęciach satelitarnych zajmowanej przez dwa państwa wyspy.

Kiedy okrążyli wzniesienie, nagły blask lamp łukowych w cementowni pośrodku pustkowia zirytował ich. Na terenie między wzgórzami a drugim największym jeziorem Haiti, Péligre, stał tuzin budynków, przenośniki taśmowe i kopuła, gdzie składowano wapień do przetwarzania.

Jeśli budynki wyglądały na wiekowe, to dlatego, że nie używano ich przez ponad pięćdziesiąt lat, dopóki Bazin ich nie zajął. Służyły za bazę wypadową jego najemnikom. Lokalizacja była dokonała, kilometry od jakiegokolwiek miasta, gdzie ktoś mógłby usłyszeć strzały.

Obiektu nie otaczało siatkowe ogrodzenie. W strategicznych odstępach rozmieszczono czujniki ruchu, które włączały alarmy, gdy tylko jakiś intruz postawił stopę na granicy terenu.

Pasquet zahamował wolno przed dużym budynkiem najbliżej wzgórza za cementownią. Bazin wziął swój worek marynarski i wszedł.

W środku zastał sześćdziesięciu Haitańczyków. Klęczeli z rękami nad głowami. Jego ludzie okrążali ich jak wilki z karabinami szturmowymi G36 gotowymi do strzału. Dwa ciała leżały na podłodze.

Telefon, który Bazin dostał w drodze z lotniska, przygotował go, ale znów się wściekł przez tę kolejną komplikację.

– Co się stało? – zapytał starszego oficera, dowodzącego podczas jego nieobecności.

Oficer wskazał głową mężczyznę na kolanach w pierwszym rzędzie. Krew ciekła ze świeżej rany na jego czole. Spiorunował Bazina wzrokiem z ponurą determinacją.

– Kiedy kopali, on i inni skoczyli na dwóch strażników i zabili ich – wyjaśnił oficer. – Udało nam się ich pokonać, zanim zdobyli broń.

– Strażnicy powinni być ostrożniejsi – odparł Bazin. – Ostrzegałem ich, że Jacques to spryciarz.

Jacques Duval się odwrócił i wypluł krew, która spływała mu do ust.

– Nie możesz nas tu trzymać wiecznie, Hector.

Bazin przekrzywił głowę i popatrzył na swojego dawnego współlokatora, a do niedawna zastępcę komendanta haitańskiej policji, zanim go porwano i przywieziono tutaj.

– A kto mówi, że zamierzam?

– Nie będziemy dalej kopać dla ciebie.

– Musicie, jeśli chcecie, żeby wasze rodziny żyły.

Duval roześmiał się smutno.

– Nie widzisz ironii tego wszystkiego, Hector? Trzymasz nas jako niewolników w kraju, który pierwszy zrzucił jarzmo niewolnictwa i stał się niepodległym państwem.

– Nie jesteście niewolnikami, tylko zdrajcami. Dałem wam szansę przyłączenia się do mnie, a wy próbowaliście mnie zniszczyć.

Duval spojrzał na niego ze współczuciem.

– Co z ciebie wyrosło? Ty i ja byliśmy *restavecami* w tym samym domu. Obaj wstąpiliśmy do francuskiej Legii Cudzoziemskiej. Byliśmy tacy sami. A teraz jesteś potworem.

– Nie byliśmy tacy sami.

Zwrócił się do reszty klęczących, z których wielu służyło haitańskiemu rządowi razem z Duvalem.

– Ten szanowany, wręcz czczony przez was człowiek to skomlący pies, który pozwalał, żeby młodszego od niego chłopca bito codziennie przez całe jego życie.

Duval westchnął.

– Masz rację, Hector. Powinienem wtedy coś zrobić. Ale byłem tylko dzieckiem. A teraz staram się zmienić to wszystko, cały system, żeby na Haiti żyło się lepiej.

– To się nie zmieni. Nigdy. Dlatego cię tu przywiozłem. Ty i ci wszyscy ludzie jesteście obłąkani, jeśli myślicie, że to się może kiedykolwiek zmienić. Jedyne, co się zmienia, to władza. Dzięki temu, co tu robimy, będę miał większą władzę, niż jesteś w stanie sobie wyobrazić.

– Dlaczego nas po prostu nie zabijesz? Obaj jesteśmy wojskowymi, więc bądź szczery. Właśnie to chcesz zrobić, tak? Nie wypuścisz nas stąd po tym, co tu widzieliśmy.

– Nadal jesteście nam potrzebni do budowy tunelu ewakuacyjnego, więc trzeba dalej kopać. Ale masz rację, nie potrzebuję was wszystkich. Musicie ponieść konsekwencje tego, co zrobiliście.

Bazin wziął karabin szturmowy od najbliższego najemnika. Duval się wyprostował i spojrzał mu w oczy, jakby wiedział, co nadchodzi.

Bazin pokręcił głową i się uśmiechnął.

– Co za szlachetny gest. Ale nie. Jako wojskowy powinieneś wiedzieć, że twoi ludzie zawsze płacą za twoje błędy.

Bazin przesunął lufę i strzelił w czoło mężczyznom po obu stronach Duvala.

– Nie! – krzyknął Duval i zerwał się na nogi, gotowy zaatakować Bazina.

– Ma być trzech? – spytał Bazin.

Duval przystanął, uśmiechnął się szyderczo i ukląkł z powrotem.

– Dobrze – powiedział Bazin i rzucił karabin swojemu
człowiekowi. – To był tylko mały wstęp. Jeśli będziecie się
zachowywać, może pozwolę wam pożyć tyle, żebyście zobaczyli, jaką władzę można mieć nad światem.

Rozdział 29

Baza lotnictwa marynarki wojennej Patuxent River, Maryland

Juan wjechał wypożyczonym samochodem za betonowe
zapory zdolne zatrzymać ciągnik siodłowy z naczepą, gdyby chciał się przebić na teren bazy. On i Eric Stone, którego zabrał dla jego wiedzy technicznej, zbliżali się do bramy
Pax River, jak nazywał bazę jej personel, wchodzący teraz
do obiektu w godzinie porannego szczytu.

Kiedy Juan dotarł do bramy, huk silników samolotu prze-
ciwpodwodnego P-8 Poseidon, schodzącego do lądowania,
zagłuszył głos wartownika. Ale jego zamiar był jasny – chciał
ich wylegitymować.

Juan żałował, że nie mogą użyć fałszywych dowodów tożsamości, jak zawsze w podróży. Ale żeby wjechać do bazy
marynarki wojennej i uzyskać dostęp do ściśle tajnego projektu, musieli mieć przy sobie poświadczenia bezpieczeństwa, które dostali, gdy zatrudniał ich amerykański rząd.
Langston Overholt nalegał na to.

Wartownik sprawdzał ich dokumenty, marynarz z karabinem szturmowym obejrzał zaś podwozie auta lusterkiem i zajrzał do pustego bagażnika. Zostali wpuszczeni i wartownik skierował ich do hangaru w południowej części bazy.

Gdy mijali rząd samolotów F-18 Hornet do szkolenia pilotów testowych, Juan podziwiał możliwość Overholta wtajemniczenia ich w tak ściśle tajną operację wojskową. Bez wątpienia sprawiły to zdjęcia łodzi podwodnych Pirania.

Niecałe trzydzieści sześć godzin wcześniej „Oregon" zostawił „Ciudad Bolívara", gdy firma ratownictwa morskiego zawiadomiła przez radio, że są w drodze. Nie chcąc ryzykować spotkania z jamajskimi władzami, „Oregon" wziął kurs na Santo Domingo, stolicę Dominikany. Wyładowali tam naprawioną łódź wędkarską Craiga Reeda i zapłacili za jego rehabilitację w najlepszym ośrodku zdrowia w mieście.

„Mały" Gunderson, pilot samolotu Korporacji, czekał na Juana i Erica na lotnisku w Santo Domingo w ich prywatnym odrzutowcu Gulfstream. Cztery godziny później wylądowali na Reagan National, gdzie skierowano ich do hangaru zaledwie sto metrów od brzegu zatoki Chesapeake. W słońcu lśniły zamknięte białe wrota, w których zmieściłby się samolot pasażerski.

Mężczyzna w skórzanej kurtce i dżinsach zamachał do Juana, żeby zaparkował przy bocznych drzwiach, gdzie stał uzbrojony wartownik w pełnym mundurze bojowym. Juan wysiadł w rześki chłód. Cywil, uśmiechnięty przyjaźnie, atletycznie wyglądający mężczyzna ze zmierzwionymi brązowymi włosami, przywitał go uściskiem dłoni. To nie był głupkowaty inżynier, jakiego Juan się spodziewał.

— Tyler Locke — przedstawił się. — A pan to na pewno Juan Cabrillo.

— Tak, a to jest Eric Stone. Jak rozumiem, pan jest głównym śledczym prowadzącym dochodzenie.

– Zgadza się. Dirk Pitt uprzedził nas, że przyjedziecie, i upoważnił do podzielenia się z wami wszystkimi naszymi odkryciami. Dlaczego interesuje was ta sprawa?

– Chodzi o Douglasa Pearsona. Chcemy wiedzieć, czy jest możliwe, że przeżył wypadek z dronem.

– Wypadek? – powiedział Locke. – Widzę, że nie jesteście na bieżąco z naszymi postępami.

– Więc wydobyliście wrak?

– Zrobiliśmy trochę więcej. Pokażę wam.

Locke włożył kartę do czytnika i wstukał kod na klawiaturze drzwi. Elektroniczny zamek kliknął i Locke wepchnął się do środka.

Wzrok Juana dopiero po chwili przyzwyczaił się do zmiany oświetlenia po oślepiającym słońcu, gdy on i Eric weszli za Lockiem. Kiedy odzyskał ostrość widzenia, zobaczył niezwykłą scenę: sześciu robotników rekonstruowało łódź w hangarze lotniczym.

Tylko jej część dziobowa była nietknięta. Reszta została poskładana razem jak największe na świecie puzzle. Stalowy szkielet podpierał kawałki, w większości poczerniałe i zniekształcone. Ale dopasowano je do siebie tak precyzyjnie, że można było łatwo rozpoznać poprzednią sylwetkę łodzi.

Na prawo od niej stała mniejsza konstrukcja podtrzymująca szczątki drona, który uderzył w łódź. Mniej tych fragmentów było widocznych, ale tworzyły wyraźny kształt litery V, jaki miał bezzałogowiec.

Muskularny czarnoskóry mężczyzna wpisywał do tableta uwagi o dronie. Na widok Locke'a i dwóch nowo przybyłych podszedł krokiem będącym czymś pomiędzy człapaniem niedźwiedzia a płynnymi ruchami pantery. Górne światło odbijało się w jego łysej głowie.

– Zmontowaliśmy ostatnie fragmenty drona – zwrócił się do Locke'a. – Za godzinę skończymy łódź, ale to nie powinno zmienić naszych ustaleń. Obiecałem ekipie, że za tak szybko wykonaną robotę postawisz im wieczorem w Clarke's Landing tyle piwa i ciasteczek krabowych, ile będą chcieli.

– Jeśli tobie też, to będę musiał wziąć pożyczkę, żeby się wypłacić – odrzekł Locke, zanim przedstawił Juana i Erica. – To jest Grant Westfield, najlepszy inżynier elektryk w Gordian Engineering i zmora wszystkich bufetów „jesz, ile chcesz".

Eric rozdziawił usta, kiedy ściskał wielką łapę Westfielda.

– Grant Westfield? Bez żartów! Murph dostanie ataku, jak się dowie, że poznałem Pogromcę. Gramy pana cały czas w Pro Wrestling All-Stars.

– Mam nadzieję, że to gra wideo – wtrącił się Juan.

Eric go zignorował.

– To prawdziwy zaszczyt, panie Westfield – ciągnął. – Podziwiam pańską decyzję, żeby zrezygnować z wrestlingu i wstąpić do rangersów po jedenastym września, ale to byłaby frajda, znów zobaczyć pana na ringu.

– Mam za dużo frajdy w tej robocie, żeby wracać do obrywania po głowie składanymi krzesłami. Wiem od Tylera, że pilnie potrzebujecie wyników naszej analizy.

Juan przytaknął.

– To się wiąże z naszym śledztwem. Szanowny pan doktor tutaj sugeruje, że to nie był wypadek.

– Nie ma mowy. Początkowy wniosek marynarki wojennej był taki, że dron naprowadził się na sygnał sterujący z anteny na łodzi i zaatakował, ale to niemożliwe.

– Dlaczego?

– Bo odkryliśmy, że kabel anteny był odłączony przed uderzeniem. Łódź płynęła w tym czasie z prędkością ponad dwudziestu węzłów i wykonywała uniki. Dron powinien stracić namiar, kiedy sygnał zanikł, ale trafił dokładnie w śródokręcie łodzi.

– Wiecie, jak to zrobił? – spytał Eric.

Locke pokazał zwęglony kawałek sprzętu.

– Celował w to. To jest urządzenie naprowadzające, które było ukryte w laptopie. Uważamy, że ktoś użył tego do sterowania dronem i żadne uniki nic nie dały.

Juan wziął zniszczony zespół obwodów elektrycznych i obrócił go w ręku.

Małe urządzenie mogło się łatwo zmieścić w obudowie komputera.

– Myślicie, że sabotażu dokonał ktoś z uczestników projektu?

– Więcej – odparł Westfield. – Naszym zdaniem ktoś na łodzi. Ktokolwiek przekierował drona, musiał to zrobić ze stanowiska roboczego na pokładzie.

– Pearson był wtedy na łodzi?

– Było ich czterech – odrzekł Locke. – Kapitan łodzi i trzech szefów projektu: Douglas Pearson, Frederick Weddell i Lawrence Kensit. Znaleźliśmy tylko dwa ciała, kapitana i Weddella. Weddell był na pokładzie w chwili eksplozji, a kapitan na mostku. Dron trafił dokładnie w centrum dowodzenia.

– Mieliśmy szczęście, że mimo bardzo wysokiej temperatury jakieś szczątki zostały w łodzi po jej zatonięciu – dodał Westfield. – Zaledwie trochę kości, ale wystarczyły do zbadania DNA szpiku.

– Domyślam się, że znaleźliście tylko DNA Kensita – powiedział Juan – a kości Pearsona nigdzie nie było.

– Na to wyglądało – przyznał Locke – ale zauważyliśmy dużą niespójność, kiedy symulowaliśmy uderzenie.

– Symulowaliście? To znaczy, że możecie odtworzyć, co się rzeczywiście stało w momencie eksplozji?

Locke przytaknął.

– Moja firma, Gordian, opracowała oprogramowanie do tego. Najpierw tworzymy trójwymiarowe modele uczestników katastrofy. Potem wprowadzamy deformacje spowodowane przez uderzenie i eksplozję, prędkość obu obiektów i przybliżoną lokalizację szczątków wydobytych z dna morskiego. Program przetwarza dane i robi przybliżoną symulację zdarzenia.

Westfield wręczył mu tablet i Locke wyświetlił na ekranie zaskakująco szczegółowy obraz nieruchomej łodzi na powierzchni wody, z kilwaterem za rufą. Nurkujący dron wisiał nad nią.

– Wideo jest spowolnione stukrotnie.

Locke włączył odtwarzanie. Dron zbliżył się do łodzi i uderzył dziobem w pokład. Deformował się, dopóki nie wybuchł. Fragmenty łodzi się rozprysły i ona też eksplodowała. Nagranie się skończyło, gdy wszystkie szczątki w powietrzu opadły do wody. Juan był zdumiony, że w ogóle coś wydobyli, a tym bardziej znaczną część, którą poskładali w całość.

– Teraz, kiedy już wiecie, jak uderzenie wyglądało z zewnątrz – powiedział Locke – zobaczmy je od wewnątrz.

Puścił następne nagranie wideo. Pokazywało odtworzone centrum dowodzenia, prawie tak realistyczne jak zdjęcie. Tylko jedna postać siedziała w pomieszczeniu.

– A gdzie są inni? – spytał Eric.

– Kapitan jest na mostku, a Weddell wszedł na górę, żeby odłączyć ręcznie kabel anteny – wyjaśnił Westfield. – Nasza symulacja pokazuje, że tylko jedna osoba została w centrum dowodzenia.

– Pearson musiał wyskoczyć za burtę, zanim dron uderzył – stwierdził Juan.

– Badanie DNA dowiodło, że w centrum był Kensit – odrzekł Locke – ale obejrzyjcie to.

Włączył wideo i zobaczyli, że w momencie uderzenia drona siedząca osoba została odrzucona do tyłu razem z krzesłem. Wpadła na przeciwległą ścianę i zniknęła w kuli ognia.

Juan nie zauważył nic nieoczekiwanego.

– Musiałem coś przeoczyć.

– Douglas Pearson ważył sto trzynaście kilogramów – wytłumaczył Locke. – Kensit siedemdziesiąt dwa. Gdyby to Kensit siedział na krześle, uderzenie nastąpiłoby co najmniej piętnaście centymetrów wyżej niż miejsce, gdzie znaleźliśmy kawałki krzesła i DNA tkwiące w sprzęcie, który wydobyliśmy po stronie tamtej burty. To nie Kensit zginął w tym pomieszczeniu, tylko Pearson.

– Na pewno?

– Oceniam prawdopodobieństwo na osiemdziesiąt procent – powiedział Westfield. – Mieliśmy zdjęcie wnętrza do wykorzystania przy pracy, ale nie jesteśmy pewni jego konfiguracji tamtego dnia.

– Ale marynarka twierdzi, że DNA wskazuje na Kensita – odparł Juan.

– Jeśli to Kensit przeprogramował drona – wtrącił się Eric – to ktoś z taką wiedzą potrafiłby upozorować swoją śmierć, włamując się do rejestru komputerowego i podmieniając DNA. Ja i Murph umielibyśmy to zrobić, gdybyśmy mieli dość czasu.

– Właśnie to chcemy zasugerować w naszym raporcie – odrzekł Westfield. – Marynarka powinna sprawdzić rzeczywiście pobraną próbkę DNA, jeśli jeszcze ją mają. Jest wysoce nieprawdopodobne, że Kensit mógł sfałszować oryginał. Są bezpiecznie przechowywane w głębokim zamrożeniu w Rockville w Marylandzie.

– Jak myślicie, kiedy ponownie sprawdzą próbkę? – zapytał Juan.

– Znacie biurokrację w Departamencie Obrony. To może zająć tygodnie.

– Nie mamy tyle czasu. Można to przyspieszyć?

Locke wzruszył ramionami.

– To zależy od marynarki, ale trzeba mieć chody, żeby w ogóle się tam dostać. Dostarczymy nasze wstępne wnioski, zanim się stąd wyniesiemy jutro rano. Musimy lecieć do

Kairu na pilny projekt, więc nie będziemy mogli zajmować się tym jeszcze tydzień czy dwa.

Westfield przewrócił oczami.

– Nie wiem, dlaczego nie możemy najpierw wrócić do Seattle. Piramida Cheopsa ma pięć tysięcy lat i nie może poczekać jeszcze kilku dni?

– Na razie, panie Cabrillo – ciągnął Locke – działałbym z założeniem, że Lawrence Kensit żyje. Co teraz robi lub gdzie jest, nie potrafię panu powiedzieć. Ale jeśli będzie pan go szukał, radzę postępować bardzo ostrożnie.

– Dlaczego?

Ponura mina Locke'a mroziła krew w żyłach.

– Kensit starannie zaplanował zabicie ludzi, których znał od lat, żeby zniknąć. Dwa lata przed tą katastrofą praktycznie wepchnął się do projektu budowy i rozwoju dronów marynarki, latających i pływających. Nauczył się wszystkiego o działaniu bezzałogowców, od środków ostrożności po ich sterowanie. Musiał mieć bardzo konkretny powód, żeby upozorować swoją śmierć.

– Słusznie – przyznał Eric. – Zamierzał sprzedać technologię łodzi podwodnej Pirania temu, kto da najwięcej, i zrobić to tak, żeby nikt się nie zorientował, że to on wykradł plany.

Juan zauważył, jak Locke i Westfield wymieniają zaniepokojone spojrzenia.

– Zdziwiłbym się, gdyby o to mu chodziło – powiedział Locke. – Podczas naszego śledztwa przesłuchaliśmy wszystkich członków projektu. Każdy mówił o dwóch sprawach. Po pierwsze, że Kensit, doktor fizyki i informatyki, był najbardziej błyskotliwą osobą, jaką kiedykolwiek spotkali, a oceniali go tak jedni z najwybitniejszych konstruktorów uzbrojenia. Twierdzili, że ten projekt nie stanowił wyzwania dla niego i jego inteligencji. Kensit lekceważył innych, bo nie dorównywali mu pod względem przenikliwości umysłu, a mimo to nie odszedł.

– A po drugie? – przynaglił Juan.

– Kensit nie krył pogardy dla Ameryki za to, że marnuje możliwość naprawy świata i trwoni swoją przewagę technologiczną, zwłaszcza w dziedzinie uzbrojenia. Uważał, że światowi przywódcy są zbyt zepsuci, słabi lub wdzięczni wyborcom, żeby rozwiązać problemy, które jego zdaniem mają proste rozwiązania. Przestępczość, wojny, głód, skażenie środowiska, niedobory energii i wody – to wszystko mogłoby zniknąć, gdyby jedna osoba z odpowiednią technologią, inteligencją i wyraźną wizją, nieskrępowana sentymentalizmem, mogła się skupić na całej sytuacji i zmusić przywódców do robienia tego, co według niej jest najlepsze dla świata. Można się domyślić, kto powinien być tą osobą.

Juan pokiwał wolno głową. Teraz rozumiał, dlaczego odkrycie, że Kensit przeżył, zaalarmowało Locke'a i Westfielda. I choć wiedzieli, że zabił trzech ludzi, żeby upozorować swoją śmierć, nie wiedzieli, że zatrudnia teraz haitańskie plutony egzekucyjne, które omal nie zgładziły całej załogi „Oregona", bo szpiegowały ją jakimiś niewykrywalnymi sposobami. Słowa tamtego zamachowca, że świat się zmieni za niecałe cztery dni, wskazywały, że fizyk albo jest kompletnie stuknięty, albo realizuje równie szalony plan.

– Kensit miał w ogóle jakichś przyjaciół? Kogoś bliskiego, kto mógł podejrzewać, co on zamierza?

– Nie miał rodziny i nie spotykał się z nikim spoza pracy. Jeden z jego współpracowników wspomniał, że podsłuchał, jak Kensit rozmawiał z Pearsonem o jakimś dzienniku, który odziedziczył. Pearson znał niemiecki i Kensit chciał, żeby mu coś przetłumaczył. Tamten współpracownik uznał to za niezwykłe, bo to był jedyny raz, kiedy Kensit mówił o jakiejś sprawie osobistej. I zapamiętał, że było zaledwie kilka strzępów rozmowy, zanim Kensit nagle wyłączył z tego Pearsona i nigdy nie wrócił do tematu. Chodziło o jakiegoś niemieckiego naukowca, o statek o nazwie „Roraima" i o Oz.

– Oz jak *Czarnoksiężnik z krainy Oz?* – spytał Eric.

– Zapytałem o to samo – odrzekł Westfield. – Odpowiedział, że tak to brzmiało.

– Kensit mógł mówić o Australii – podsunął Juan, nawiązując do tego, jak Australijczycy nazywają swój kraj.

Westfield wzruszył ramionami.

– Trudno orzec, jak się nie wie więcej. Sprawdziliśmy „Roraimę". Znamy trzy. Jedna to mały statek towarowy, obecnie pod brazylijską banderą. Drugą był dziewiętnastowieczny parowiec, który wpadł na mieliznę, ale został uratowany. Jego kapitan zbudował potem wiktoriańską rezydencję i nazwał ją tak jak statek. Teraz to jest pensjonat.

– A trzecia? – zapytał Juan.

– Ta jest najbardziej interesująca – odparł Locke. – Zatonęła w porcie w Saint-Pierre w 1902 roku podczas erupcji wulkanu Montagne Pelée. O ile wiem, wulkan jest teraz atrakcją turystyczną. Pytanie brzmi, dlaczego Kensita miałby interesować któryś z tamtych statków. Nie znaleźliśmy przyczyny.

– Znam kogoś, kto może wiedzieć.

Mamy szczęście, pomyślał Juan, że St. Julien Perlmutter mieszka tylko kawałek drogi stąd w Waszyngtonie.

Rozdział 30

Port-au-Prince, Haiti

Smród z portu czynił sprawdzanie ładunku paskudnym zadaniem, ale ten sprzęt był zbyt ważny dla Lawrence'a Kensita, żeby zostawić to rosyjskim naukowcom i technikom, których ściągnął z nieczynnego laboratorium broni jądrowej. Od zawartości tego kontenera zależało, czy testowanie drugiej fazy „Wartownika" zakończy się zgodnie z harmono-gramem. Musiał wiedzieć od razu, czy coś się uszkodziło lub czegoś brakuje, co mogło się zdarzyć, bo kupował wszystko na czarnym rynku.

Wykrzykiwał pozycje z listy do ekipy, która rozpakowy-wała skrzynie. Miały być załadowane na ciężarówki i za-wiezione dziurawymi i wyboistymi drogami do celu. Mimo drobnej postury i piskliwego głosu był pewien, że jego ekipa wykona polecenia i dopilnuje, żeby delikatna aparatura do-jechała nietknięta i gotowa do testowania.

Ledwo funkcjonujący port zniszczyło w 2010 roku trzę-sienie ziemi. Zginęło wtedy ćwierć miliona osób. To miejsce przypominało, że świat potrzebuje Kensita i jego drastycznych działań do obrony przed samym sobą. Wszędzie piętrzyły się sterty śmieci. Budynki w ruinie stały puste. Suwnica na środku portu przechylała się jak Krzywa Wieża w Pizie, ca-ła jej podstawa spoczywała w wodzie. Wychudzone dzieci grzebały w odpadkach w poszukiwaniu czegoś do sprzeda-nia.

Scena obrazowała lenistwo, zepsucie i brak woli we wszyst-kich krajach. Kensit uważał się za zbyt inteligentnego, że-by wierzyć w los lub przeznaczenie, ale potrafił dostrzec szansę, kiedy się pojawiała. Spadek, który dostał prawie trzy lata wcześniej, właśnie nią był. Gdyby trafił do kogoś innego, zmarnowałby się. W jego rękach rewolucyjne teo-rie mogły wyznaczyć nowy kierunek cywilizacji z nim jako przewodnikiem.

Odkąd pamiętał, różnił się od wszystkich. Uważał to za ich ułomność, nie swoją. Rodzice stale mu powtarzali, że jest wyjątkowy. Uznawał to za oczywiste, skoro zdołał opanować analizę matematyczną, zanim skończył dziesięć lat. Nie zadawał się z innymi dziećmi, a dorośli mieli go za dziwaka lub zabawnego odmieńca, którego się pokazuje, żeby robił sztuczki.

Kensita dziwnie pociągała izolacja. Ludzie go denerwowali i nudzili swoimi rozmowami towarzyskimi i potrzebą łagodzenia uczuć innych. Zanurzał się w wirtualnych światach, gdzie mógł być potężnym mrocznym rycerzem lub czarownikiem, kimś z pozycją, jakiej nie miał nadziei osiągnąć w prawdziwym świecie ze swoją drobną budową i potulnym wyglądem. W prawdziwym świecie jego intelekt wywoływał zazdrość i dyskomfort u ludzi wokół niego, ale w wirtualnej rzeczywistości mógł ich podporządkować swojej woli, czy tego chcieli, czy nie.

Kiedy zrobił doktoraty z fizyki i informatyki na Caltechu w wieku osiemnastu lat, werbowały go czołowe uniwersytety. Choć zgłębianie największych tajemnic wszechświata było intrygujące, projektowanie broni fascynowało go dużo bardziej. Prowadzenie wojny z użyciem dronów dopiero raczkowało, ale dostrzegł możliwość przeniesienia swoich doświadczeń z gier wideo do rzeczywistości.

Końcowy efekt był bardziej frustrujący, niż sobie wyobrażał. Jego zgrabne projekty oprogramowania wykorzystywali nieudolnie politycy, którym bardziej zależało na ograniczaniu liczby cywilnych ofiar niż zabijaniu terrorystów lub wygrywaniu wojen z użyciem przeznaczonych do tego dronów. Kensit widział wszystkie inne problemy świata. Kiedy znajdował rozwiązania, wydawały mu się proste, ale gdy przedstawiał je innym, byli im dziwnie przeciwni.

Wtem pewnego dnia trzy lata temu jakiś prawnik zadzwonił do niego, że stryjeczna babka, której nie znał, nie żyje. Ponieważ jego rodzice zmarli na raka w młodym wieku, Kensit był jej jedynym żyjącym krewnym. Zostawiła mu mały spadek, łącznie z dziennikiem jej wuja, niemieckiego naukowca Günthera Lutzena, który zginął podczas erupcji wulkanu Montagne Pelée w 1902 roku. Kensit o mało nie wyrzucił notatnika bez czytania, jednak otworzył go niedbale i zobaczył równania wuja. Jeden z niewielu razy w życiu osłupiał z naukowego powodu.

Od razu się zorientował, że odziedziczył geniusz po jednym z krewnych. Rozumiał równania, ale wścibstwo Pearsona, kiedy poprosił go o przekład niektórych słów, uświadomiło mu, że będzie potrzebował zawodowego tłumacza do rozszyfrowania niemieckiego tekstu. Gdy Kensit przeczytał przekład, wiedział, że sam musi kontynuować pracę dalekiego krewnego. Jeśli przekaże rewolucyjne koncepcje swojemu pracodawcy, rządowi amerykańskiemu, politycy zmarnują je tak, jak jego technologię dronów.

Tamtego dnia zaczął planować upozorowanie swojej śmierci. Osiągnięcie celu zajęło mu dwa lata, a potem jeszcze dziewięć miesięcy osiemnastogodzinnych dni pracy, ale już prawie zakończył następny etap zdobywania mocy przebudowy świata według własnej wizji.

Kiedy sprzęt został ostatecznie sprawdzony i ciężarówki odjechały, przyszedł czas na wykonanie telefonu. Znalazł spokojne miejsce na nabrzeżu przeładunkowym i zadzwonił do admirał Dayany Ruiz. Odebrała po czwartym sygnale.

– Tak?

– Nie widzi pani, kto dzwoni?

Jego głos zmieniał modulator, żeby nie rozpoznało go oprogramowanie podsłuchowe NSA.

– Owszem, widzę, Doktorze.

– To niech pani odbiera szybciej następnym razem. Marnuje pani nasz czas przez te małostkowe gierki.

– Ja marnuję nasz czas? To pan nie zatopił „Ciudad Bolívara". Straciłam dwunastu ludzi podczas tamtej operacji i muszę odpowiadać na pytania, dlaczego marynarze wenezuelskiej floty wojennej byli na pokładzie statku, kiedy go znaleziono. I gdzie są moje drony podwodne?

– Musiałem je zatopić.

– Co?!

– Mało brakowało, żeby wpadły w ręce Amerykanów. Nie mogłem do tego dopuścić.

Ruiz krzyknęła tak głośno, że Kensit musiał odsunąć telefon od ucha.

– Jak cię znajdę, kimkolwiek jesteś, zniszczę cię!

– Wyżywa się pani na niewłaściwej osobie – odparł Kensit. – Powinna pani poszukać Juana Cabrilla.

– Kto to jest?

– Zna go pani jako Bucka Hollanda, kapitana „Dolosa". Jego statek naprawdę nazywa się „Oregon" i w rzeczywistości nie zatopiła go pani. To wszystko było zmyślnym podstępem.

– O czym pan mówi? Skąd pan wie, że zatopiliśmy „Dolosa"?

– Jak powiedziałem, nie zatopiliście go. Zatopiliście kopię.

– Bzdura.

– Tak? To jak pani wytłumaczy, że porucznik Dominguez i jego ludzie wpadli w zasadzkę na pokładzie „Ciudad Bolívara"?

– Pan odpowiada za to wszystko.

– Po co miałbym to robić? Nie dostałbym reszty pieniędzy, które jest mi pani winna. Co bym zyskał? To naprawdę nie jest takie trudne.

Cisza.

– Skąd mam wiedzieć, że pan mnie nie okłamuje?

Kensit postukał w ekran telefonu.

– Niech pani zobaczy, co właśnie wysłałem.

Zdjęcie pokazywało Juana Cabrilla i Franklina Lincolna na mocno przechylonym „Ciudad Bolívarze". Stali na relingu z „Oregonem" w tle.

– Poznaje ich pani?

– Blondyna nie. Ale czarny był w moim magazynie w Puerto La Cruz.

– Ten, którego pani nie poznaje, to Juan Cabrillo alias Buck Holland. Statek za nimi to „Oregon".

– Ma takie same wymiary, ale wygląda zupełnie inaczej niż „Dolos".

– Oni potrafią maskować swój statek.

– To śmieszne.

– Spodziewałem się, że pani tak powie. Niech pani sprawdzi jeszcze raz swoje wiadomości.

Wysłał jej krótki film poklatkowy i zobaczyła, jak „Dolos" staje się „Oregonem".

– Dopadnę tych szpiegów i unicestwię – warknęła.

– Jak? Nie ma pani pojęcia, gdzie są.

– Ale pan wie?

– Owszem.

– Nie mogę tak po prostu opuścić wenezuelskich wód terytorialnych fregatą. Muszę mieć powód.

– Wiem. Za trzy dni na Bahamach będą wspólne ćwiczenia flot wojennych o nazwie UNITAS.

– Orientuję się. Wenezueli nie zaproszono do udziału.

– Kuby też nie – odrzekł Kensit. – Ale wy i oni możecie wysłać swoje okręty, żeby obserwować operację. W pobliżu Haiti zmieni pani kurs i zatopi „Oregona".

– Dlaczego pan tak chętnie mi pomaga? Ile to będzie kosztowało?

– Ma pani ambicje polityczne. Dopilnuję, żeby pani osiągnęła cel.

– Dlaczego?

– Jest pani przywódcą w moim typie. Bezpośrednim i nastawionym na działanie. Trochę za bardzo się pani emocjonuje, jak na mój gust, ale da się to przeżyć. W zamian za pomoc w zatopieniu „Oregona" oczekuję reszty mojej zapłaty.

– Pan oszalał!

– Nie, tylko tak będzie uczciwie. I jeśli nie zatopi pani „Oregona", to ujawnię, że jego kapitan przechytrzył panią. Straci pani wiarygodność i uznanie w wenezuelskiej marynarce wojennej. Potem ujawnię szczegóły pani przemytniczej

233

działalności i pójdzie pani do więzienia. Niech pani tam będzie za trzy dni.

Rozłączył się, nie zaczekawszy na odpowiedź. Ruiz przypłynie. Nie ma wyboru.

Schował telefon i zobaczył, że Hector Bazin idzie w jego kierunku.

– Doktorze, przywiozłem Briana Washburna, jak pan kazał. Czeka w samochodzie. Dać go tutaj?

– Tak. Jak będziemy na łodzi, polecisz do Stanów. Kapitan Cabrillo znów sprawia nam kłopoty.

– Zabić go?

– Jeśli będziesz mógł. Ale teraz, kiedy on już wie o bezzałogowcach Pirania, amerykańscy wojskowi mogą podejrzewać, że ktoś z mojego dawnego programu rozwoju broni sprzedał plany. Dlatego twoim najważniejszym zadaniem jest zatarcie wszystkich pozostałych śladów mojego związku z projektem „Wartownik". Podam ci informacje o celu, jak będziesz w powietrzu.

– Tak jest.

– Idź po gubernatora.

Bazin go przyprowadził. Washburn wyglądał tak, jakby nie chciał wystawiać swoich butów za sześćset dolarów na tutejsze powietrze, a tym bardziej dotykać nimi nabrzeża. Kiedy podszedł do Kensita, wyciągnął rękę i stał się czarujący.

– Pan musi być Doktorem – powiedział z uśmiechem. – Miło mi poznać.

Kensit zignorował jego gest.

– Na pewno nie – odparł. – Posłałem po pana i przyjechał pan. Nie ma równowagi sił w tym układzie. Jest pan przyzwyczajony do rządzenia. Nie tutaj. Teraz pracuje pan dla mnie.

Uśmiech Washburna zniknął.

– Za kogo ty się uważasz, gnido? – spytał z drwiącym uśmieszkiem.

– Nazywano mnie już wszystkimi obraźliwymi słowami, więc niech pan sobie daruje postawę macho. Mam nagranie wideo, na którym zabija pan człowieka. Może pan teraz odejść i dostać karę śmierci albo dożywocia. Może pan spróbować mnie zabić, ale Bazin tutaj złamie panu kark, zanim zdąży pan mnie dosięgnąć. Albo może pan robić, co powiem, i zostać prezydentem Stanów Zjednoczonych. Niech pan wybiera.

Washburn spojrzał na Bazina, potem znów na Kensita. Uświadomił sobie, że mają nad nim przewagę fizyczną i umysłową. Przestał się drwiąco uśmiechać.

– W porządku. Ale dlaczego ściągnął mnie pan do tego zapomnianego przez Boga i ludzi miejsca? Tu śmierdzi. Dosłownie.

– Tak to jest, kiedy w trzymilionowym mieście nie działa kanalizacja. Nie chciałby pan się wykąpać w tym porcie. Przepłyniemy go „Victoire".

Kensit wskazał biały trzydziestometrowy jacht Lürssen z anteną satelitarną na pokładzie dziobowym.

– Wybieramy się w rejs? – spytał Washburn.

– Najpierw pokażę panu mój obiekt o nazwie Oz.

Washburn wydął wargi.

– Pan żartuje.

– Dotąd robiłem na panu wrażenie zabawnego?

Washburn uniósł ręce.

– Okej. Oz. Gdzie to jest?

– Nie dowie się pan, ale pokażę panu moją operację, bo chcę, żeby pan uwierzył, że mogę robić wszystko, o czym mówię.

– Czyli co dokładnie?

– Używam rewolucyjnego systemu inwigilacji. Trzeba go zobaczyć, żeby uwierzyć. Nazywa się „Wartownik". Chcę też, żeby pan mi towarzyszył, kiedy zakończymy naszą najważniejszą akcję z wykorzystaniem możliwości „Wartownika". Podał pan swojej firmie pretekst, jaki poleciłem?

Washburn przytaknął.

– Jestem tutaj na kontroli naszej pomocy w odbudowie Haiti po trzęsieniu ziemi.

– Dobrze. To wystarczające alibi. Nikt nie może potem podejrzewać, że miał pan coś wspólnego z tym, co się niedługo wydarzy.

– To znaczy?

Kensit zignorował pytanie.

– Kto stanie panu na drodze w następnych wyborach prezydenckich?

– Nikt się jeszcze nie zdeklarował, ale James Sandecker miałby fory jako obecny wiceprezydent, gdyby chciał wystartować. Chce pan powiedzieć, że na niego też coś pan ma?

– Nie, jest całkowicie czysty. Ale będzie pan musiał mieć przewagę, żeby wygrać prawybory. Dlatego musimy zrobić pana wiceprezydentem.

– Jak?

– Zamierzam zabić Sandeckera.

Washburn wybałuszył oczy.

– Chce pan, żebym uczestniczył w zamachu na wiceprezydenta Stanów Zjednoczonych?

– Już raz pan zabił. Będzie pan musiał to powtarzać jako prezydent. Tyle że będzie pan miał drony i żołnierzy do wyręczania pana. Tkwi pan w tym tak jak ja.

– Myśli pan, że zabicie go uczyni mnie prezydentem?

– Był pan drugim kandydatem na wiceprezydenta w wyborach. Prawie na pewno zajmie pan jego miejsce, co wysunie pana na czoło.

– Ale to szaleństwo! Nawet jeśli się zgodzę, to się panu nie uda. Secret Service ochrania go tak jak prezydenta.

– Niech pan zostawi to mnie.

Washburn popatrzył na niego z nieustępliwą miną zawodowego polityka.

– Skoro w tym „tkwię", to uważam, że zasługuję na to, żeby wiedzieć, co pan planuje.

Kensit westchnął z niezadowoleniem, ale doszedł do wniosku, że ujawnienie celu operacji teraz niczym nie grozi. Bazin zabrał Washburnowi całą elektronikę, więc ten nie mógł przekazać żadnej informacji przed zdarzeniem. A po nim będzie dla niego za późno, żeby się wycofać ze strachu.

– Za trzy dni wiceprezydent będzie wracał ze szczytu w Rio de Janeiro – wyjaśnił Kensit. – Kiedy będzie nad Morzem Karaibskim, zestrzelę Air Force Two.

Rozdział 31

Georgetown, Waszyngton

Juan nigdy nie spotkał się osobiście z St. Julienem Perlmutterem, ale konsultował się z nim kilka razy podczas poprzednich operacji. Ostatnio w sprawie zatopionej chińskiej dżonki o nazwie „Milczące Morze". Kiedy Tyler Locke wspomniał o możliwym związku Kensita ze statkiem „Roraima", Juan zadzwonił do Perlmuttera zaraz po opuszczeniu Pax River. Ekspert morski i znany smakosz ucieszył się, że Juan jest w okolicy, i zaprosił jego i Erica do siebie na późny lunch.

Drugi telefon Juan wykonał do Langstona Overholta. Dowiedział się od niego, że analiza DNA zajmie kilka dni, jeśli w ogóle znajdą oryginalne próbki pobrane od Kensita i Pearsona, żeby je porównać z tkanką z miejsca katastrofy. Na razie muszą działać z założeniem, że przypuszczenie Locke'a jest słuszne: to ciała Kensita brakuje i on nadal żyje.

Poza związkiem ze statkiem, jedyną inną wskazówką co do motywów Kensita był niemiecki dziennik wspomniany przez jego współpracownika. Po opryskliwym zakończeniu konsultacji z Pearsonem Kensit musiał znaleźć kogoś innego do przetłumaczenia mu dokumentu – osobę lub firmę ze znajomością terminologii naukowej. To znacznie zawężało krąg ewentualnych tłumaczy i Overholt obiecał Juanowi, że się odezwie, jak będzie coś miał.

Kiedy Juan dotarł do posiadłości Perlmuttera na wyłożonej cegłami ulicy ze stuletnimi dębami, skręcił wypożyczonym samochodem na kolisty podjazd do dwupiętrowej rezydencji i zaparkował z boku przed powozownią, która rywalizowała wielkością z głównym domem. Perlmutter przerobił ten budynek, gdzie kiedyś trzymano dziesięć koni i pięć powozów, a na górze kwaterowali stajenni i woźnice, żeby zmieścić swoją ogromną bibliotekę. Słynął z posiadania największej na świecie kolekcji książek, rzadkich dokumentów i prywatnych listów dotyczących statków i wraków. Gdyby istniał jakikolwiek ślad obecności niemieckiego naukowca na pokładzie „Roraimy" w chwili jej zatonięcia, Perlmutter wiedziałby o nim.

Z Erikiem u boku Juan sięgnął do kołatki w kształcie kotwicy na drzwiach frontowych, ale zanim zdążył zastukać, otworzył je gwałtownie mężczyzna o wyglądzie większego brata Świętego Mikołaja. Był w purpurowym szlafroku i piżamie tego samego koloru w tureckie wzory. Miał błyszczące niebieskie oczy, potargane siwe włosy, brodę, podkręcone wąsy i czerwony nos. Mimo stu dziewięćdziesięciu czterech centymetrów wzrostu i stu osiemdziesięciu jeden kilogramów wagi Perlmutter był nabity i nie miał grama widocznego tłuszczu. Maleńki jamnik hasał wokół jego stóp i szczekał radośnie.

– Juan Cabrillo! – wykrzyknął, złapał dłoń Juana i potrząsnął nią energicznie. – To prawdziwa przyjemność, móc w końcu pana poznać!

– To zaszczyt być zaproszonym do pana domu, panie Perlmutter. Żałuję tylko, że przychodzę z pustymi rękami. Wiem, że pan ceni regionalne przysmaki.

– Gdzie teraz jest „Oregon"? Nie kotwiczy w pobliżu?

Perlmutter jako jeden z niewielu znał prawdę o „Oregonie" i był absolutnie dyskretny.

– Nie, w Dominikanie.

– Więc niech pan mi przyśle po powrocie trochę świeżych ślimaków skrzydelników i plantanów. Mam przepis na pewną potrawkę i nie mogę się doczekać, żeby go wypróbować. A to musi być Eric Stone, który zaprzyjaźnia się z Fritzem.

Eric klęczał i głaskał psa po brzuchu. Wstał i wyciągnął rękę.

– Przepraszam. To jedyne, czego mi brakuje w życiu na pokładzie statku. Mieliśmy beagle'a, kiedy byłem dzieckiem, i miał tyle samo energii co pański pies.

– Nic nie szkodzi, panie Stone.

Pozostawiony samemu sobie Fritz znów zaczął szczekać.

– Fritz, zachowuj się. Bo sprowadzę kota, żeby zrobił z tobą porządek.

– Proszę wybaczyć, że zadzwoniliśmy w ostatniej chwili – powiedział Juan.

– Nie ma sprawy. Jesteście w samą porę, żeby mi pomóc spróbować mojego najnowszego dzieła, czyli risotta z homarem i truflą, oraz główek szparagów Precoce d'Argenteuil z butelką Condrieu Viognier.

Perlmutter poprowadził ich korytarzami i przez pokoje ze stosami książek i gazet na wszystkich dostępnych płaskich powierzchniach. Juan wiedział, że administratorom bibliotek i muzeów na całym świecie ślinka leci na myśl o zdobyciu tej niewiarygodnej skarbnicy wiedzy historycznej o morzu, którą tworzy niezrównana kolekcja Perlmuttera.

Eric gapił się na stare mapy i podniszczone tomy, które wydawały się porozrzucane bezładnie.

– Skatalogowanie tego wszystkiego musiało być nie lada wyczynem. Chętnie bym zobaczył pańską bazę danych.

Perlmutter popukał się w skroń.

– To jest moja baza danych, młody człowieku. Nie myślę w komputerowym języku. Nawet nie mam komputera.

Juana rozbawiła reakcja Stone'a, któremu opadła szczęka.

– Ma pan to wszystko w głowie?

– Chłopcze, umiem znaleźć potrzebną mi informację w minutę. Jak każdy dobry poszukiwacz skarbów, musisz po prostu wiedzieć, gdzie szukać.

Wprowadził ich do eleganckiej jadalni z boazerią z drewna sandałowego. Pokój wydawał się pusty, bo tylko tu nie było książek. Usiedli przy grubym okrągłym stole wyciętym z płetwy sterowej sławnego statku widma „Mary Celeste". Delektowali się wczesnopopołudniowym posiłkiem, przy którym Juan i Eric zabawiali Perlmuttera opowieściami o swoich morskich przygodach, pomijając szczegóły mogące ujawnić tajne informacje. Fritz był zadowolony i cichy, bo Perlmutter dawał mu regularnie kawałki homara.

Kiedy skończyli, Juan zakręcił resztką wina w kieliszku.

– Zasługuje pan w pełni na opinię smakosza. Nie potrafiłbym sobie wyobrazić lepszego lunchu.

Eric przytaknął.

– Może uda nam się namówić pana Perlmuttera, żeby podzielił się tym przepisem z szefem kuchni „Oregona".

– Z przyjemnością! I może on przyśle mi w zamian któryś ze swoich ulubionych.

– Załatwione – oznajmił Juan.

– Doskonale! Ale nie odwiedziliście mnie tylko dla mojej kuchni, prawda?

Juan powiedział Perlmutterowi o zaginionym fizyku, niemieckim dzienniku, który tamten przypuszczalnie odziedziczył, wzmiance o Oz i „Roraimie".

– Wiem, że to mało, ale mieliśmy nadzieję, że pan nam wskaże właściwy kierunek.

Perlmutter stukał przez chwilę palcem w policzek, potem zerwał się z zaskakującą zwinnością i wybiegł do innego pokoju. Wrócił niecałe pół minuty później, przewracając kartki grubej książki pod tytułem *Ognisty cyklon. Zniszczenie St. Pierre.*

– Erupcja Montagne Pelée była najbardziej zabójczym wybuchem wulkanu w dwudziestym wieku i zdarzyła się ósmego maja 1902 roku – powiedział. – Jest też niezwykła pod tym względem, że mamy taki bogaty zapis historyczny o statkach, które poszły na dno podczas tej katastrofy. Żadna inna znana mi erupcja wulkanu nie spowodowała zatonięcia tylu statków wciąż możliwych do zbadania. Ocalał tylko jeden, „Roddam”. Szesnaście innych zatonęło, w tym „Roraima”. Wiele osiadło na dnie pionowo i wciąż można nurkować do nich.

– Myśli pan, że to ta „Roraima”, której szukamy? – zapytał Juan.

– Ja to wiem. Oto jedyny zachowany egzemplarz książki z nakładu wyczerpanego sto lat temu. Niech pan pamięta, że to była największa katastrofa na półkuli zachodniej. Przeżyły tylko dwie osoby z trzydziestu tysięcy w mieście. Wkrótce wydano o tym mnóstwo książek. W przeciwieństwie do tuzinów przerażających relacji z samego Saint-Pierre, ta koncentruje się na statkach w porcie tamtego dnia. Napisał ją pewien reporter gazetowy, który bardzo się przyłożył do wywiadów z ocalałymi ze statków i krewnymi ofiar. Niestety, jego dziennikarska rzetelność opóźniła publikację, więc zanim książka się ukazała, rynek się nasycił. Większość z nich poszła na przemiał.

– Jest tam coś o Oz? – spytał niedowierzająco Eric.

– I owszem – przytaknął Perlmutter, stukając w kartkę. Przeczytał głośno odpowiedni ustęp.

– "Ingrid Lutzen, niemiecka emigrantka w Stanach Zjednoczonych, straciła brata Günthera w katastrofie. Płakała, kiedy
wspominała, jak ekscytująco brzmiał jego ostatni list do niej
wysłany z poprzedniego miejsca postoju statku na Gwadelupie.
Szukał na Karaibach dowodu na poparcie swoich podoktoranc-
kich badań w dziedzinie fizyki, które prowadził od czasu pracy
na Uniwersytecie Berlińskim, i dokonał ostatnio przełomu na
nowym polu, radioaktywności. Günther był zapalonym fotografem, do tego stopnia, że urządził prowizoryczną ciemnię
w swojej kabinie i zamierzał pokazać jej zdjęcia dokumentu-
jące jego pracę. Jedyną pamiątką, jaką dostała, był dziennik
jego badań naukowych, dostarczony jej przez pierwszego oficera »Roraimy« Ellery'ego Scotta. Dowiedziała się od niego, że
ostatnie słowa jej brata brzmiały: »Znalazłem Oz«. Nawiązy-
wały do ulubionej powieści Günthera z jego ostatniej wizyty
u niej, kiedy uczyła go angielskiego. Odczuła pewien spokój,
że umarł z myślą o ich wspólnym wspomnieniu".

Eric wpatrywał się w Perlmuttera i przetrawiał to, co usłyszał.

– Czy *Czarnoksiężnik z krainy Oz* nie ukazał się dużo
później, w 1939 roku?

– Film – odparł Perlmutter. – Książkę dla dzieci Lymana
Franka Bauma wydano w 1900 roku. Całkiem możliwe, że
imigranci uczyli się z niej naszego języka.

– Ale on powiedział „Znalazłem Oz", jakby rzeczywiście
tam był – zauważył Juan.

– Może miał urojenia. Halucynacje tuż przed śmiercią.

– Kensit zdawał się uważać to za ważne. A książka jest
wspomniana w dzienniku, który odziedziczył, więc Oz zdecydowanie istnieje.

– I Lutzen był fizykiem – dodał Eric. – Tak jak Kensit.
Ale nie wiedząc, jakie badania prowadził Lutzen, nie mamy
pojęcia, dlaczego Kensit upozorował swoją śmierć, żeby je
kontynuować sto lat później.

Juan nie mógł się w tym wszystkim doszukać sensu.

– Jakiego dowodu mógł szukać Lutzen? Dlaczego fizyk prowadził badania na Karaibach?

– Odpowiedzi mogą być na „Roraimie" – odrzekł Perlmutter. – Lutzen był zapalonym fotografem.

Eric pokręcił głową.

– Tamten film leży w ciepłej słonej wodzie od ponad stu lat. Pewnie już się rozpuścił.

– Niekoniecznie – zaprzeczył Perlmutter. – Możliwe, że szklane płytki negatywowe, jakich wtedy używano, są nadal nietknięte, jeśli uszczelnienia pojemnika nie zostały uszkodzone. Frank Hurley, fotograf ekspedycji Shackletona, uratował zdjęcia, które leżały w wodzie morskiej, bo trzymano je w zalutowanych cyną skrzynkach. Jeśli doktor Lutzen był podobnie przezorny, to fotografie mogły przetrwać.

– Jeśli w ogóle jeszcze tam są – powiedział Juan. – Martynika niezupełnie leży na uboczu. Nurkowie grzebią w tamtych wrakach w Saint-Pierre od dziesięcioleci.

– Może nie tak dokładnie, jak pan myśli. „Roraima" spoczywa na głębokości pięćdziesięciu metrów, poniżej poziomu dostępnego dla większości nurków amatorów. Czas pod wodą jest ograniczony dla wszystkich poza najbardziej doświadczonymi, więc pewnie bardzo niewielu bada całe wnętrze, co jest niebezpieczne, bo kadłub rdzewieje.

– Przeszukanie statku trochę potrwa, bo nie wiemy, gdzie była jego kabina – odrzekł Eric.

Perlmutter uśmiechnął się do niego chytrze.

– Uważam, że i w tym mogę wam pomóc.

Wypadł z pokoju, przyniósł zwój papieru i rozwinął go na stole. Zobaczyli plan „Roraimy".

– Okej, przekonał mnie pan – przyznał Eric. – Nie potrzebuje pan komputera.

Choć Perlmutter nie wiedział, którą kabinę zajmował Lutzen, wskazał kwatery pasażerów, co znacznie zawężało obszar poszukiwań.

– Mogę to sfotografować? – spytał Eric.

Perlmutter przytaknął.

– Jak najbardziej. I mam nadzieję, że gdy wreszcie będę miał okazję zobaczyć ten wasz fantastyczny statek, oprowadzicie mnie po nim.

– Oczywiście.

Kiedy Eric skończył robić zdjęcia, Perlmutter odprowadził ich do drzwi.

– Wpadnijcie kiedyś. I dajcie mi znać, jeśli znajdziecie Oz.

– Mam tylko nadzieję, że nie natkniemy się na żadne latające małpy – powiedział Juan i mrugnął okiem.

– Ja też – dorzucił Eric. – Zawsze się ich bałem.

Na widok ich min wytłumaczył szybko:

– W dzieciństwie, nie w dorosłym życiu.

Perlmutter wybuchnął śmiechem. Eric po raz ostatni połaskotał Fritza i gospodarz zamknął za nimi drzwi.

Ledwo ruszyli, oddzwonił Langston Overholt.

– Juan, znaleźliśmy firmę translatorską. Global Translation Services.

– Szybko.

– Pamiętają to, bo to była dziwna robota. Kensit kazał tłumaczowi napisać przekład ręcznie, żeby nie został żaden ślad cyfrowy.

– Chciałbym porozmawiać z tym tłumaczem.

– Z tym będzie problem – odrzekł Overholt złowróżbnie.

– Dlaczego?

– Nie żyje. Zabity przez pirata drogowego cztery miesiące temu.

Juan się skrzywił.

– Nie lubię takich zbiegów okoliczności.

– Ani ja.

– Jest tam ktoś inny, z kim mogę pogadać? Mogą coś pamiętać.

– Tłumacz pracował dla Grega Horne'a. On byłby skłonny porozmawiać z tobą.

– Gdzie to jest?

– Na Manhattanie, w Midtown. Wykonują mnóstwo pracy dla ONZ-etu.

Juan spojrzał na zegarek.

– Możemy tam być za dwie godziny.

– Załatwię to.

Juan kazał „Małemu" Gundersonowi przygotować odrzutowiec na lot do Nowego Jorku. Potem się upewnił, że może mieć bezpieczne zaszyfrowane połączenie telefoniczne i zadzwonił do Maksa, którego zostawił jako szefa na „Oregonie".

– Jak tam nasi goście? – zapytał.

– Panem Reedem zajmują się w ośrodku zdrowia takie piękne pielęgniarki, że chciałbym być na jego miejscu. Jego łódź jest całkowicie naprawiona i gotowa do rejsu powrotnego na Jamajkę, kiedy będzie się czuł na siłach.

– A co z Marią Sandoval?

– Dostała naszą najlepszą kabinę gościnną i cały czas ma eskortę do sali ćwiczeń, mesy i na pokład. Chyba nadal uważa nas za nowocześnie wyposażonych przemytników.

– To dobrze. Ale może odejść w każdej chwili.

– Myślę, że zostanie kilka dni. Dowiedziała się od przyjaciółki, że splądrowali jej mieszkanie, więc uważa, że lepiej się przyczaić na jakiś czas. Wasza rozmowa z panem Perlmutterem była pożyteczna?

– Bardziej, niż się spodziewaliśmy.

Juan powtórzył Maksowi, czego się dowiedzieli o „Roraimie" i związku między Kensitem a nieżyjącym nowojorskim tłumaczem.

– Chyba rozumiem, do czego to zmierza – odrzekł Max, kiedy Juan skończył.

– Ruszaj „Oregonem" na Martynikę. Powinno ci się udać dopłynąć tam za dwanaście godzin. Jak Eric i ja skończymy na Manhattanie, przylecimy do was. Ale nie czekajcie na nas. Zacznijcie nurkować od razu po przybyciu. Eric przyśle ci plany do poszukiwań.

– Już je mam.

– To dobrze. I nie mów Overholtowi, dokąd płyniesz, jeśli zadzwoni. Nie wiemy, jak działa system inwigilacji Kensita ani jaki ma zasięg.

Eric, Murph i Hali wyczyścili całkowicie ich systemy telekomunikacyjne, więc Juan był pewien, że nikt nie podsłuchuje tej rozmowy.

– Myślisz, że mógł przeniknąć do CIA? – spytał Max.

– Pewnie nie, ale nie chcę ryzykować. Tamte zdjęcia na „Roraimie" mogą być naszą jedyną wskazówką, jak wytropić Kensita. Jeśli on się o nich dowie i wydobędzie je pierwszy lub je zniszczy, możemy go nigdy nie znaleźć.

Rozdział 32

Łatwo było śledzić białą furgonetkę w gęstym nowojorskim ruchu ulicznym. Zielonoszare logo na tylnych drzwiach i tropikalne pnącza oplatające wieżowce widzieli z odległości kilku przecznic. Hector Bazin siedział jej na ogonie, odkąd kurier Urban Jungle wyruszył z magazynu przeładunkowego tej firmy.

– Nie strać tego światła – powiedział do kierowcy. – Nie mamy czasu wracać i śledzić następnej furgonetki, jeśli zgubimy tę.

– Tak jest.

Kierowca objechał stojący autobus i przyspieszył. Na zakorkowanych ulicach kurier nie miał szans zorientować się, że jest śledzony.

Kiedy helikopter zabrał Washburna i Kensita do obiektu „Wartownik", Bazin wziął jeden z ich dwóch prywatnych odrzutowców i poleciał prosto do Nowego Jorku, bo dostał informację, że Juan Cabrillo i jego towarzysz tam będą. Miał im uniemożliwić śledztwo, zanim posuną się dalej.

Furgonetka skręciła w prawo w spokojną ulicę w Greenwich Village i zaparkowała na drugiego przed kamienicą z elewacją z piaskowca i szyldem biura rachunkowego. Biały kierowca, trzy centymetry niższy od Bazina, wyskoczył z kabiny z paczką. Był w służbowym ubraniu – czarnych spodniach, zielonej koszuli, kurtce i czapce z logo firmy na wszystkim. Schylił głowę na chłodnym wietrze i wbiegł do budynku.

Bazin wysiadł z własną paczką, pudełkiem wielkości bochenka chleba. Podszedł niedbale do furgonetki od strony pasażera i upewnił się, że nikt na ulicy go nie obserwuje. Tak jak kurier nieliczni przechodnie szli z opuszczonymi głowami z powodu wiatru.

Kierowca zamknął furgonetkę, ale Bazin wsunął metalową listwę poniżej szyby w drzwiach i odryglował je w ciągu sekund. Szarpnął w górę, pociągnął za klamkę i wśliznął się do środka.

Zaryglował drzwi z powrotem, zajął pozycję za siedzeniem kierowcy, wyciągnął glocka i czekał. Chwilę później usłyszał zbliżające się szybkie kroki. Kurier otworzył drzwi i wpuścił podmuch powietrza. Usiadł za kierownicą ze stęknięciem sprężyn fotela i rzucił palmtop do podpisu elektronicznego na siedzenie pasażera.

Bazin wbił mu lufę w bok.

– Hej! – krzyknął kurier, spojrzał w dół i zobaczył broń. – O Boże!

– Jedź – rozkazał Bazin.

– Dobrze, dobrze, okej. Tylko nie strzelaj, człowieku.

Wrzucił bieg i ruszył.

– Jak się nazywasz? – spytał Bazin.

– Leonard O'Shea. Dokąd jedziemy?

– Powiem ci, gdzie skręcić, Leonardzie.

– Nie zabijaj mnie, człowieku.

– Nie zrobię ci nic złego, dopóki będziesz mnie słuchał – odrzekł Bazin uspokajająco. – Rozumiesz?

O'Shea przytaknął tak gwałtownie, że uderzył głową w zagłówek.

– To dobrze. Jedź dalej.

Po dziesięciu minutach Bazin kazał O'Shea skręcić w pustą uliczkę w Hell's Kitchen. O'Shea zaparkował i położył ręce na kierownicy. Popatrzył na Bazina w lusterku błagalnym wzrokiem.

– Posłuchaj, człowieku, bierz, co chcesz. Wszystko i tak jest ubezpieczone. Większość to przesyłki od jednych bogatych bankierów do drugich. Nie stracą na tym.

– Niestety, Leonardzie, nie po to tu jestem.

O'Shea zdążył tylko zrobić zdezorientowaną minę, zanim dostał pistoletem w skroń. Cios pozbawił go przytomności, ale Bazin musiał być pewien, że się nie ocknie i nie przyciągnie uwagi. Zwlókł O'Shea z siedzenia, złamał mu kark i położył go na podłodze wśród paczek.

Bazin miał już na sobie czarne spodnie, ale potrzebował reszty uniformu O'Shea. Przebrał się i rozczarował, bo rękawy okazały się o kilka centymetrów za krótkie. Choć byli prawie tego samego wzrostu – przede wszystkim dlatego Bazin wybrał akurat jego – O'Shea miał wyjątkowo krótkie ręce.

Bazin wzruszył ramionami i włożył czapkę Urban Jungle. Było już za późno, żeby coś z tym zrobić. Musiał doręczyć paczkę.

Sprawdził ponownie zaszyfrowany detonator radiowy w kieszeni i postawił pudełko na siedzeniu pasażera. Fałszywy dokument dostawy na wierzchu, z nadrukowanym logo Urban Jungle i adresem zwrotnym ONZ-etu, miał napis: „Global Translation Services. Do rąk Grega Horne'a".

Juan przyjechał do Global Translation Services piętnaście minut przed zamknięciem. Powiedział Erikowi, żeby go wysadził i okrążył kwartał budynków, to unikną parkowania na Manhattanie. Firma okazała się dużo mniejsza, niż sugerowała nazwa. Hol frontowy wychodził na Czterdziestą ulicę cztery piętra niżej. Juan zauważył tuzin biurek z szybko piszącymi tłumaczami w słuchawkach, trzy gabinety biurowe i salę konferencyjną.

Ładna młoda recepcjonistka zawiadomiła Grega Horne'a o jego wizycie. Juan czekał i obserwował ruch uliczny.

Niski ciemnowłosy mężczyzna w antracytowym prążkowanym garniturze otworzył drzwi na końcu przestrzeni biurowej. To był największy gabinet i miał przeszklenie z widokiem na całą firmę. Mężczyzna podszedł szybko do Juana z wymuszonym uśmiechem pod zadartym nosem.

Wyciągnął rękę.

– Witam, panie Cochran. Greg Horne, prezes i właściciel GTS.

Juan przezornie wybrał na to spotkanie jedno ze swoich fałszywych nazwisk.

– Dzięki, że przyjął mnie pan tak szybko – odrzekł z przyjaznym uśmiechem i poprawił okulary. – Pańska firma robi wrażenie.

– Prowadzimy dość szczupłe przedsiębiorstwo – odpowiedział Horne, kiedy szli do jego gabinetu. – Większość pracy trafia do niezależnych wykonawców. Tutaj zostają tylko najważniejsze i najbardziej poufne zlecenia.

Wpuścił Juana do pokoju i zamknął drzwi. Juan usiadł na wskazanym miejscu.

– Czy zlecenie Lawrence'a Kensita zostało w firmie?

Horne złączył czubki palców i popatrzył uważnie na Juana.

– Przepraszam, ale co pan ma wspólnego z panem Kensitem?

– Więc pamięta pan jego i dziennik doktora Lutzena?

– Oczywiście. Ale dziennik nie wspomina, że był doktorem. Choć minęły ponad dwa lata, przypadek nadal jest fascynujący. Nieczęsto tłumaczymy tak stary dokument. Skąd pan wie o nim?

– Reprezentuję kolekcjonera zainteresowanego kupnem dziennika. Nie mogę zdradzić, kto to jest, ale to bogaty przedsiębiorca technolog, który zbiera rzadkie materiały naukowe. Pan Kensit myśli o sprzedaży tego dziennika, więc musimy sprawdzić jego autentyczność.

Juan miał w okularach mikrokamerę. Gdyby Horne pozwolił mu przejrzeć niemiecki oryginał lub angielski przekład, sfilmowałby wszystko do późniejszego zbadania na „Oregonie".

– Na pewno ma pan kopię dokumentu – powiedział z nadzieją.

Horne zerknął szybko na szafkę z aktami.

– Jak nadmieniłem, to był wyjątkowy przypadek. Mój tłumacz, Bob Gillman, nie miał pozwolenia na wprowadzenie swojego przekładu do komputera. Pan Kensit zabronił.

– Ale ma pan papierową kopię w tamtej szafce.

– A skąd! – wykrzyknął Horne z udawanym oburzeniem. – Dostaliśmy polecenie zniszczenia nawet ręcznie napisanej kopii.

Juan skinął głową i spojrzał w kierunku holu, jakby rozważał inne możliwości. Kurier w zielonej kurtce i czapce zostawiał paczkę u recepcjonistki. Na plecach miał napis „Urban Jungle". Firmowe ubranie nie leżało na nim dobrze. Rękawy były komicznie krótkie.

Juan odwrócił się z powrotem do Horne'a, jakby nagle wpadł na jakiś pomysł.

– Mógłbym porozmawiać z panem Gillmanem? Może on udzieliłby mi informacji, których potrzebuję?

– Niestety, Boba potrącił samochód przed naszym biurem zaledwie kilka miesięcy temu. Pirat drogowy. Kierowca uciekł. Bob zginął na miejscu.

– Ach tak. Przykro mi to słyszeć.

– Wielka tragedia.

– Wygląda na to, że zna pan treść dokumentu.

Znów zerknięcie na szafkę.

– Przeglądam prace wielu moich pracowników.

– Pan Kensit twierdzi, że w dzienniku są nowe, rewolucyjne tezy naukowe, nieznane w tamtych czasach. Może pan to potwierdzić?

Horne poruszył się w fotelu.

– Panie Cochran, może powinien pan poprosić pana Kensita, żeby skontaktował się ze mną. Nie mogę dzielić się poufnymi informacjami bez jego pisemnej zgody.

Juan uniósł ręce.

– Oczywiście. Nie chcę, żeby pan ujawniał coś, czego pan nie powinien.

– Poza tym, choć potrafię przetłumaczyć niemiecki język naukowy, nie znam się na tym, o czym ten tekst mówi.

– Rozumiem. Ale gdybym mógł tylko spojrzeć...

Horne nagle wstał.

– Panie Cochran, nie mamy kopii tego dokumentu i nie podoba mi się sugestia, że nadużyliśmy zaufania klienta.

Juan też się podniósł. Dalsze naciskanie nic by nie dało. Ale po ocenie bezpieczeństwa budynku uznał, że wieczorne włamanie i sfotografowanie kopii, która na pewno jest w szafce, będzie proste.

– Przepraszam, że nie mogę bardziej pomóc – powiedział Horne, kiedy odprowadzał Juana do holu.

Wszyscy tłumacze poszli do domu, została tylko recepcjonistka.

– Proszę przekazać panu Kensitowi, żeby przysłał mi notarialną zgodę na sprawdzenie autentyczności przekładu, i wtedy chętnie będę do dyspozycji.

Recepcjonistka wręczyła mu paczkę zostawioną na ladzie.

– Coś pilnego z ONZ-etu.

– Dzięki, Jill – odrzekł i włożył pudełko pod pachę. – Do widzenia, panie Cochran.

Juan uścisnął mu dłoń i Horne poszedł z powrotem do siebie. Juan zadzwonił do Erica, żeby się dowiedzieć, gdzie jest, i spojrzał na ulicę w dole, żeby go poszukać wzrokiem.

Nie zauważył Erica, ale kurier z Urban Jungle jeszcze tam stał i patrzył w górę na budynek. Kiedy Juan zobaczył jego twarz, natychmiast rozpoznał swojego niedoszłego zabójcę z Jamajki.

Myślał przez chwilę, że tamten czeka na niego, potem przypomniał sobie paczkę.

Usłyszał, jak Horne zamyka za sobą drzwi gabinetu. Zabójca zobaczył, że Juan patrzy na niego, i z krzywym uśmiechem pomachał mu ręką. Uniósł mały czarny przedmiot i położył palec na czerwonym przycisku. Wdusił go zdecydowanym ruchem kciuka.

Juan dał nura przez ladę recepcyjną, złapał zdezorientowaną Jill i zasłonił ją swoim ciałem. W momencie, gdy wylądowali na podłodze, ogłuszający wybuch rozerwał pokój Horne'a. Kawałki szkła i grubych drewnianych drzwi zasypały boksy biurowe.

Juan się otrząsnął i poderwał, żeby pobiec na pomoc Horne'owi, ale nie mógł już nic zrobić. Dym kłębił się w gabinecie, gdzie szalało piekło. Eksplozja była tak silna, że uszkodziła tryskacze, które opryskiwały bezładnie przestrzeń.

Jill kuliła się w pozycji embrionalnej i wrzeszczała. Juan wziął ją na ręce i zaniósł do schodów, gdzie tłoczyli się inni lokatorzy budynku, uciekający przed pożarem. Mogła chodzić, więc otoczył ją ramieniem i rozglądał się za zabójcą.

Kiedy wyszedł na dwór, pojazdy ratownicze już podjeżdżały. Przekazał Jill paramedykowi i przebiegł przez jezdnię. Furgonetka Urban Jungle zniknęła.

Eric wypadł z tłumu gapiów.

– Prezesie! Jesteś cały?

Juan przytaknął.

– To znów był tamten Haitańczyk. Wiedzieli, że tu będziemy.

– Skąd? Wyłączyliśmy nasze lokalizatory.

– Nie wiem. Ich system inwigilacyjny musi być potężniejszy, niż myśleliśmy. Musieli złamać nasz szyfr telekomunikacyjny.

– Trudno mi w to uwierzyć.

Juan spojrzał w górę na płomienie liżące czwarte piętro nad nim.

– Myślę, że twój dowód się pali.

– Nie udało ci się zdobyć kopii dziennika?

– Ona istniała, ale nie chciał mi jej pokazać. Teraz tekst płonie razem z jedyną osobą, która go czytała, poza Kensitem.

– Chodźmy – powiedział Eric. – Zostawiłem samochód w następnej przecznicy.

– Ale mam jedną informację – oznajmił Juan, kiedy szli. Przecierał piekące od dymu oczy.

– Jaką?

– Dziennik Lutzena nie wspominał, że on był doktorem.

Eric się zastanowił i wytrzeszczył oczy.

– W książce Perlmuttera jest napisane, że podoktoranckie badania Lutzena były kontynuacją jego pracy na Uniwersytecie Berlińskim.

Juan przytaknął.

– Jego praca doktorska może być nadal w bibliotece. Musimy się dowiedzieć, nad czym pracował.

– A ponieważ w dzienniku nie ma wzmianki o jego doktoracie, Kensit może nie wiedzieć, że jego praca doktorska istnieje. Mogę sprawdzić w necie, czy ona jest w bibliotece.

– Nie. Nie wiemy, jak dalece Kensit spenetrował naszą sieć i jak działa jego system. Jak się dowie, że szukamy tej pracy doktorskiej, jego ludzie mogą tam dotrzeć przed nami i zniszczyć ją jak kopię dziennika u Horne'a.

– Więc nie możemy nawet powiedzieć naszym na „Oregonie", że ona istnieje?

Juan pokręcił głową.

– Powiemy im, co się tutaj stało i że mogą mieć towarzystwo na Martynice, ale cel naszej podróży zachowamy dla siebie. Nie zadzwonię nawet do „Małego". Dopiero jak będziemy na La Guardii, „Mały" Gunderson dowie się, że lecimy do Berlina.

Rozdział 33

Saint-Pierre, Martynika

Na początku dwudziestego wieku tuzin lub więcej statków towarowych kotwiczyłoby tam, gdzie teraz stał nieruchomo „Oregon", jedyna duża jednostka w polu widzenia. Choć w porcie Saint-Pierre roiło się od wycieczkowców i żaglówek, przestał być handlową i kulturalną perłą Karaibów w dniu erupcji Montagne Pelée. Tętniące życiem trzydziestotysięczne miasto odbudowano w ciągu następnych dziesięcioleci, stawiając urokliwe domki z czerwonymi dachami i kamienne kościoły, ale liczba jego mieszkańców nigdy nie przekroczyła pięciu tysięcy od tamtego pamiętnego dnia.

Max Hanley nie dziwił się mieszkańcom, że nie chcieli wrócić. Uśpiony teraz wulkan wciąż górował nad miastem, ale Saint-Pierre przeżyło katastrofę jeszcze przed erupcją.

Podczas szybkiego rejsu z Dominikany Max się dowiedział, że miasto zniszczył ponad wiek wcześniej wielki huragan w 1780 roku z prawie ośmiometrowym przypływem sztormowym, najtragiczniejszy w historii Atlantyku. Zginęło wtedy ponad dziewięć tysięcy mieszkańców.

Wydawało się, że dziś nic nie grozi miastu, poza szkwałem, który tworzył fale w porcie i siekł deszczem. Milczący szczyt wulkanu i jego żyzne zbocza z bujną roślinnością przesłaniały szare chmury, ale na popołudnie prognozowano ładną pogodę.

Kiedy świt rozjaśniał ołowiane niebo, Max obserwował, jak kapitan portu wraca do brzegu małą motorówką. Normalnie Juan rozmawiał z lokalnymi władzami, ale tym razem spadło to na Maksa. Uważał, że wykonał całkiem dobrą robotę, przekonując kapitana portu, że załoga „Oregona" zamierza podziwiać scenerię w oczekiwaniu na dostarczenie ładunku dla nich do ich stanowiska cumowniczego w Fort-de-France.

W rzeczywistości załoga „Oregona" już ciężko pracowała. Od dwóch godzin eksplorowali wrak „Roraimy", najszybciej jak mogli, dopóki mieli nurkowisko dla siebie. Po ustaniu szkwału zamierzali przerwać operację, żeby nie wzbudzać podejrzeń wycieczek nurków rekreacyjnych, które miały przypływać po południu.

Max zszedł do basenu zanurzeniowego, gdzie panowała krzątanina. Ostatnia grupa nurków właśnie się wynurzała przez wrota w kilu. Mike Trono zdjął maskę i wyszedł z wody.

– I co? – zapytał Max.

Mike pokręcił głową i zaczął zdejmować mokry skafander.

– Pokłady na „Roraimie" były drewniane. Zgniły lata temu i się zarwały. Dużą część statku zniszczył wybuch wulkanu lub zmiażdżyła nadbudowa, kiedy się zapadła. Został tylko stalowy szkielet pełen dziur. Fragmenty kadłuba mogłyby spaść na nas, gdybyśmy nie uważali. Wciąż szukamy tam, gdzie według Perlmuttera miały być kabiny, ale przez ostatnie sto lat narosła taka masa koralowców, że wolno to idzie. Skrzynka może być pod trzema metrami szczątków.

Max się uśmiechnął.

– Patrząc na to optymistycznie, może być nietknięta. Licznik Geigera nic nie pokazuje?

Kiedy Juan wspomniał, że Lutzen zajmował się radioaktywnością, Max sprawdził w swoich książkach historycznych, że promieniowanie odkryto zaledwie siedem lat przed erupcją na Martynice, więc była to wówczas stosunkowo nowa dziedzina nauki. Jeśli Lutzen miał ze sobą coś radioaktywnego i pozostało to w jego rzeczach, wykrycie tego mogło ich doprowadzić do zdjęć. Na „Oregonie" były dwa liczniki Geigera, więc Max dał jeden nurkom, którzy przeszukiwali mocniejsze części statku.

– Ani drgnie – odparł Mike. – Jeśli jest tam zagrzebane coś radioaktywnego, to promieniowanie może nie przenikać przez szczątki.

– Normalnie to byłoby dobre, ale nie w naszym przypadku. Zjedz coś przed następnym nurkowaniem.

Mike wyglądał na niewyspanego, bo w sprinterskiej podróży tutaj zaplanowali, że zaczną nurkować, jak tylko dotrą na miejsce.

– I może się zdrzemnij.

– W takiej kolejności – zgodził się Mike i powlókł do mesy.

Max poszedł do centrum operacyjnego, gdzie złapał go Hali.

– Mamy info o niedoszłym zabójcy prezesa – oznajmił. – CIA bardzo pomogła.

– Wreszcie jakaś dobra wiadomość – odrzekł Max.

Przed eksplozją w Nowym Jorku okulary Juana nagrywały film, kiedy patrzył w dół na bombiarza. Wysłał wideo Maksowi, który natychmiast rozpoznał dowódcę ataku na łódź wędkarską Reeda. Facet zdecydowanie wziął się do roboty. Zidentyfikowanie go było priorytetem dla Halego.

– Kim jest ten zdemaskowany gość? – zapytał Max.

Hali wręczył mu wydruk z kluczowymi informacjami.

– Najemnikiem. Nazywa się Hector Bazin. Haitańczyk, jak cała reszta tamtych, co próbowali nas zabić na Jamajce. Były komandos francuskiej Legii Cudzoziemskiej. Teraz szkoli własne siły bezpieczeństwa w bazie gdzieś pod Port-au-Prince. Dlatego mieli umiejętności i środki do przeprowadzenia zamachów.

– To on podsłuchuje naszą łączność?

Hali zacisnął wargi z frustracji.

– Jeszcze nawet nie wiem jak, a co dopiero kto. Mamy najbezpieczniejszy system łączności z możliwych. NSA miałaby problem ze złamaniem naszego szyfru.

– Bazin to tylko mięśniak – odezwał się Murph z drugiego końca pomieszczenia, nie odrywając wzroku od ekranu ani rąk od dżojstików, którymi manipulował. – Kensit musi być mózgiem.

– Przemejluj info o Bazinie Juanowi.

– Mimo że mogą to przechwycić?

– Skoro dostałeś info z CIA, to Bazin może już wiedzieć, że jest rozpracowany. Nie chcę, żeby Juan działał zupełnie na ślepo. Przynajmniej będzie wiedział, kogo ma przeciwko sobie.

Max podszedł do Murpha.

– Spotkałeś kiedykolwiek Kensita, jak pracowałeś dla Departamentu Obrony?

– Nie, ale słyszałem o nim. Jak wszyscy w branży. Wyjątkowo inteligentny, ale prawdziwy dziwak.

Murph po raz pierwszy odwrócił wzrok.

– Ciekawe, czy teraz mówią to samo o mnie.

– Czułbyś się lepiej, gdyby tak było?

– Prawdopodobnie.

– Więc na pewno tak mówią. Masz jakieś teorie, co to za tajna broń inwigilacyjna Moriarty'ego, Sherlocku? Obecność Bazina na Manhattanie akurat wtedy, kiedy Juan składał wizytę tamtemu tłumaczowi, nie mogła być przypadkowa.

– Czy to nie oczywiste?

– Nie.

– On wie o wszystkim, co robimy.

Max przewrócił oczami.

– Ta część jest oczywista.

– Co oznacza, że słyszy, co mówimy.

– Podsłuchuje nasze rozmowy telefoniczne?

– Możliwe. Ale to nie wyjaśnia, skąd wiedział, gdzie będziemy na Jamajce. Rozmawialiśmy o tym tylko raz na „Oregonie".

– Daj spokój! Myślisz, że Kensit ma pluskwy na „Oregonie"?

– Jeśli wyeliminuje się niemożliwe, to cokolwiek zostanie, nawet najmniej prawdopodobne, musi być prawdą.

– Sprawdziliśmy dokładnie statek trzy razy. Nie ma żadnych podsłuchów.

– Pogadaj z Arthurem Conan Doyle'em, nie ze mną – odparł Murph.

– W każdym razie dobrze, że Juan nie zdradził nam, dokąd się wybiera. Czas zdobyć przewagę nad Kensitem.

– Jeszcze nie skończyliśmy poszukiwań tutaj.

– Widziałeś coś?

Murph przetarł oczy. Pracował od trzech godzin bez przerwy.

– Poza kilkoma stłuczonymi filiżankami i parą okularów, nic.

Pilotował najmniejszy zdalnie sterowany pojazd na „Oregonie". ROV nazywał się Mały Gik. Murph eksplorował nim części statku zbyt niebezpieczne dla nurków.

Sygnał wideo docierał kablem do „Oregona". Nawet na głębokości pięćdziesięciu metrów żywe kolory w reflektorach ROV-a zdumiewały. Gorgonie, jeżowce, gąbki, ryby motyle, rogatnice i mnóstwo innych stworzeń morskich zagnieździło się na sztucznej rafie. Przez ponad sto lat w ciepłej wodzie morskiej stal przerdzewiała tam, gdzie nie pokrywały jej koralowce. Jedynymi śladami człowieka, które pozostały bez skazy, były ceramiczne i szklane przedmioty odporne na korozyjne działanie słonej wody.

Max uważał twierdzenie Perlmuttera, że pojemnik ze zdjęciami może wciąż być nietknięty, za co najmniej wątpliwe. Mogli tylko liczyć na to, że szklane płyty fotograficzne trzymano w puszkach z wystarczająco oksydowaną warstwą cynku, by ochronić metal pod spodem przed zniszczeniem.

Max obserwował, jak Murph prowadzi ROV-a przez ciasne otwory z małą nadzieją na znalezienie czegoś użytecznego. Liczył na to, że poszukiwania Juana coś dadzą. Żałował tylko, że nie wie, czego Juan szuka.

– Hm – mruknął Murph, co zwróciło uwagę Maksa.

– Zobaczyłeś coś?

– Matowe odbicie. Dam do tyłu.

Cofnął ROV-a i skręcił nim w lewo. Kamera przesunęła się po zygzakowatej kratce z cienkiego metalu pokrytej zielonymi algami. Poniżej szkło zalśniło w blasku LED-ów.

– Wygląda jakby znajomo – powiedział Murph.

– Wiem, o co ci chodzi. Spróbuj to trochę oczyścić.

Murph odciągnął kawałek zarośniętej stali małym manipulatorem ROV-a.

Wskazówka licznika Geigera podskoczyła.

– Klawo, brawo – pochwalił Max i się rozśmiał. – Perlmutter nas nie zawiódł.

Zaczekali, aż wirujące śmiecie opadną, i zobaczyli więcej odsłoniętego szkła. Wystarczyło do rozpoznania, co to jest.

– Obiektyw – stwierdził Murph.

– Idealnie okrągły i wypukły. Taki jak w aparatach fotograficznych z początku dwudziestego wieku?

Murph powiódł palcem po zygzakowatym zarysie metalu obok obiektywu na ekranie.

– To składana przegubowa rama ówczesnego aparatu wyższej klasy. Wiesz, to, na czym obiektyw wysuwał się i wsuwał do skrzynki. Płócienna harmonijka musiała zgnić dawno temu.

– Nie mogło być zbyt wielu pasażerów z takimi aparatami w 1902 roku.

Murph obrócił ROV-a. Trzy rozbite szklane słoiki leżały w kącie. Wskazówka licznika Geigera znów się poruszyła. Nieszkodliwa radioaktywność, ale większa niż naturalne promieniowanie tła.

– Mówiłeś, że Günther Lutzen wywoływał zdjęcia w swojej kabinie. Tamte słoiki wyglądają jak takie z wywoływaczem.

Reszta pomieszczenia tonęła pod szczątkami. Gdyby chcieli zobaczyć, co jeszcze tam jest, musieliby usunąć je rękami.

– Chyba znaleźliśmy to miejsce – powiedział Max. – Teraz musimy je odkopać.

Gdy tylko David Pasquet zatrzymał ciężarówkę przy odizolowanym basenie portowym na południowym krańcu Saint-Pierre, z tyłu samochodu wyskoczyli mężczyźni i zaczęli wyładowywać plastikowe beczki. Na końcu wyjęli sprzęt nurkowy.

Pasquet chybił, gdy strzelał do swoich celów na „Oregonie" w Montego Bay, i teraz chciał się zrehabilitować. Bazin mu ufał i powierzył przeprowadzenie tej akcji, więc Pasquet nie mógł go zawieść.

Jak większość oficerów Bazina, Pasquet wyszkolił się za granicą przed powrotem na Haiti. Służył we francuskiej marynarce wojennej. Trepów werbowano i szkolono w kraju z założeniem, że będą całkowicie lojalni wobec Bazina. Gdyby coś wskazywało, że któryś zdradził, cała jego rodzina zostałaby zabita. Choć większość tych ludzi nie potrzebowała takiego bodźca, bo dobrze im płacono, od czasu do czasu karano kogoś dla przykładu.

Tę operację zaplanowano pospiesznie, kiedy tylko Doktor się dowiedział, że dowód istnienia obiektu Oz może wciąż być na zatopionej „Roraimie". Pasquet widział, że „Oregon" już zakotwiczył w oddali niedaleko miejsca, gdzie jego mapa wskazywała wrak „Roraimy".

Na morzu nie mieli szans z tak uzbrojonym statkiem, więc musieli wymyślić prowizoryczne wyjście. Dzięki niezrównanym umiejętnościom inwigilacji Doktora ułożyli całkiem dobry plan.

Po przylocie na Martynikę drugim prywatnym odrzutowcem firmy Bazina pojechali do pewnego magazynu w Fort-de-France, skąd ukradli dwadzieścia pustych plastikowych beczek przeznaczonych do transportu kawy i cukru. Potem zrobili skok na magazyn firmy, która właśnie miała zacząć drążenie nowego tunelu drogowego w południowej części wyspy.

Ostatni postój zrobili przy nabrzeżu Vue Sous Tours. Stała tam przycumowana duma i radość firmy, biała pasażerska łódź podwodna SC-30 z napędem dieslowsko-elektrycznym. Odpowiadała idealnie potrzebom Pasqueta.

Przez większość dni zabierano nią trzydziestu turystów w rejsy po porcie Saint-Pierre, żeby mogli obejrzeć około tuzina wraków bez moczenia sobie nóg. Główna kabina pasażerska w kształcie rury spoczywała na dwóch spłaszczonych na górze pływakach jak kadłuby katamarana. Na rufie znajdowała się duża platforma, gdzie organizowano przyjęcia w wynurzeniu. Pływaki były rozszerzone ku dołowi z tyłu i z przodu i miały niebieskie pasy na całej długości, co przypominało samochód wyścigowy Formuły 1.

Pasażerowie siedzieli twarzami do dużych okien po obu stronach. Łodzią sterowano z wielkiej szklanej półkuli na dziobie. W przeciwieństwie do większości podwodnych wycieczkowców wymagających doholowania do punktu obserwacyjnego przed zanurzeniem z powodu ich ograniczonego zasięgu na akumulatorach, SC-30 mogła dzięki swoim dieslom dopłynąć nad wrak sama, zanim zeszła pod powierzchnię.

Kiedy Pasquet wysiadł z ciężarówki i włożył kaptur sztormiaka, dostał esemesa, że ich odrzutowiec wylądował na wyspie Dominika dwadzieścia mil morskich na północ. Zważywszy, jak skomplikowana będzie operacja, po jej zakończeniu start z Martyniki byłby trudny. Bezpieczniej było ukraść jakąś motorówkę i dopłynąć do Dominiki, skąd wylot będzie dużo łatwiejszy.

Dwaj mężczyźni czyścili wnętrze łodzi podwodnej przed najbliższym rejsem z turystami za piętnaście minut. Obaj nosili białe mundury z naramiennikami, żeby wycieczkowicze mieli wrażenie, że to profesjonaliści.

Starszy z nich, w którym Pasquet na podstawie strony internetowej rozpoznał kapitana i właściciela firmy, odłożył na bok mopa na widok sześciu ludzi rozładowujących ciężarówkę przy jego przystani. Włożył sztormiak i dał nura przez właz. Załogant za nim. Pasquet się uśmiechnął, kiedy podeszli.

– *Bonjour, capitaine Batiste* – powiedział po francusku i mówił dalej w tym języku. – Chcemy skorzystać z pańskiej łodzi podwodnej.

– Przykro mi – odrzekł Batiste – ale jesteśmy dziś zarezerwowani na cały dzień. I przy tak wzburzonym morzu będziemy musieli odłożyć nasz pierwszy rejs.

– Szkoda. Nieważne. I tak ją weźmiemy.

Pasquet wyciągnął pistolet i wycelował w kapitana. Batiste odruchowo podniósł ręce do góry. Stary wilk morski się zaniepokoił, ale nie przestraszył. Ale jego załogant trząsł się tak, jakby miał zwymiotować.

– Czego chcecie? – zapytał kapitan.

– Już mówiłem, twojej łodzi podwodnej. Poprowadzisz ją dla nas.

Batiste popatrzył na ciężkie plastikowe beczki, które ludzie Pasqueta wtaczali na pokład rufowy i pływaki.

– A jeśli odmówię?

– Zastrzelę tę dygoczącą parodię człowieka.

Batiste pękł.

– Nie, błagam! To mój syn.

– Więc rób, co ci każę, to nikomu nic się nie stanie.

Odwrócił się do jednego ze swoich ludzi.

– Zabierz ich do środka. Niech Batiste zwiąże syna i założy mu opaskę na oczy.

Pasquet dopilnował, żeby beczki zostały równo rozmieszczone, a potem przywiązane. Ostatnią kazał włożyć do środka łodzi podwodnej. Otworzył ją i przyjrzał się ładunkowi dynamitu do budowy tunelu. Detonator na wierzchu był ustawiony na jedną godzinę, jak w pozostałych beczkach. Po naciśnięciu przycisku w jego kieszeni wszystkie zaczną odliczać.

Jego ludzie wnieśli sprzęt nurkowy na pływaki łodzi podwodnej. Zostaną na pokładzie podczas rejsu pod powierzchnią, żeby zrzucić beczki za burtę, kiedy łódź zawiśnie nad wrakiem „Roraimy". Wszyscy mieli najnowsze słuchawki kostne do łączności nawet w maskach i automatach oddechowych. Transmisje ultradźwiękowe przechodziły przez wodę do słuchawek z mikrofonami przy paskach ich masek.

– Przyprowadź Batiste'a – rozkazał Pasquet jednemu ze swoich ludzi.

Pokazał kapitanowi beczkę i jej zawartość.

– Ten dynamit będzie w środku łodzi z tobą i twoim synem – powiedział i uniósł urządzenie, które przyczepił magnesem do kadłuba. – To nadajnik i odbiornik akustyczny wykorzystujący metal jako głośnik. Zostanę na pływaku i będę nadawał ci instrukcje, kiedy będziesz sterował łodzią. Jeśli coś zrobisz inaczej, odpłyniemy i zdetonujemy ładunki wybuchowe. Rozumiesz?

Batiste przytaknął tępo i zabrano go z powrotem do kokpitu. Pasquet zamknął beczkę.

W rzeczywistości nie mógł zdalnie zdetonować dynamitu w zanurzeniu. Fale radiowe nie rozchodzą się pod wodą, a nie miał innego sposobu nadania sygnału do detonatorów. Musiał zaryzykować zsynchronizowanie timerów. Beczki spadną na wrak i jednoczesna eksplozja wszystkich zamieni go w kupę złomu, której przekopanie zajmie tygodnie. Jakikolwiek dowód istnienia projektu „Wartownik" znajdującego się we wraku zostanie zniszczony.

Po zrzuceniu beczek na „Roraimę" każe Batiste'owi posadzić łódź podwodną na dnie. Pasquet miał mały ładunek wybuchowy do wysadzenia okna. Kiedy załoga „Oregona" będzie usiłowała uratować tonących zakładników, on i jego ludzie odpłyną. Beczka w łodzi podwodnej wybuchnie kilka minut później razem z innymi i rozerwie ją. To odwróci uwagę od ich ucieczki.

Autokar wycieczkowy zatrzymał się obok ciężarówki. Pasquet się uśmiechnął. Właśnie na to czekał. Dwóch zakładników na pewno by nie wystarczyło, gdyby załoga „Oregona" zdecydowała się użyć swojego uzbrojenia przeciwko niemu i jego ludziom. Choć członkowie Korporacji nazywali siebie najemnikami, Pasquet wiedział, że nie zrobiliby krzywdy cywilom, co ułatwiało mu zadanie.

Wyszedł na zewnątrz popatrzeć, jak dwudziestu turystów wysiada z autokaru. Przewodnik wstał z siedzenia kierowcy i Pasquet przywołał go gestem.

– Gdzie kapitan Batiste? – zapytał przewodnik.

– Przygotowuje wszystko w środku – odrzekł Pasquet z uśmiechem. – Mamy dla was w planie wyjątkowy rejs.

Obliczył w pamięci, ile czasu zajmie związanie turystów i założenie im opasek na oczy, a potem droga do wraku. Nie chciał, żeby zostało zbyt dużo czasu po zrzuceniu beczek. Uznał, że może już włączyć timery.

Nacisnął przycisk w kieszeni. Detonatory bomb we wszystkich dwudziestu beczkach zaczęły jednocześnie odliczanie. Godzina do wybuchu.

Rozdział 34

Berlin

Choć do początku kalendarzowej wiosny zostało zaledwie parę tygodni, zima w Niemczech nie dawała za wygraną. Ulice Berlina pokrywała kilkucentymetrowa warstwa białego puchu, a śnieg wciąż sypał grubymi płatkami. Podczas lotu trochę ich wytrzęsło, ale „Mały" Gunderson gładko posadził gulfstreama Korporacji na pasie lotniska Tegel na północnozachodnim krańcu miasta. Zamierzał przespać się w kabinie podczas wyprawy Juana i Erica do berlińskiego Uniwersytetu Humboldta.

W lotniskowej wypożyczalni Juanowi udało się wynająć ostatni samochód z napędem na cztery koła, audi kombi, które w tych trudnych warunkach spisywało się znakomicie. Tylko trasy przelotowe zostały oczyszczone przez pługi, na reszcie ulic zalegał rozjeżdżony śnieg. Autobusy i samochody z napędem na jedną oś posuwały się w żółwim tempie, tramwaje jeździły bez przeszkód, nic sobie nie robiąc z obfitych opadów.

Po przybyciu na miejsce Eric musiał zaryzykować przeszukanie dostępnego w sieci katalogu księgozbioru uniwersyteckiego, aby ustalić, czy rozprawa doktorska Lutzena znajduje się w głównej bibliotece w kampusie, czy w jednej z wielu filii, rozrzuconych po całym mieście. Cały długi lot zdałby się na nic, gdyby okazało się, że dysertacja trafiła na śmietnik, uległa zniszczeniu w trakcie bombardowań podczas II wojny światowej albo w ogóle nie została zarchiwizowana.

Kiedy Eric przeglądał bazę danych biblioteki, Juan wykonał kilka szybkich skrętów, klucząc po ulicach Berlina, aby upewnić się, że nikt za nimi nie jedzie. Chociaż zastosował wszelkie środki ostrożności, żeby utrzymać w tajemnicy cel ich podróży, Juan nie mógł pozbyć się wrażenia, że coś im umknęło, jakiś element układanki, który pozwalał Lawrence'owi Kensitowi śledzić ich ruchy.

Informacje Maksa na temat Hectora Bazina utwierdziły ich tylko w przekonaniu, że Kensit posunie się do wszystkiego, byle nie zdradzić swoich sekretnych planów. Utrzymywanie na każde skinienie tak brutalnego i skutecznego najemnika jak Bazin musiało kosztować krocie, a zamach bombowy na biuro w samym centrum Manhattanu wymagał najwyższego ryzyka.

– Mam – powiedział Eric. – Günther Lutzen. Postać rzeczywista. Doktorant na wydziale fizyki. Praca złożona w 1901.

– Oby tylko była w zasobach biblioteki – westchnął Juan. – „Mały" Gunderson będzie niepocieszony, jeśli wrócimy z pustymi rękami.

– Dysertacja widnieje w katalogu, ale ze względu na wiek nie została zdigitalizowana. Możliwa do wglądu jedynie na miejscu.

Juan kiwnął głową z zadowoleniem. A więc opłaciło się przyjechać do Berlina. Gdyby prowadzili internetowe poszukiwania z Nowego Jorku w nadziei, że praca jest dostępna w sieci, Kensit mógłby ich namierzyć i poznać ich zamiary.

– Gdzie jest przechowywana?

– Znajduje się w księgozbiorze specjalnym w Centrum Jacoba i Wilhelma Grimmów.

– Biblioteka imienia braci Grimm? Cóż za odpowiednia nazwa. Miejmy nadzieję, że akurat ta baśń będzie miała szczęśliwe zakończenie.

– To nowy budynek w centrum Berlina. Wszystkie książki z dziedziny nauk przyrodniczych zostały przeniesione w inne miejsce, ale większość starych prac doktorskich i unikalnych dokumentów pozostała w Centrum Grimmów. Tak się szczęśliwie składa, że to zaledwie dziesięć minut stąd. Właśnie wyznaczyłem drogę dojazdu.

– Będziemy mogli wypożyczyć tę pracę?

– Nie. Jest bardzo stara i można się z nią zapoznać jedynie w czytelni. Poza tym nie mamy karty bibliotecznej.

Po sprawdzeniu, że nie ciągną za sobą ogona, Juan poprowadził auto zgodnie ze wskazówkami Erica.

– Jaki jest tytuł doktoratu Lutzena? – spytał.

– Wrzuciłem go do translatora w telefonie, ale nie wiem, jak sobie poradzi z terminologią naukową. Dokładniejsze tłumaczenie moglibyśmy uzyskać po powrocie na „Oregona".

– Na razie musi nam wystarczyć przybliżone.

Eric zmarszczył brwi, wpatrując się w wyświetlacz.

– Wyszło coś takiego: „O wykrywaniu i rejestrowaniu pomniejszych cząstek atomowych i rozpadzie radioaktywnym".

– Co to są te „pomniejsze cząstki atomowe"?

– Nie wiem. Nie ma dostępu do streszczenia, zresztą nie wiadomo, czy w tamtych czasach w ogóle pisano streszczenia. To mogą być cząstki elementarne.

– Niewiele nam to dało. Dlaczego Kensit tak bardzo starał się utrzymać tę pracę w tajemnicy?

– Na studiach interesowałem się fizyką doświadczalną, dla której był to istny złoty okres – powiedział Eric z wyraźnym ożywieniem. – Na przestrzeni dziesięciu lat, od 1895 do 1905 roku, dokonano najistotniejszych odkryć i sformułowano najważniejsze hipotezy w historii nauki. W 1895 roku Wilhelm Roentgen odkrył promienie X. Rok później Henri Becquerel wraz z Marią Skłodowską-Curie zauważyli, że pewne chemiczne pierwiastki wysyłają promieniowanie, pod wpływem którego pojawiają się zaciemnienia na nienaświetlonych kliszach fotograficznych, i nazwali to zjawisko radioaktywnością. W 1897 roku J.J. Thomson odkrył elektrony. Na podstawie tych dokonań Ernest Rutherford ustalił w 1899 roku, że uran emituje promienie alfa i beta. I tak dalej, aż do 1905 roku, kiedy pewien szwajcarski urzędnik patentowy opublikował swoją szczególną teorię względności.

– Nie wiedziałem, że Einstein to Szwajcar.

– Nie żaden Szwajcar, tylko dekownik. Wyjechał z Niemiec, żeby uniknąć służby wojskowej. Paradoksalnie, obecnie uważa się go za jednego z ojców bomby atomowej.

– Gdzie w tym wszystkim miejsce dla Günthera Lutzena?

– W owym czasie Uniwersytet Berliński był jednym z głównych ośrodków badań w dziedzinie teoretycznej fizyki jądrowej i mechaniki kwantowej. Max Planck jako jeden z pierwszych naukowców uznał budzącą wówczas ogromne kontrowersje teorię Einsteina. Planck, późniejszy laureat Nagrody Nobla z fizyki, był także wykładowcą uniwersyteckim. Robiąc tutaj doktorat, Lutzen obracał się pośród naukowych gigantów w tej dziedzinie.

– Jeśli napisał przełomową pracę doktorską, dlaczego nic o nim nie słyszeliśmy?

Eric wzruszył ramionami.

– Właśnie zrobiłem szybki przegląd literatury z dziedziny fizyki. Niczego nie opublikował, a u innych autorów nie znalazłem żadnych odwołań do jego pracy. Skoro nie zamieszczono jej w żadnym czasopiśmie naukowym, to tak, jakby nie istniała. Być może Lutzen zmarł, kiedy właśnie przygotowywał wydanie pracy opisującej jego odkrycia. Temu mógł służyć dziennik, znaleziony przez Kensita. Niewykluczone też, że jego praca okazała się zbyt przełomowa.

– Zbyt przełomowa?

– Idee Lutzena mogły być tak bardzo nowatorskie, że miał problemy z ich publikacją. Enrico Fermi, jeden z naukowców zaangażowanych w „Projekt Manhattan", napisał w 1934 roku artykuł do czasopisma „Nature", w którym przedstawił strukturę atomu zgodną z naszą dzisiejszą wiedzą. Nie wydrukowano go, uznając, że „zbytnio odbiega od rzeczywistości". Jeśli tezy Lutzena faktycznie wyprzedzały swój czas, być może próbował znaleźć więcej dowodów na ich poparcie.

– Na Karaibach?

– Nie dowiemy się, czego szukał, dopóki nie zapoznamy się z treścią pracy.

– Będziemy na to potrzebować dosłownie kilku minut – powiedział Cabrillo. Wciąż miał przy sobie okulary z wbudowaną kamerą. Po dotarciu do biblioteki i otrzymaniu do wglądu doktoratu Lutzena, zamierzał go szybko przekartkować i przesłać cały sfotografowany w wysokiej rozdzielczości dokument Overholtowi, aby CIA mogło dokonać jego pełnego przekładu.

Juan zaparkował na ulicy przed wejściem do budynku Centrum Grimmów, szarego betonowego prostopadłościanu, poprzecinanego szczelinami wąskich, wysokich okien. Wraz z Erikiem weszli pospiesznie do środka i podeszli do recepcji. Skierowano ich na szóste piętro do dyżurnego bibliotekarza, który miał dostęp do księgozbioru specjalnego.

Idąc przez główne atrium, Juan poczuł się zbity z tropu. W przeciwieństwie do zimnej i surowej elewacji budynku, atrium było zachwycającym dokonaniem architektonicznym, wypełnionym ciepłem i światłem. Od parteru aż do szóstego piętra wznosiły się tarasy kolejnych kondygnacji z pokrytymi ciemnozielonym suknem stołami stanowisk czytelniczych. Ściany obficie wyłożono drewnem, a przeszklony dach zapewniał dopływ światła dziennego. Gruba wykładzina podłogowa całkowicie tłumiła szelest przekładanych stron i szmer ściszonych rozmów.

Dyżur pełniła uczesana w koński ogon młoda bibliotekarka o dźwięcznym imieniu Greta wypisanym na identyfikatorze, która na powitanie odezwała się do nich po niemiecku. Juan posługiwał się biegle hiszpańskim, rosyjskim i arabskim, ale z niemieckim był mocno na bakier.

– Nie zna pani angielskiego? – spytał.

– Angielski? Tak – odpowiedziała z twardym akcentem i uśmiechnęła się. – Trochę.

– Chcielibyśmy przejrzeć rozprawę doktorską Günthera Lutzena z 1901 roku. – Eric podsunął jej tytuł pracy.

Greta zmarszczyła brwi i uniosła zdziwione spojrzenie na Juana.

– Wy też chcecie zobaczyć ten dokument?

Rysy Juana stężały.

– Co pani ma na myśli, mówiąc „też"?

– Kilka minut temu pytał o niego jakiś mężczyzna. *Herr* Schmidt poszedł z nim, żeby mu go pokazać.

– Jak wyglądał ten człowiek?

– On jest... jak to będzie po waszemu... *schwarz?* – potarła skórę na dłoni i wskazała na czarny zszywacz do papieru.

– Ma ciemną skórę? – spytał Juan.

– *Ja.* Bardzo ciemną.

To był Bazin. Mimo wszelkich środków ostrożności znów przewidział ich ruch. Gdyby udało mu się zniszczyć rozprawę, straciliby ostatnie ogniwo, łączące Günthera Lutzena z Lawrence'em Kensitem.

– Dokąd poszli?

– Archiwum znajduje się na tym piętrze. O, tam. – Zawahała się, speszona nagłym zniecierpliwieniem Cabrilla, i wskazała przeciwległą stronę budynku.

Obaj puścili się pędem w tym kierunku. Kiedy nie było nikogo w pobliżu, Juan zatrzymał się, podciągnął nogawkę spodni i otworzył zamaskowany schowek w swojej nodze bojowej. Wyjął stamtąd colta defendera kaliber .45 i schował pod marynarką. Eric nie miał broni, ale i tak na niewiele by mu się zdała, bo nie był przeszkolony w jej obsłudze. Juanowi przemknęło przez myśl, żeby posłać go po funkcjonariuszy ochrony biblioteki, ale ci raczej nie byli uzbrojeni. Bardziej przydałaby się policja, tylko że zanim dotarłaby na miejsce, mogło już być po wszystkim.

Tak czy inaczej, Eric nie powinien iść z pustymi rękami. Juan wcisnął mu w dłoń pakiet C-4, spłonkę i detonator.

– Co mam z tym zrobić?

– Jeszcze nie wiem. Może sam coś wymyślisz. Na razie trzymaj się za mną.

Ruszyli dalej i po chwili zatrzymali się przed drzwiami z napisem „Archiwum". Juan uchylił je ostrożnie. Dobrze naoliwione zawiasy nie wydały żadnego dźwięku. Przykucnął i wsunął się do środka, lustrując pomieszczenie przez celownik swego colta. Długa sala zastawiona była regałami, na których stały unikatowe książki i zbindowane prace naukowe.

Zaczął się skradać za rzędem półek, aż dotarł do końca. Eric skradał się w przeciwnym kierunku. Juan obrócił się i ujrzał Bazina za wysokim, szczupłym mężczyzną, którym zapewne był *Herr* Schmidt. Juan nie miał żadnych skrupułów, by bez ostrzeżenia zastrzelić bezwzględnego mordercę, jakim był Bazin, ale niemal całkowicie zasłaniał go Schmidt, stojący z podniesionymi rękami tyłem do Juana.

Bazin mierzył do Schmidta z pistoletu, w drugiej ręce trzymał rozprawę doktorską Lutzena.

Juan miał za mało czasu, by zająć dogodniejszą pozycję.

– Puść go, Bazin! – krzyknął z wycelowanym coltem gotowym do strzału.

Bazin przyłożył pistolet do skroni stojącego przed nim okularnika, struchlałego ze strachu. Bibliotekarz stał między nim a Juanem. Głowa Schmidta całkowicie zasłaniała twarz Bazina. Choć colt był wyposażony w laserowy celownik Crimson Trace, Juan nie miał możliwości oddania strzału. Z ruchów łokcia Bazina wywnioskował, że przestępca wpycha doktorat do kieszeni kurtki.

Nic nie wskazywało na to, aby poza nimi trzema i Erikiem ktoś jeszcze był w archiwum.

– Zjawiłeś się szybciej, niż myślałem, Cabrillo – powiedział Bazin z wyraźnym francuskim akcentem, przesuwając się w stronę drzwi po przeciwnej stronie sali.

– Skąd wiedziałeś, że tu będę?

– Oto jest pytanie, nieprawdaż?

Bazin znów przemieścił się o kilka centymetrów w obranym kierunku.

– Przecież nie mogłeś założyć podsłuchu na naszych łączach.

– Prawdziwa zagadka, co? Niezły był ten numer z okularami, żeby poznać moją tożsamość.

Juan trzymał Bazina na muszce, czekając na jakikolwiek błąd z jego strony. Eric czyhał w sąsiednim rzędzie z materiałem wybuchowym i detonatorem, ale Cabrillo leciutko pokręcił głową na znak, żeby się nie wychylał.

– Zdajesz sobie sprawę, że nie uda ci się wydostać z Niemiec – powiedział Juan.

– Akurat tym się nie martwię.

– A czym się martwisz?

Bazin był coraz bliżej drzwi.

– Właściwie niczym, mam w ręku same atuty.

– Wiem, że pracujesz dla Kensita.

– I więcej się nie dowiesz bez tej rozprawy.

Na ścianie obok drzwi wisiała mosiężna tabliczka z nazwą działu, znajdującego się w sąsiednim pomieszczeniu. Juan dostrzegł w niej odbicie twarzy Bazina.

– Widzę cię, Bazin.

Haitańczyk zerknął na lustrzaną powierzchnię.

– I co z tego? Będziesz musiał go zastrzelić, żeby mnie trafić.

– Nie to miałem na myśli – powiedział Juan, wcelowując colta w wypolerowany kawałek metalu. Poczekał, aż

272

Bazin znów spojrzy na niego z szyderczym uśmieszkiem, i włączył laser.

Bazin wrzasnął, oślepiony potężną wiązką światła, i puścił Schmidta, który w panice rzucił się w kierunku Juana, blokując mu możliwość oddania strzału.

– Padnij! – krzyknął Juan.

Schmidt zaplątał się we własne nogi i padł jak długi, waląc głową o metalową półkę. Dopiero teraz Juan miał jak na dłoni Bazina, który wciąż mrugał jak oszalały, nie mogąc pozbyć się porażających skutków działania lasera.

Drzwi na korytarz otworzyły się z trzaskiem i do archiwum wtargnął drugi Haitańczyk, strzelając z trzymanych w obu rękach pistoletów. Przebiegły Bazin grał na zwłokę, czekając, aż przybędzie kompan i załatwi Juana. Cabrillo zdołał oddać naprędce dwa strzały i odskoczył, by zejść z linii ognia.

W tym samym momencie nad regałem przeleciała paczuszka C-4 i wylądowała na podłodze u stóp strzelającego bandziora. Ten spojrzał na nią zdziwiony i wtedy nastąpiła eksplozja. Wybuch cisnął nim jak szmacianą lalką o regał, który przewrócił się i uderzył w sąsiedni, wywołując efekt domina.

Korzystając z zamieszania, Bazin zniknął za drzwiami.

– Eric! – krzyknął Juan. – Jesteś cały?

– Tak, tylko przysypały mnie książki.

Juan postawił Schmidta na nogi.

– Pomóż mu! – rozkazał, wskazując na Erica. Schmidt kiwnął głową, ale Juan nie czekał na potwierdzenie i wypadł na korytarz w pogoni za Bazinem.

Kiedy wybiegł z archiwum, Bazin właśnie skręcał za róg. Na widok Juana zmienił kierunek i przestrzelił szybę w oknie głównego atrium, po czym rzucił się przez nie do środka. Wylądował na stole za plecami studentów, którzy już wcześniej, słysząc strzelaninę i eksplozję, gromadnie ruszyli do wyjścia.

Chwilę później do środka wpadł Juan. Nie mógł strzelać, bo wszędzie było pełno ludzi. Bazin przesadził barierkę i zeskoczył na niższy taras.

Juan trzymał się jeden taras za nim. Jednocześnie zeskakiwali na coraz niższe poziomy, jakby byli zsynchronizowani. Na dole studenci tłoczyli się w głównym wejściu. Bazin zrezygnował z tej drogi i wydostał się na zewnątrz wyjściem awaryjnym.

Juan wybiegł tuż za nim, prosto w zamieć śnieżną. Na twarzy poczuł ukłucia gnanych wyjącym wiatrem zlodowaciałych płatków. Jedyną zaletą wstrętnej pogody było to, że dzięki niej znał dokładnie kierunek ucieczki Bazina. Puścił się pędem po świeżych śladach stóp.

Rozdział 35

Max śledził przebieg prac ze swego stanowiska w centrum operacyjnym. Zgodnie z ostatnimi meldunkami nurków z „Roraimy" podpieranie zapadających się stalowych elementów kadłuba zostało zakończone i teraz przekopywali się przez rumowisko, przy którym stwierdzili podwyższony poziom promieniowania i znaleźli obiektyw. Eddie i Linc zamierzali po raz drugi zejść pod wodę i dołączyć do poszukiwań. Jeśli we wraku przetrwały nieuszkodzone metalowe pojemniki z negatywami, to powinny być niezbyt głęboko pod powierzchnią, bo kabiny pasażerskie znajdowały się w górnej części kadłuba statku.

– Max – odezwał się Murphy zaniepokojonym głosem, co było zupełnie nie w jego stylu. – Lepiej chodź tu i rzuć na to okiem.

– Czyżby nastąpił nagły wzrost poziomu promieniowania? – spytał Max, idąc do niego.

– Gorzej. Właśnie dostałem mejla.

– Od kogo?

– Nie mam pojęcia. I to jest problem numer jeden.

Max stanął obok stanowiska Murphy'ego i natychmiast zauważył problem numer dwa. Mejl zawierał dwa załączniki w postaci plików graficznych. Pierwsze zdjęcie przedstawiało wnętrze turystycznej łodzi podwodnej, której pasażerowie siedzieli w dwóch rzędach plecami do siebie ze skrępowanymi z tyłu rękami i opaskami na oczach. W tle stała zwykła plastikowa beczka do transportu materiałów płynnych. Na drugim zdjęciu widoczna była zawartość beczki. Znajdowało się w niej dość dynamitu, by rozerwać łódź na kawałki.

Treść wiadomości ograniczała się do jednego zdania: „Nie wtrącajcie się, bo wszyscy zginą".

Max zasępił się, nie odrywając wzroku od ekranu.

– Nie wiesz, skąd to przyszło?

Murph bezradnie rozłożył ręce.

– To moje prywatne konto na serwerze Korporacji. Nikt nie zna tego adresu, z wyjątkiem ludzi z „Oregona".

Było to kolejne potwierdzenie, że ich zabezpieczenia zostały złamane.

– „Nie wtrącajcie się"? Co to ma znaczyć? – spytał Murph.

Max zwrócił się do Lindy.

– Pokaż mi zatokę.

Na głównym ekranie pojawił się obraz z jednej z pokładowych kamer. Widok przesuwał się z lewa na prawo. Nagle Max zauważył w oddali dziwny, biały obiekt, zmierzający niespiesznie w ich kierunku.

– Zrób zbliżenie.

Linda płynnie powiększyła zatrzymany kadr. Obraz o wysokiej rozdzielczości przedstawiał turystyczną łódź podwodną z bocznymi pływakami jak w katamaranie, sunącą po powierzchni wzburzonego morza. Na obu pływakach widać było uzbrojonych ludzi w skafandrach nurkowych, skulonych pomiędzy dziesiątkami beczek, takich samych jak ta na zdjęciu dołączonym do mejla. Zapewne każda z nich była wypełniona materiałem wybuchowym.

– Zamierzają rozwalić „Roraimę" – powiedziała Linda.

– Dobija mnie świadomość, że Kensit zawsze wie, gdzie jesteśmy i co robimy – rzucił Murph.

– To wygląda na zaplanowane działanie. – Max pokiwał głową. – Musieli wcześniej porwać łódź podwodną i przygotować bomby. Od samego początku wiedzieli, dokąd płyniemy.

– To znaczy, że Kensit wie, czego szukamy – zauważył Murph. – Zniszczenie „Roraimy" to jedyny sposób, by nas powstrzymać.

– Musi też znać przynajmniej niektóre możliwości „Oregona". Zdawał sobie sprawę, że po zorientowaniu się w zamiarach jego ludzi, natychmiast posłalibyśmy im torpedę, dlatego mają ze sobą zakładników.

– Nie możemy dopuścić do zniszczenia wraku – oznajmił Murph. – W przeciwnym razie nigdy nie znajdziemy Kensita.

– Jak możemy im się przeciwstawić?

– Użycie broni odpada ze względu na obecność zakładników.

– Nurkowie też nic nie wskórają – stwierdziła Linda. – Mimo sporej fali zostaliby zauważeni, zanim zdołaliby dostać się do łodzi. Wystarczy, by ktokolwiek z naszych pojawił się w odległości trzydziestu metrów, natychmiast zabiją wszystkich pasażerów.

– Prawdopodobnie i tak ich zabiją – odparł Murph. Z tego, co Max dowiedział się o metodach działania Kensita i Bazina, zakładnikom groziło śmiertelne niebezpieczeństwo. – Musimy coś zrobić.

– A może by tak... – zaczął Max i zamilkł. Przyszedł mu do głowy pewien pomysł, ale przypomniał sobie, że mogą być podsłuchiwani, i wolał nie ryzykować wykładania kart na stół, zanim się z kimś nie naradzi.

– Co takiego? – spytał Murph.

Max pokręcił głową, jakby był zły sam na siebie.

– Nieważne. To nic nie da. Powinniśmy się wycofać.

– I pozwolić im zniszczyć informacje, których tak bardzo potrzebujemy?

– Nie mamy wyboru – stwierdził Max, mając nadzieję, że jego głos brzmi przekonująco. Połączył się z basenem zanurzeniowym.

– Dajcie mi Eddiego.

Kiedy zgłosił się Eddie, Max powiedział:

– Zaraz będziemy mieli towarzystwo. Płynie do nas turystyczna łódź podwodna załadowana beczkami z materiałem wybuchowym, a na niej sześcioosobowy oddział uzbrojonych nurków.

– Na „Roraimie" pracuje jeszcze pięciu ludzi. Niedługo rozpoczną wynurzenie, ale to potrwa, bo muszą robić przystanki dekompresyjne.

– Wiem. W łodzi podwodnej są zakładnicy, nie może im spaść włos z głowy. Ty i Linc zabierzcie SPP, tak na wszelki wypadek.

– Na wszelki wypadek? – W głosie Eddiego słychać było konsternację.

– Nie ma czasu na wyjaśnienia. Kiedy zejdziecie na dół, każ reszcie ludzi się wynurzyć, a wy dwaj przycupniecie w PHP. – Max miał nadzieję, że pomocniczy habitat podwodny zapewni Eddiemu i Lincowi wystarczającą osłonę. – Czekajcie na sygnał, że zakładnikom nic nie grozi. Zorientujecie się, kiedy go usłyszycie. Tylko pospieszcie się, bo łódź podwodna będzie tu za jakieś dziesięć minut.

– Zrozumiałem – potwierdził Eddie i się rozłączył.

– SPP? – zdziwił się Murph. Przecież sam mówiłeś...

– Zaufaj mi. – Max przerwał mu wpół słowa, po czym zwrócił się do wszystkich obecnych w centrum operacyjnym. – Nie możemy pozwolić, by zakładnikom stało się coś złego. Rozumiemy się?

Wszyscy pokiwali głowami, ale Max widział na ich twarzach zakłopotanie.

Tak czy inaczej, rzeczywiście mu ufali. Dlatego nikt nie spytał, po co wysyła na dół Eddiego i Linca, uzbrojonych w strzelające śmiertelnie niebezpiecznymi stalowymi grotami podwodne pistolety SPP-1, broń palną skonstruowaną w czasach zimnej wojny dla radzieckich sił specjalnych i pozyskaną przez Korporację.

Wszyscy wiedzieli, że Max właśnie posłał swoich ludzi do walki.

Rozdział 36

Berlin

Juan okrążył budynek, biegnąc po śladach, które wkrótce urwały się pod wiaduktem kolejowym. Po przeciwnej stronie dostrzegł sylwetkę Bazina. Haitańczyk dopadł do stojącego tam SUV-a marki Mercedes, wskoczył do środka, uruchomił silnik i nabierając prędkości, ruszył prosto na Cabrilla.

Juan, zanim odskoczył w bok, zdążył wpakować w przednią szybę dwie kule. Żadna nie trafiła Bazina. Wobec tego wrócił biegiem po samochód.

Eric zdołał utorować sobie drogę między kłębiącymi się na zewnątrz studentami i właśnie podchodził do auta. Juan kiwnął głową w kierunku odjeżdżającego mercedesa.

– Bazin próbuje zwiać! Wsiadaj!

Zaświergotał bezkluczykowy system dostępowy. Juan uruchomił silnik i wrzucił bieg, zanim Eric zdołał zamknąć drzwi. Opony wgryzły się w śnieg. Rozległ się zgrzyt metalu o metal, gdy Juan otarł się o stojący przed nimi samochód, wyjeżdżając pospiesznie z miejsca parkingowego.

Mercedes pokonał zakręt poślizgiem i znikł im z oczu za rogiem. Juan wdepnął w gaz. Wszystkie koła audi zabuksowały, szukając punktu zaczepienia na śliskiej jezdni.

Dzięki większej masie mercedes miał lepszą przyczepność, ale lżejsze audi korzystało z dobrodziejstw napędu na cztery koła. Na prostej przewaga uciekającego bandyty szybko stopniała, dlatego wykonał kilka ostrych zakrętów, próbując zgubić pościg.

Ruch był niezbyt duży, mimo to musieli lawirować między nielicznymi samochodami. Podczas wyprzedzania jednego z nich mercedes celowo uderzył w jego bok. Volvo zatańczyło na jezdni i ustawiło się prostopadle do pędzącego audi. Juan szarpnął kierownicą, o włos unikając staranowania auta z wrzeszczącym ze strachu kierowcą.

– Gotów jest kogoś zabić, jeśli go nie dorwiemy – powiedział Eric.

– Robię, co mogę – odparł Juan przez zaciśnięte zęby.

Przy kolejnym zakręcie w przecznicę Bazin zwolnił, by nie wpaść na zaparkowane samochody, zaś Cabrillo, niczym rajdowiec, poleciał kontrolowanym czterokołowym poślizgiem i w ten sposób zniwelował dystans dzielący go od mercedesa. Zrównał przód audi z prawym tylnym błotnikiem SUV-a i przekręcił kierownicę w lewo. Mercedes zatoczył się w bok, ale moc przekazywana na tylne koła powstrzymała auto od obrócenia się w poprzek ulicy.

Audi straciło kontakt z SUV-em i Juan odbił w prawo, aby nie wpaść na latarnię. Mercedes odskoczył na dwie długości do przodu.

Juan musiał jakoś zakończyć ten pościg. Opuścił boczną szybę, wysunął na zewnątrz rękę z coltem i wymierzył w tylne koło SUV-a. Z wystrzelonych trzech kul ostatnia okazała się celna. Trafiona opona eksplodowała.

Pozbawiona opony felga zagłębiła się w śnieg, mercedes zarzucił tyłem w lewo i w prawo. Ledwie Juan cofnął rękę, audi wpadło na oblodzony kawałek jezdni i musiał znacznie zwolnić, z trudem zachowując panowanie nad pojazdem. Mercedes odskoczył do przodu, więc Juan wdepnął gaz do deski, aby nadrobić stratę.

Bazin zbliżał się do czerwonych świateł, ale nie miał zamiaru się zatrzymać. Z lewej, po stalowych szynach wpuszczonych w nawierzchnię, nadjeżdżał żółty tramwaj. Każdy z jego siedmiu segmentów ważył więcej niż autobus, a to wydłużało drogę hamowania, zwłaszcza na torach pokrytych śniegiem i lodem.

Bazin popróbował przyspieszyć, chciał przeciąć skrzyżowanie, zanim wjedzie na nie tramwaj, ale samochód na kole bez opony zbierał się za wolno.

Nie zdążył.

Tramwaj wyrżnął w bok SUV-a kilkanaście centymetrów za fotelem kierowcy. Mercedes wyleciał w górę i wykręcił w powietrzu zgrabnego pirueta. Hamujący tramwaj nawet nie drgnął, sunąc gładko po torach.

Juan nie chciał podzielić losu Bazina. Obrócił kierownicę w lewo i delikatnie operował gazem, aby nie stracić kontaktu z podłożem. Dzięki napędowi na cztery koła zdołał przemknąć o milimetry obok tyłu tramwaju. Nacisnął hamulec. Zaterkotał ABS w daremnym trudzie zatrzymania rozpędzonego pojazdu, zmierzającego teraz w kierunku mostu nad Sprewą.

Poprzeczne pochylenie jezdni w połączeniu z nadmierną prędkością ściągnęło audi z drogi. Samochód zjechał po zboczu nasypu i wpadł do parku, dochodzącego do samego brzegu rzeki w pobliżu mostu. Juan nie mógł się tu zatrzymać, bo zakopałby się na amen w grubej warstwie śniegu. Zdjął więc nogę z hamulca, dodał nieco gazu i szerokim łukiem zaczął zawracać w lewo, ryzykując kąpiel w lodowatej wodzie.

Przejechał zygzakiem przez park, zerwał przydrożny łańcuch i wypadł na ulicę, kierując się z powrotem na miejsce wypadku.

Wycieczka po parku zmusiła go do objechania całego kwartału. Teraz znalazł się kawał drogi za stojącym tramwajem, w korku, który zdążył się w tym czasie utworzyć.

Wyskoczył z samochodu i pobiegł na miejsce zdarzenia. Pasażerowie opuszczali tramwaj na polecenie motorniczego, który pomagał właśnie wydostać się Bazinowi z rozbitego samochodu. Już z daleka Juan zauważył, że w mercedesie zadziałały wszystkie poduszki powietrzne, co skutecznie ochroniło kierowcę przed odniesieniem poważniejszych obrażeń.

Bazin odepchnął pomocną dłoń motorniczego i chwiejnym krokiem odszedł od wraku auta. Rozejrzał się, jakby szukał kogoś w tłumie, pochwycił spojrzenie Juana, otaksował otaczający go korek, po czym skupił się na tramwaju. Schował głowę w ramionach, kryjąc się między pasażerami, i wskoczył do środka. Tramwaj ruszył mimo głośnych protestów motorniczego, który próbował wrócić do wozu, ale drzwi zamknęły mu się przed nosem.

Biegnąc obok przyspieszającego tramwaju, Juan trzema strzałami roztrzaskał na kawałki szybę w ostatnich drzwiach. Wsunął pistolet do kieszeni i obiema rękami uczepił się ramy w chwili, gdy jego stopy trafiły na pasmo czystego lodu. Stracił równowagę, a tramwaj pociągnął go za sobą. Czuł, jak okruchy szkła wbijają mu się w dłonie. Wytężył wszystkie siły, wciągnął się do środka i padł na podłogę. Natychmiast kilka pocisków odbiło się rykoszetem od ściany tuż nad jego głową. Schował się za najbliższym siedzeniem i odpowiedział ogniem, ale Bazin był dobrze ukryty w kabinie motorniczego. Juan spróbował pociągnąć za umieszczony nad drzwiami hamulec bezpieczeństwa, ale Bazin wyłączył automatykę. Ponownie wychylił się z kabiny i oddał kilka strzałów. Juan zrobił to samo, zużywając dwa ostatnie naboje. Obie kule o włos minęły głowę Bazina. Bandyta znów wyjrzał zza osłony, ale zamek jego pistoletu znajdował się w tylnym położeniu, co świadczyło, że jemu też skończyła się amunicja.

I wtedy Bazin postawił coś, co wyglądało jak teczka motorniczego, na pedale czuwaka aktywnego – urządzenia, które uruchamia hamulce w przypadku utraty przytomności przez osobę prowadzącą pojazd – po czym wyszedł z kabiny. Pozbawiony kontroli tramwaj nadal pędził ulicą, spychając na boki innych uczestników ruchu drogowego. Bandyta zdjął z zaczepu gaśnicę, podszedł do okna i wyrżnął nią o szybę. Zamierzał wyskoczyć w biegu i zostawić Juana w tramwaju, zbliżającym się do skrzyżowania w kształcie litery T. Wchodząc w zakręt przy prędkości 65 kilometrów na godzinę, tramwaj musiał się wykoleić i wpaść prosto do przeszklonego lobby stojącego na wprost biurowca.

Juan ruszył pędem do przodu i rzucił się na najemnika. Chwycił jego rękę w chwili, kiedy ten połową ciała był już po drugiej stronie okna.

– Najpierw oddasz mi to – wysapał, trzymając go, i sięgnął drugą ręką pod kurtkę Bazina. Końcami palców namacał zbindowany plik kartek i wyciągnął go na zewnątrz. Niestety, Bazin też złapał za dokument, który otworzył się mniej więcej w połowie. Bandyta odepchnął się i Juan nie zdołał utrzymać go jedną ręką. Bazin wypadł za okno, ściskając część przedartego wzdłuż perforacji doktoratu Lutzena. Reszta została w dłoni Juana.

Cabrillo zdołał jeszcze zauważyć, jak Bazin, koziołkując, ląduje zwinnie na ziemi, po czym zrywa się na nogi i wbiega w boczną uliczkę. Na dalsze obserwacje nie miał czasu.

Wpadł do kabiny motorniczego, strącił teczkę z pedału czuwaka i klepnął dłonią wielki czerwony przycisk w nadziei, że służy on do awaryjnego zatrzymywania tramwaju. Hamulce zakwiczały jak zarzynany wieprzek. Ciężki pojazd wierzgnął i sunął dalej, ślizgając się po szynach. Do chwili, kiedy pierwszy wóz wszedł w zakręt, prędkość zdążyła spaść mniej więcej o połowę. Tramwaj przechylił się gwałtownie na bok, ale pozostał na torach i wreszcie zatrzymał się na środku skrzyżowania.

Juan otworzył drzwi, pod które właśnie podjeżdżało audi prowadzone przez Erica.

– Jesteś cały? – spytał Eric wysiadającego z tramwaju Juana.

– Tak, ale Bazin uciekł – odpowiedział Cabrillo, krzywiąc się z niesmakiem.

– Z doktoratem?

– Częściowo. – Pokazał Erikowi rozerwany dokument.

– Zacznę go tłumaczyć w samolocie. Miejmy nadzieję, że z tego, co zostało, zdołamy zorientować się, nad czym pracował Lutzen.

– Jedźmy lepiej na lotnisko, zanim zwali się tu cała berlińska policja i zacznie zadawać pytania.

Kiedy Eric ruszył, dobiegło ich wycie syren, odbijające się echem od ścian budynków.

Rozdział 37

Martynika

Łódź podwodna znajduje się trzydzieści metrów od dziobu „Roraimy" – oznajmiła Linda, śledząca wskazania pasywnego sonaru.

– Co z naszymi nurkami?

– Wszyscy wyszli na powierzchnię przez basen zanurzeniowy – zameldował Hali. – MacD twierdzi, że widział róg jakiegoś metalowego pudła, które mogło służyć do przechowywania negatywów, ale nie zdołał odkopać reszty, bo kończyło mu się powietrze.

– Może junior mógłby je wyciągnąć?

– Nie zmieści się. MacD musiał wsunąć rękę głęboko w jakąś dziurę, żeby namacać ten róg. Powiedział, gdzie to było, Eddiemu, kiedy mijali się pod wodą.

Używali pełnotwarzowych masek nurkowych, które z bliska umożliwiały rozmawianie pod wodą.

– Gdzie są teraz Eric i Linc? – Max zwrócił się z pytaniem do Murpha, który wciąż sterował Juniorem.

– Kamera pokazuje ich w pomocniczym habitacie podwodnym – odparł Murph. – Nie powinno ich być widać z łodzi podwodnej.

PHP był zakotwiczoną do kadłuba „Roraimy" kopułą, wykonaną ze szczelnej tkaniny, pod którą utrzymywała się bańka powietrzna, na tej samej zasadzie, co w zanurzonej dnem do góry szklance. Wewnątrz niej nurkowie używający zwykłych regulatorów z ustnikiem mogli odpocząć, porozmawiać ze sobą, a nawet napić się wody.

Max wiedział, że Murphowi nie daje spokoju ciekawość, po co się tam znaleźli, ale cenił go za to, że przynajmniej nie zadawał niepotrzebnych pytań.

Przód łodzi podwodnej nasuwał się właśnie nad leżący sześć metrów niżej dziób rozpadającej się „Roraimy". Max nie mógł czekać ani chwili dłużej. Nie mógł pozwolić, aby beczki z materiałem wybuchowym, które miały zostać zrzucone z łodzi na „Roraimę", wylądowały zbyt blisko „Oregona".

– Linda, przygotuj się do wysłania pojedynczego pingu.

Oczy wszystkich zwróciły się na Maksa. Linda była wyraźnie zszokowana otrzymanym poleceniem.

– Ale przecież Eddie i Linc...

– Są bezpieczni wewnątrz PHP – powiedział głośno, dodając w duchu „mam nadzieję". – Tylko w ten sposób możemy ocalić zakładników. Przepraszam, że nie wyjaśniłem ci wszystkiego wcześniej, ale skoro możemy być na podsłuchu, wolałem nie ujawniać zawczasu swojego planu.

Linda kiwnęła głową ze zrozumieniem i uniosła palec nad przyciskiem, służącym do emisji impulsów sonaru.

Sonar pasywny, zwany też biernym hydrolokatorem, działa na zasadzie wykrywania dźwięków generowanych przez same okręty podwodne. Sonar aktywny zaś przypomina echosondę – emituje impulsy dźwiękowe, które odbijają się od obiektu i wracając, zdradzają jego kształt, wielkość i lokalizację, podobnie jak głośne trzaski, wydawane przez delfiny w celu wykrycia zdobyczy. Delfiny potrafią też wykorzystywać te dźwięki do ogłuszania ryb. Przy poziomie emisji dochodzącym do 220 decybeli ich impulsy echolokacyjne znajdują się w ścisłej czołówce najdonośniejszych odgłosów wydawanych przez zwierzęta.

Ciśnienie akustyczne impulsu sonarowego „Oregona" wynosiło 240 decybeli. Gdyby jakiś pechowy nurek przepływał podczas pingowania w pobliżu nadajnika, jego organy wewnętrzne zmieniłyby się w galaretę, powodując natychmiastową śmierć. Łódź podwodna znajdowała się w odległości mniej więcej trzystu metrów, dlatego nurkowie powinni zostać tylko ogłuszeni pingiem, podobnie jak ludzie poddani na lądzie działaniu granatów hukowo-błyskowych. Eddie i Linc będą bezpieczni wewnątrz PHP, bo zarówno ich płuca, jak i uszy znajdują się powyżej lustra wody, a ciśnienie akustyczne ulega silnemu tłumieniu przy przechodzeniu z ośrodka ciekłego do gazowego. Z tych samych powodów nic nie zagrażało zakładnikom w łodzi podwodnej. Eddie i Linc powinni więc mieć kilka minut na rozprawienie się z oszołomionymi nurkami, znajdującymi się na zewnątrz łodzi.

Jeśli wszystko pójdzie zgodnie z planem.

Łódź płynęła powoli, przypuszczalnie po to, aby ułatwić zrzucanie beczek w regularnych odstępach wzdłuż całego kadłuba „Roraimy".

– Linda – powiedział Max. – Poślij naszą niespodziankę.

W głębiny pomknął ogłuszający ping, słyszalny wyraźnie nawet w centrum operacyjnym.

– Mam nadzieję, chłopcy, że dotrze do was ta wiadomość – mruknął pod nosem Max.

Eddie i Linc właśnie rozmawiali, zastanawiając się, dlaczego Max był taki tajemniczy, kiedy ping uderzył w tkaninę kopuły z taką mocą, że na chwilę się odkształciła. Dźwięk wewnątrz PHP był tak głośny, że zadzwoniło im w uszach. Eddie wolał sobie nie wyobrażać, co by się działo, gdyby byli w wodzie.

– To zapewne sygnał, o którym mówił Max – powiedział Linc.

Szybko założyli maski i wyciągnęli podwodne pistolety SPP-1.

– Zajmij się tymi z prawej burty, ja biorę tych z lewej. Spodziewam się, że też są uzbrojeni.

Uzupełnianie amunicji w SPP-1 było dość kłopotliwe, dlatego mieli po dwa pistolety, każdy załadowany czterema nabojami z długim grotem. Dodatkowy problem stanowił fakt, że na tej głębokości ich skuteczny zasięg nie przekraczał sześciu metrów.

Zanurkowali pod lustro wody i wypłynęli z habitatu. Piętnaście metrów nad ich głowami sunęła powoli biała łódź podwodna. Eddie dostrzegł sylwetkę nurka, wyraźnie odczuwającego skutki impulsu sonaru.

Coś spadało, koziołkując w ich kierunku. Kształtem niepokojąco przypominało bombę głębinową. Musiała to być jedna z beczek wspomnianych przez Maksa. Cylindryczny obiekt uderzył w przerdzewiałą belkę pokładu, skruszył ją i pociągnął za sobą lawinę połamanego metalu. Gmatwanina stali opadła prosto na beczkę, która wylądowała zaledwie kilka metrów od miejsca, gdzie MacD zauważył coś, co mogło być rogiem pojemnika, kryjącego poszukiwane przez nich szklane negatywy.

Teraz jednak nie mieli czasu, by to sprawdzić. Najważniejsze było wyeliminowanie zagrożenia ze strony nurków, przetrzymujących jako zakładników pasażerów łodzi podwodnej. Eddie i Linc odbili się mocno nogami, aby dopaść przeciwników, zanim odzyskają pełną sprawność.

Linc odbił w bok w kierunku lewej burty podwodnego wycieczkowca, Eddie zaś popłynął prosto do nurka, który wciąż przyciskał dłonie do uszu. Krew z popękanych bębenków zabarwiła wodę wokół jego głowy. Na widok Eddiego sięgnął po niewielką kuszę, zwisającą mu u nadgarstka, ale zanim zdążył wycelować, w jego piersi utkwiły dwa groty z SPP-1. Ciało nurka zwiotczało, w wodzie pojawiło się więcej krwi.

Eddie podpłynął do łodzi podwodnej i ujrzał nad sobą kolejną beczkę, chwiejącą się na krawędzi rufowej platformy. Podparł jej dno ramieniem i wepchnął z powrotem. Pchający ją z drugiej strony nurek, mimo oszołomienia, zareagował błyskawicznie na nagłe pojawienie się intruza. Odskoczył do tyłu i zdołał nacisnąć spust kuszy w chwili, kiedy pocisk wystrzelony przez Eddiego wbił się w jego maskę. Strzała z kuszy uderzyła w pływak łodzi, nie czyniąc w nim żadnej szkody.

Przyjrzawszy się nurkowi, Eddie zauważył w jego masce urządzenie słuchowe, wykorzystujące przewodzenie kostne. Oznaczało to, że nawet z pękniętymi błonami bębenkowymi mógł odbierać sygnały dźwiękowe od swych towarzyszy. Było niemal pewne, że pozostali dysponowali podobnym wyposażeniem.

W pobliżu dziobu ujrzał trzeciego nurka, który nie zwracał na niego uwagi, pochłonięty czymś, co trzymał w dłoniach. Światło sączące się z wnętrza łodzi wystarczyło, by Eddie zorientował się, że jest to ładunek kumulacyjny z plastycznego materiału wybuchowego. Najwyraźniej nurek już wiedział o pojawieniu się intruzów i zamierzał zniszczyć łódź podwodną.

Eddie szybko popłynął delfinem ku niemu z pistoletem w wyciągniętej ręce. Strzelił z odległości dziesięciu metrów, ale pocisk odbił się z brzękiem od kadłuba łodzi. Odrzucił bezużyteczny pistolet i wyciągnął zza pasa drugi SPP-1. Nacisnął spust i wystrzelił kolejno wszystkie cztery groty, licząc na to, że przynajmniej jeden dojdzie do celu, zanim nurek uruchomi detonator.

Trafił go trzykrotnie, raz w rękę i dwa razy w korpus, ale ze względu na zbyt dużą odległość groty nie zdołały obezwładnić nurka, który prasnął ładunkiem o łódź i pstryknął włącznikiem detonatora.

Nastąpiła niewielka, ale silna eksplozja, która rozszarpała nurka na strzępy i odrzuciła Eddiego do tyłu. Eddie pokręcił głową, popatrzył na łódź i zorientował się, że nie doszło do przebicia kadłuba. Zdezorientowany nurek w pośpiechu umieścił ładunek na kanale, którym biegły wiązki przewodów elektrycznych, zamiast bezpośrednio na kadłubie łodzi.

Podwodny pojazd nie został zbytnio uszkodzony. Zerwany został spory kawał poszycia kanału, a sam kadłub uległ w tym miejscu wgnieceniu, jednak Eddie nie dostrzegł żadnych oznak nieszczelności.

Popłynął przed dzióa łodzi i zapukał w przezroczystą kopułę kokpitu, czym przeraził siedzącego w nim pilota. Eddie uniósł w górę oba kciuki w nurkowym geście oznaczającym wynurzenie. Pilot jednak pokręcił głową i zaczął coś paplać po francusku. Pokazał ręką miejsce, w którym nastąpił wybuch, a potem skinął w stronę konsoli sterowniczej. Eddie nie musiał znać jego języka, żeby pojąć, że łódź została unieruchomiona. Przyjrzał się z bliska uszkodzeniu i zauważył pozrywane, sterczące kable. Łódź podwodna nie mogła poruszać się o własnych siłach.

Pilot przeszedł z kokpitu do kabiny pasażerskiej i Eddie podążył za nim wzdłuż kadłuba. Patrzył, jak mężczyzna uwalnia z więzów oszołomionego młodego chłopaka, a potem podchodzi do beczki wypełnionej materiałem wybuchowym. Strach chwycił go za gardło, kiedy zauważył, że pilot zamierza zdjąć pokrywę, nie zważając na to, że w ten sposób może spowodować natychmiastowy wybuch.

Eddie walnął pięścią w okno, by zwrócić na siebie uwagę pilota. Pokręcił energicznie głową i wykonał rękami ruch, imitujący eksplozję. Człowiek wewnątrz łodzi zrozumiał i podszedł do okna. Pokazał na beczkę, potem na swój zegarek, a następnie trzykrotnie rozłożył palce dłoni.

Eddie kiwnął głową. Do wybuchu pozostało piętnaście minut. Kiedy w jego polu widzenia pojawił się Linc, przywołał go gestem do siebie i po chwili ich maski zetknęły się ze sobą.

– Załatwiłem trzech na lewej burcie – poinformował Linc i spojrzał na miejsce uszkodzenia łodzi. – To stąd ten głuchy odgłos, który słyszałem.

– Łódź jest uszkodzona i sama nie wypłynie – powiedział Eddie. – Mamy piętnaście minut do wybuchu beczki umieszczonej w środku.

– Przypuszczam, że tyle samo czasu pozostało do wybuchu pozostałych, w tym tej, która wpadła do wnętrza wraku.

– Na tej głębokości nie zdołamy otworzyć włazu, żeby ewakuować pasażerów.

– Nawet gdyby się to udało, i tak wszyscy utoną, zanim wyciągniemy ich na powierzchnię.

– Racja. Pryskaj z powrotem na „Oregona". Bez pomocy z zewnątrz nic nie wskóramy.

– A ty co zamierzasz?

– Spróbuję wydobyć ten pojemnik z negatywami, zanim wybuchną bomby.

– Zaraz wracam z odsieczą – powiedział Linc i śmignął w górę, mocno pracując nogami.

Eddie odwrócił wzrok do okna, za którym dostrzegł błagalny wyraz na twarzy pilota.

– *Aidez nous* – powiedział mężczyzna.

Eddie zrozumiał przekaz. Ratujcie nas.

Uśmiechnął się i zrobił kółko z kciuka i palca wskazującego, pokazując, że wszystko będzie dobrze. Zaraz wam pomożemy.

A potem popłynął w dół, ku wrakowi „Roraimy".

W centrum operacyjnym „Oregona", na wielkim ekranie przekazującym obraz z kamery spuszczonej z basenu zanurzeniowego, Max wraz z resztą załogi obserwowali pospieszny powrót Linca, który ze względu na krótki czas nurkowania nie musiał robić przystanku dekompresyjnego.

Max zażądał połączenia z Linkiem, kiedy ten wciąż jeszcze był w wodzie.

– Gdzie Eddie? – spytał.

– Usiłuje wydostać negatywy – odparł Linc. Obraz z kamery Juniora potwierdzał jego słowa. – Mamy jednak poważniejszy problem. Łódź podwodna została unieruchomiona, a w środku jest bomba, która wybuchnie za trzynaście minut. Zakładnicy znaleźli się w pułapce.

Mając tak mało czasu, Max nie mógł sobie pozwolić na szczegółowe rozważania, która z metod wydobycia łodzi podwodnej na powierzchnię będzie lepsza: nadanie jej pływalności dodatniej, czy też wyciągnięcie dźwigiem. Ta pierwsza wymagałaby precyzyjnego zamocowania specjalnych pontonów i zsynchronizowanego napełniania ich powietrzem, aby podczas wynurzania łódź nie wywróciła się do góry dnem. Dlatego zdecydował się na użycie jednego z pokładowych dźwigów. Nie trzeba było całkowicie wyciągać jej z wody, byle tylko udało się otworzyć właz i nie potopić znajdujących się wewnątrz ludzi.

– Linda, ustaw nas dokładnie nad łodzią podwodną – powiedział Max. – Poślij też kogoś do obsługi dźwigu numer jeden i wyznacz nurków do założenia lin.

Przez radio poinstruował Linca, w jaki sposób zamocować liny do kadłuba łodzi.

Linda pospiesznie usiadła za sterem. Nie trzeba było podnosić kotwicy. „Oregon" utrzymywał wyznaczoną pozycję za pomocą pędników. Przesunęła statek bliżej „Roraimy" i z ogromną wprawą ustawiła go tak, aby wysunięte ramię dźwigu znalazło się dokładnie nad łodzią podwodną.

Kiedy Linc i pozostali nurkowie znaleźli się pod wodą, Max rozkazał zamknąć pokrywy basenu zanurzeniowego. Nie chciał, aby w drodze na powierzchnię pasażerowie łodzi zauważyli tę niezwykłą cechę konstrukcyjną „Oregona".

Nie przejmował się, że podczas akcji ratowniczej łódź może ulec dalszemu uszkodzeniu. Teraz liczyła się tylko szybkość działania. Na linie spuszczonej z ramienia dźwigu znajdowała się kamera, dzięki czemu mógł obserwować, co dzieje się na pokładzie łodzi podwodnej. Po pięciu minutach Linc zameldował, że liny zostały umocowane. Na polecenie Maksa uruchomiono windy, liny naprężyły się i łódź podwodna zaczęła unosić się ku powierzchni. Nurkowie trzymali się jej kadłuba, z wyjątkiem Linca, który popłynął w dół i zniknął z pola widzenia kamery. W tym samym czasie Max rozkazał spuścić na wodę łódź ratunkową, która miała podjąć rozbitków.

Łódź podwodna powoli sunęła w górę, więc Max sprawdził, co słychać u Murpha, który przyglądał się wysiłkom

Eddiego na monitorze, przekazującym obraz z kamery Juniora. Mętna od osadów woda utrudniała obserwację, ale widać było, że Eddie wciąż kopie.

– Co to takiego? – spytał Max, bo zauważył jakiś ruch przy górnej krawędzi ekranu. Pewnie Linc przybywa, by pomóc koledze, pomyślał. Niestety, był to fragment konstrukcji statku, obluzowany wcześniej przez spadającą beczkę. Kawał zardzewiałej stali teraz oderwał się od reszty i opadał prosto na Eddiego.

Max zamarł.

– Ostrzeż go! – krzyknął.

– Za późno – odparł Murph i pchnął juniora do przodu, ustawiając go na drodze spadającego złomu. Chwilę później ROV gwałtownie zanurkował, po czym ekran stał się czarny.

Max i Murph wymienili pełne obaw spojrzenia, ale nie mogli zrobić nic więcej. Musieli skoncentrować się na ratowaniu zakładników.

– Ile? – spytał Max.

Kontrolą czasu zajmował się Hali.

– Zostały cztery minuty, zakładając, że pilot łodzi się nie pomylił.

Biały kadłub łodzi podwodnej pojawił się na powierzchni. Nurkowie natychmiast odśrubowali pokrywę włazu. Zakładnicy, uwolnieni z więzów przez pilota, w pośpiechu przechodzili na łódź ratunkową. Kiedy już wszyscy byli bezpieczni, dołączyli do nich nurkowie. Ostatni, przed wejściem do szalupy, zwolnił zaczep liny dźwigu.

Motorowa szalupa ratunkowa, zamiast wrócić na „Oregona", odpłynęła z pełną prędkością w przeciwnym kierunku, aby oddalić się na jak największą odległość od unoszącej się na powierzchni łodzi podwodnej, której pływaki i tylna platforma zastawione były beczkami z materiałem wybuchowym.

– Linda, zabierz nas stąd.

Jej oczy zdradzały ból, taki sam, jaki odczuwał Max. Oboje mieli świadomość, że muszą zostawić Linca i Eddiego na pastwę losu, jednak bezpieczeństwo statku stało ponad wszystkim. Linda ustawiła pędniki na maksymalny ciąg, a rewolucyjny magnetoelektryczny napęd błyskawicznie rozpędził „Oregona" do prędkości, jakiej nie miał prawa osiągnąć żaden frachtowiec. Max skupił wzrok na niknącej w oddali łodzi podwodnej.

Uczynny Hali wyświetlił na ekranach proces odliczania. Kiedy licznik pokazał zero, wszyscy wstrzymali oddech.

Nic się nie stało. Minęło kilka sekund. Nadal nic.

Murph wzruszył ramionami.

– Może ludzie Kensita wcale nie są tacy dobrzy jak…

Nie dokończył, bo w tym momencie ogromny gejzer ognia rozerwał łódź podwodną, rozrzucając kawałki metalu w promieniu kilkuset metrów. Po dwóch sekundach w centrum operacyjnym zadudnił odgłos eksplozji.

Kiedy ucichło echo wybuchu, Murph stwierdził:

– Zdaje się, że moja opinia była trochę przedwczesna.

– Co z łodzią ratunkową? – spytał Max.

– Meldują, że poleciało na nich kilka odłamków, ale nie mają żadnych uszkodzeń ani rannych – odpowiedział Hali.

Max kiwnął głową.

– Linda, wracamy nad „Roraimę". Niech kilku nurków przygotuje się do zejścia pod wodę, żeby sprawdzić, co z Eddiem i Linkiem. Przekażcie na szalupę, że spotkamy się tam.

„Oregon" zawrócił i popłynął nad wrak. Na powierzchni unosiły się szczątki łodzi podwodnej. Nie było tego wiele.

Kiedy podeszli bliżej, Max zauważył dwie głowy wystające z wody. Obawiając się najgorszego, polecił Murphowi zrobić zbliżenie obrazu z kamery.

W miejscu, gdzie spodziewał się zobaczyć martwe ciała kołyszące się na fali, ujrzał uśmiechnięte twarze Eddiego i Linca, którzy machali w kierunku „Oregona". Eddie trzymał w dłoni lśniącą, metalową kasetkę wielkości książki. Po chwili obaj znaleźli się w szalupie.

Max odetchnął z ulgą i poklepał Murpha po ramieniu.

– Ten twój manewr juniorem był doskonały. Prawdopodobnie uratował Eddiemu życie.

Murph demonstracyjnie rozprostował ręce, strzelając kostkami palców.

– Nic wielkiego, w końcu za to mi płacą.

– A właśnie, od przyszłego miesiąca zaczniemy ci potrącać z pensji na zakup nowego ROV-a.

Murph zaśmiał się głośno, ale zaraz ucichł, wbijając wzrok w nieprzeniknione oblicze Maksa.

– Bardzo zabawne – powiedział z niepewnym uśmiechem.

Max puścił oko do Lindy. Oboje z trudem zachowywali powagę.

– Max – wtrącił się Hali. – Mam na linii Juana, chce z tobą rozmawiać.

Max podszedł do konsoli telekomunikacyjnej i podniósł słuchawkę.

– No, nareszcie odezwał się nasz człowiek zagadka – powiedział do mikrofonu. – Pętasz się nie wiadomo gdzie i właśnie przegapiłeś dobrą zabawę.

– Wiem, Hali opowiedział mi z grubsza, co się działo.

– Możesz mnie poinformować, gdzie się podziewasz?

– Wpadliśmy z Erikiem na krótko do Berlina i narobiliśmy trochę zamieszania.

– Rozumiem, że obaj jesteście cali?

– Zdołaliśmy wrócić niepostrzeżenie na lotnisko. Jeśli mimo to policja zacznie zadawać jakieś pytania, powiemy, że byliśmy tylko biernymi świadkami wydarzeń.

– Teraz już chyba możesz zdradzić cel tej sekretnej misji?

– Właśnie po to dzwonię. Jeszcze w drodze na lotnisko Eric, posiłkując się translatorem w telefonie, zaczął czytać doktorat, który wyciągnęliśmy z biblioteki berlińskiego uniwersytetu. Autorem pracy jest Günther Lutzen, naukowiec, który płynął „Roraimą". Już po pobieżnym zapoznaniu się z treścią tego dokumentu Stone stwierdził, że chyba wie, w jaki sposób pokonano nasze zabezpieczenia.

– I mówisz o tym tak swobodnie przez telefon? Przecież Kensit zapewne złamał kod.

– Nie musiał. Zdaniem Erica Kensit skonstruował teleskop neutrinowy. Tak przynajmniej Stone nazwał to urządzenie.

Max zmarszczył brwi. Był wybitnie uzdolnionym inżynierem, ale nigdy nie słyszał o czymś takim.

– Czyżby patrzenie w gwiazdy pomogło mu w przejrzeniu naszych planów?

– Eric wyjaśni wszystko dokładniej po powrocie na „Oregona", ale to nie ma nic wspólnego z kosmosem. Lutzen opracował rewolucyjną koncepcję wykrywania cząstek elementarnych, wyprzedzającą swój czas o całe dziesięciolecia. Niektóre obliczenia zawarte w doktoracie są tak skomplikowane, że nawet Stone ma kłopot z ich zrozumieniem. W każdym razie podejrzewa, że Kensit, korzystając z tych obliczeń, zbudował urządzenie, dzięki któremu, nie ruszając się z miejsca, może widzieć dowolne miejsce na świecie.

Teraz Max był już całkiem skołowany.

– Co to znaczy „dowolne miejsce"?

– To znaczy, że przez ten teleskop może właśnie w tej chwili patrzeć na ciebie, a ty nie masz szans się o tym dowiedzieć.

Rozdział 38

Lawrence Kensit, choć gotował się ze złości z powodu dzisiejszych niepowodzeń, nie potrafił powstrzymać rozbawienia na widok Maksa Hanleya, rozglądającego się podejrzliwie po centrum operacyjnym, jakby w poszukiwaniu kamery ukrytej w klapie któregoś ze swoich ludzi. Juan Cabrillo trafił w sedno. Hanley nie miał absolutnie żadnych szans, by dowiedzieć się, że Kensit może słyszeć i widzieć wszystko, co mówił i robił. Urządzenia na jachcie Kensita, oddalonym o setki mil od „Oregona", odbierały sygnał z ukrytej głęboko pod ziemią matrycy anten systemu „Wartownik".

Mimo skupienia uwagi na swych dalekosiężnych planach Kensita niezmiernie bawiła możliwość uprawiania podglądactwa za pomocą urządzenia opartego na odkryciach Lutzena. Mając do dyspozycji jeden ogromny wyświetlacz i sześć pomocniczych monitorów oraz zestaw klawiatur, ekranów dotykowych i dżojstików, Kensit mógł zapuścić żurawia w dowolne miejsce na całej kuli ziemskiej. Miał wrażenie, że włada supermocą, i czuł się jak bóg, obserwujący z daleka swoich poddanych, gotów pokierować ich życiem dla własnej przyjemności czy zachcianki. Oczywiście uważał się za boga życzliwego, postępującego zgodnie z najlepiej pojętym interesem ludzkości, zarazem jednak mógł być bogiem gniewnym, jeśli tego akurat wymagał jego wielki projekt. Zwykli śmiertelnicy nie musieli wiedzieć, dlaczego sprawy mają się tak, a nie inaczej. Zależało to wyłącznie od jego woli, a oni byli tylko jego sługami.

Przed ściągnięciem Briana Washburna na stanowisko kontrolne Kensit zadzwonił do Hectora Bazina. Podczas wybierania numeru odczytał współrzędne GPS prywatnego odrzutowca startującego właśnie z Berlina i wprowadził je do komputera, który zrobił szybki najazd, aż znalazł samolot na określonej wysokości i zafiksował się na nim w trybie śledzenia. Na wielkim ekranie momentalnie pojawiło się wnętrze kabiny pasażerskiej odrzutowca. Bazin był sam i właśnie odbierał telefon.

— Cabrillo ma część doktoratu – powiedział.

– Wiem – odrzekł Kensit – właśnie słyszałem jego rozmowę z „Oregonem". Jak do tego doszło?

Bazin opowiedział o pościgu ulicami Berlina. Wiedział, że Kensit go widzi, przerzucał więc kartki części doktoratu, którą udało mu się zachować, by dać zleceniodawcy możliwość zapoznania się z treścią.

Kensit z zadowoleniem pokiwał głową.

– W porządku. Przynajmniej nie udało mu się przejąć najważniejszych obliczeń. Teraz jestem jedynym człowiekiem na świecie, znającym wszystkie tajemnice teleskopu neutrinowego. Spal to zaraz po wylądowaniu.

– Tak jest.

– Twój człowiek, Pasquet, nie żyje – zakomunikował Kensit obojętnym głosem, chociaż wiedział, że był on bliskim przyjacielem Bazina. Nigdy nie zrozumiał, dlaczego ludzie upierają się, by przekazywać złe wieści w możliwie najłagodniejszy sposób.

Bazin na chwilę odwrócił wzrok.

– Jak to się stało? – spytał przez zaciśnięte zęby.

– Nie zdołał zniszczyć „Roraimy". Poinstruowałem go szczegółowo, krok po kroku, co mają zrobić, ale kiedy zeszli pod wodę, straciłem z nimi łączność i nie mogłem ich ostrzec. Nie przewidzieli taktycznej zagrywki „Oregona". Wszyscy zostali zabici, a tym z „Oregona" udało się wydobyć część szklanych negatywów Lutzena.

– Co będzie, jeśli wpadną na to, gdzie są ukryte anteny „Wartownika"?

– Właśnie dlatego chcę, żebyś udał się bezpośrednio na Haiti. O wszystkim zadecyduje najbliższe czterdzieści osiem godzin. Twoim zadaniem będzie obrona „Wartownika" za wszelką cenę. Kiedy dopniemy swego, „Wartownik" stanie się zbędny i będziemy mogli uruchomić drugą fazę. Masz dość ludzi do zorganizowania obrony?

Bazin pokiwał głową.

– Ponad dwudziestu najemników, a gdyby nasze siły mimo to okazały się zbyt szczupłe, mogę liczyć na pomoc miejscowej policji.

– Doskonale. Daj znać, kiedy już dotrzesz do bunkra. Od tej pory, aż do zakończenia akcji, nikomu nie będzie wolno do niego wejść ani z niego wyjść. Zrozumiano?

– Tak jest.

Kensit rozłączył się i posłał po Washburna, który miał dołączyć do niego na stanowisku kontrolnym.

Washburn wszedł do środka i gapił się na supernowoczesne wyposażenie, o którego przeznaczeniu nie miał zielonego pojęcia.

– Pokazując panu moje zaplecze sprzętowe na Haiti, zdołałem chyba pana przekonać, że planowana przeze mnie operacja to nie przelewki. Dysponuję odpowiednimi środkami finansowymi i technicznymi, by usadowić pana na fotelu prezydenta.

Washburn przewrócił oczami, ale zaraz się opanował.

– Muszę przyznać, że posługuje się pan technologią robiącą piorunujące wrażenie, choć nie wiem nawet, gdzie znajduje się ta jaskinia, bo całą drogę tam i z powrotem odbyłem z zasłoniętymi oczami. Nie zamierzam udawać, że wiem, na czym polega działanie tych wszystkich urządzeń, ale tak na oko musiał pan wpakować w nie górę forsy. Nasuwa mi się tylko jedno pytanie: co z tego? W jaki sposób to wszystko ma mi pomóc w osiągnięciu prezydentury? Nawet jeśli dzięki panu zostanę wiceprezydentem, pozostają jeszcze do przejścia prawybory i wybory powszechne. Tymczasem, jak wiadomo, ani Mondale, ani Gore nie skorzystali na tym, że byli wiceprezydentami.

– Owszem, ale im nie pomagał ktoś taki jak ja. Skoro ma pan być zależny ode mnie, i to nie tylko na czas wyborów, ale także jako urzędujący prezydent, chciałbym dać panu jasno do zrozumienia, że moje możliwości są praktycznie nieograniczone.

Kensit wprowadził współrzędne i na ekranie pojawił się hol sporej rezydencji. Washburn zasępił się, kiedy zdał sobie sprawę, na co patrzy.

– Przecież to mój dom w Miami! Skąd pan ma to wideo?

– To nie nagranie, lecz bezpośredni przekaz w czasie rzeczywistym. Sprawdźmy, czy ktoś jest w domu.

Pokręcił trackballem i uzyskał efekt ruchomej kamery, która wspięła się po krętych schodach, by zawisnąć nad tarasem. Potem poprowadził ją korytarzem do zamkniętych drzwi. Przeniknął przez nie i ich oczom ukazała się kobieta w samej bieliźnie, wkładająca spódnicę.

Washburn doskoczył do ekranu.

– To moja żona! – wrzasnął, zwracając się ku Kensitowi z zaciśniętymi pięściami. – Ty...

– Spokojnie, panie gubernatorze. Proszę pamiętać o ochroniarzach stojących tuż za tymi drzwiami. Woli pan resztę przedstawienia oglądać w kajdankach?

– To jakaś sztuczka. Nafaszerowałeś mój dom kamerami.

Kensit pokiwał głową z aprobatą.

– Brawo. Z logicznego punktu widzenia wniosek jak najbardziej słuszny, ale całkowicie błędny.

– Udowodnij to.

– Z przyjemnością. Proszę podać jakiekolwiek miejsce, co do którego jest pan pewien, że nie ma w nim ukrytych kamer.

Washburn wzruszył ramionami.

– Gabinet Owalny – rzucił drwiącym głosem.

– Sądziłem, że wybierze pan coś bardziej oryginalnego, ale niech będzie.

Biały Dom był jednym z najłatwiejszych do zlokalizowania obiektów na świecie. Kensit wklepał nazwę i na ekranie pojawił się obraz, przypominający widok z satelity.

– To już wszystko? – zakpił Washburn. – Taki sam efekt uzyskam za pomocą iPhone'a i map Google'a.

– Doprawdy? – Kensit udał zdziwienie. – A co pan powie na to?

Dach zachodniego skrzydła Białego Domu zaczął zbliżać się w oszałamiającym tempie. Widok przebił się przez niego i sunął w dół przez wnętrze budynku. Kensit zatrzymał ruch, kiedy na ekranie pojawił się najbardziej rozpoznawalny gabinet na świecie.

Być może osłupienie Washburna byłoby mniejsze, gdyby pokój okazał się pusty. Ale Kensit, który przewidział, jaki obiekt wybierze Washburn, wiedział, że o tej porze odbywa się tam poranne spotkanie prezydenta z najważniejszymi doradcami.

– Panie prezydencie, ustawa rolnicza psuje nam wyniki sondaży – mówił szef personelu Białego Domu. – Nie możemy przeprowadzić tak znacznych cięć w dopłatach, jakich domaga się senat, bo polegniemy w następnych wyborach.

– Niech Sandecker się tym zajmie – odrzekł prezydent. Wyglądał na w pełni rozluźnionego, jak zwykle. Siedział rozparty na fotelu z kubkiem kawy w jednej ręce i plikiem papierów w drugiej, patrząc znad okularów do czytania, tkwiących na czubku nosa. – Za dwa dni wróci z Brazylii.

– Sądzi pan, że wiceprezydent zdoła ich ugłaskać?

– Sandecker jest kuty na cztery nogi. Jeśli on nie zdoła ich przekonać, to ja na pewno nie mam na to żadnych szans. Co mamy dziś na tapecie w sprawach wojskowych?

Przewodniczący Kolegium Szefów Sztabów pochylił się na krześle do przodu.

– Dziś rano doszło do kolejnego zamachu bombowego w północnym Pakistanie. Sześciu zabitych, dwudziestu rannych. Korea Północna wprowadza tysiąc żołnierzy do strefy zdemilitaryzowanej, ale uważamy, że to tylko planowe uzupełnienie składu dywizji. I jeszcze rozpoczynają się manewry

morskie UNITAS koło Bahamów. Kuba i Wenezuela kierują
tam swoje okręty w celu obserwacji, ale nie przewidujemy
żadnych problemów.

– Dobrze. Co z wyjazdem do Kalifornii w przyszłym tygodniu, który…

Kensit przyciszył fonię.

– Zadowolony?

Washburn stał z rozdziawionymi szeroko ustami, jakby
szykował się do połknięcia strusiego jaja.

– Oni nie mają pojęcia, że ich podglądamy?

– Nie.

– I rzeczywiście może pan zajrzeć w dowolne miejsce?

Kensit wyszczerzył zęby w uśmiechu.

– Pozwoliłem sobie zwiedzić kilka z najpilniej strzeżo-
nych obiektów na świecie: NORAD, Strefę 51, Kreml, tajne
archiwum watykańskie, kwaterę główną NATO, Fort Knox.
Chce pan może poznać tajną recepturę coca-coli?

– Jak… jak pan to robi?

Kensit nie odpowiedział od razu, zastanawiając się, do
jakiego stopnia uprościć wyjaśnienie.

– Nazywa się to teleskop neutrinowy. Początkowo uży-
wałem określenia „odbiornik kwantowy", ale bardziej podoba mi się to zaproponowane przez Erica Stone'a. Nadałem
mu nazwę kodową „Wartownik", z oczywistych powodów.
Wie pan, co to są neutrina?

Washburn powoli pokręcił głową, gapiąc się wciąż jak
głupi na niemy przekaz wideo z Gabinetu Owalnego.

– To cząstki elementarne, które powstają w wyniku reakcji jądrowych, takich jak te zachodzące wewnątrz Słońca
albo na skutek oddziaływania promieniowania kosmicznego.
Bardzo trudno wykryć je w bezpośredni sposób.

– Dlaczego?

– Ponieważ są tak małe, że bez przeszkód przechodzą
przez materię. Warstwa ołowiu grubości prawie dziesięciu

bilionów kilometrów jest w stanie zatrzymać zaledwie połowę neutrin przechodzących przez kulę ziemską. Ziemia
i wszystko, co się na niej znajduje, podlega ciągłemu bom-
bardowaniu tymi cząstkami. Przypuśćmy, że potrafimy obserwować te nieliczne neutrina, które wchodzą w interakcję
z otoczeniem. Mój dawno zmarły krewny, wybitny fizyk
Günther Lutzen, przewidział istnienie neutrin na długo przed
ich odkryciem. Co więcej, opracował teoretyczne podstawy
metod ich przechwytywania oraz rozwiązywania równań
opisujących ich oscylacje, co pozwoliłoby widzieć materię,
przez którą przeniknęły. Gdyby potraktowano poważnie
jego prace, niechybnie dostałby Nobla i byłby wymieniany
jednym tchem wraz z Einsteinem.

– A zatem te urządzenia w haitańskiej jaskini to teleskop
neutrinowy, czyli „Wartownik".

– Zgadza się. Wuj Lutzen doszedł do wniosku, że miejsce, w którym można go zbudować, musi spełniać ściśle
określone warunki. Może to być na przykład grota otoczona złożami naturalnie promieniotwórczej rudy, koniecznie
zanieczyszczonej miedzią. Udało mu się zlokalizować takie
złoża na Haiti, ale podczas powrotu do Niemiec jego statek
zatonął wskutek wybuchu wulkanu. Nazwał tę swoją hipo-
tetyczną jaskinię Oz, ale ze względu na występujące w niej
zanieczyszczone miedzią kryształy selenu o zielonkawym
zabarwieniu uważam, że bardziej pasowałoby tu określenie
Szmaragdowe Miasto.

Washburn kiwnął głową na znak, że się z nim zgadza.

– No dobrze, ale w jaki sposób może pan stąd obserwować to wszystko?

– Mam tu przetwornik wykorzystujący tę samą technikę
do przekazywania obrazów bezpośrednio z „Wartownika"
i mogę z niego korzystać w dowolnym miejscu na świecie.
Lubię być w ruchu.

– To urządzenie ma ogromne możliwości – powiedział Washburn z podziwem. – Mógłby pan na nim zarobić miliony.

– Raczej miliardy, a być może nawet biliony. I rzeczywiście mam zamiar je zarobić. Jednak pan nie dostrzega jego prawdziwego potencjału. Nie zamierzam ograniczać się do korzyści finansowych. Czy pan nie rozumie, że mając „Wartownika", możemy wpłynąć na losy świata? Proszę potraktować to dosłownie. Kształtowanie przyszłości Stanów Zjednoczonych to tylko pierwszy etap tego procesu.

– A czego więcej można jeszcze chcieć?

Kensit westchnął, choć w sumie zdawał sobie sprawę, że nie powinien być zaskoczony ograniczonym horyzontem myślowym swego rozmówcy.

– Na dzień dzisiejszy możemy mówić o skali kraju. Proszę jednak pomyśleć, co mógłbym osiągnąć, gdybym jednocześnie kontrolował Rosję, Chiny i Unię Europejską?

– Pan? A co ze mną?

Kensit pokręcił głową.

– Nadal pan nic nie rozumie. To ja stanowię jedyny niezbędny element tej kalkulacji. Tylko ja wiem, jak zbudować teleskop neutrinowy. To, co pan widzi, to stadium pierwsze. Obecnie można obserwować w danym momencie tylko jedną lokalizację. Spora niedogodność, która wkrótce zostanie usunięta. Znalazłem drugą podziemną jaskinię, większą od Oz, i już wykupiłem grunty otaczające ją w promieniu wielu kilometrów. Po zbudowaniu tam drugiej fazy, będę mógł obserwować do dwunastu lokalizacji naraz. Wraz z udoskonaleniem oprogramowania do tłumaczenia w czasie rzeczywistym uzyskam dostęp do tajemnic, których nawet NSA nie zdoła panu dostarczyć, kiedy już będzie pan prezydentem.

– Więc to tak zamierza pan doprowadzić do mojego zwycięstwa w wyborach – stwierdził Washburn, pojmując wreszcie ogrom możliwości urządzenia.

– Będzie pan znał każde strategiczne posunięcie planowane przez przeciwnika, jego najdokładniej strzeżone tajemnice oraz skandale ukrywane ze wszystkich sił. Zdoła pan przewidzieć każdy jego ruch, a raczej ja to zrobię i natychmiast przekażę panu stosowne informacje. I niech pan lepiej nie próbuje mnie zdradzić albo łudzić się, że zdoła pan osiągnąć cokolwiek bez mojej pomocy. Zawsze mogę znaleźć sobie kogoś innego, kto zrozumie, że od tej pory to ja ustalam reguły gry.

Washburn przełknął głośno ślinę i skinął głową. Wreszcie dotarło to do niego. Kensit nie miał żadnych wątpliwości, że będzie robił to, co mu się każe.

– Wspominał pan, że pierwszym krokiem będzie zniszczenie Air Force Two. Jak pan tego dokona?

Kensit wprowadził nowe współrzędne. Obraz z teleskopu zniżał się nad bazą sił powietrznych Tyndall na Florydzie, aż na ekranie pojawiły się bezpilotowe samoloty QF-16 z pomarańczowymi statecznikami i końcówkami skrzydeł. A potem przełączył się na stanowisko zdalnego sterowania, gdzie siedzieli piloci dronów.

– To zmodyfikowane F-16, dysponujące takimi samymi właściwościami jak zwykłe myśliwce. Kilka dni temu przeprowadziłem test. Połączenie z bazą odbywa się za pośrednictwem satelitów. Imitując wykorzystywane przez nie częstotliwości, mogę przechwytywać strumienie danych zawierające komendy dla każdej z tych maszyn. Piloci nie zorientowali się nawet wtedy, gdy wykonałem kilka delikatnych manewrów, aby upewnić się, że faktycznie mam nad nimi kontrolę.

– Potrafi pan zdalnie pilotować te drony?

Kensit przytaknął.

– Mogę też ukryć swoje działania poprzez zwrotną transmisję podstawionego obrazu z kamer i odczytów urządzeń pokładowych. Air Force Two stoi teraz na płycie portu lotniczego w Rio de Janeiro, dokąd zawiózł wiceprezydenta na konferencję dotyczącą handlu międzynarodowego na obszarze Ameryki Południowej. Za dwa dni wystartuje do lotu powrotnego do Waszyngtonu. W tym samym czasie eskadra sześciu QF-16 ma wziąć udział w pokazowym locie w ramach manewrów morskich UNITAS w pobliżu Bahamów. Przejmę kontrolę nad tymi samolotami i przechwycę Air Force Two, kiedy będzie przelatywał nad Haiti.

Washburn pochylił się, bardziej zafascynowany niż wstrząśnięty perspektywą osiągnięcia celu kosztem mordowania niewinnych ludzi.

– Teraz już rozumiem. Użyje pan dronów do zestrzelenia samolotu wiceprezydenta.

– Ależ nie – zaprzeczył Kensit i zamilkł na chwilę, dla zwiększenia efektu. – Zdalnie sterowane myśliwce nie będą uzbrojone. Zamierzam doprowadzić do ich kolizji z samolotem wiceprezydenta Sandeckera.

Rozdział 39

Zbliżała się północ, kiedy Juan i Eric znaleźli się znów na pokładzie „Oregona", stojącego w portorykańskim porcie San Juan. Po przeczytaniu raportu z akcji koło Saint-Pierre Juan był dumny ze swej załogi. „Oregon" odpłynął z Martyniki po złożeniu przez Maksa i jego ludzi zeznań, zgodnych z oświadczeniami pasażerów łodzi podwodnej. Wynikało z nich, że członkowie załogi statku byli jedynie biernymi świadkami wydarzeń, którzy tylko przypadkowo znaleźli się w odpowiednim miejscu i czasie, dzięki czemu mogli udzielić pomocy zakładnikom. Po ponownym objęciu dowództwa

Juan, kierując się uzasadnionymi domysłami co do miejsca, do którego mogły prowadzić dowody znalezione na „Roraimie", rozkazał płynąć kursem zachodnim.

Ponieważ zarówno on, jak i pozostali starsi oficerowie „Oregona" wyspali się porządnie w drodze do San Juan, mimo późnej pory zwołał zebranie w celu zaplanowania kolejnych posunięć. Po drodze do sali konferencyjnej Cabrillo zapukał do drzwi kabiny Marii Sandoval. Otworzyła mu, ubrana w jedwabną piżamę, pożyczoną od Julii Huxley. Juan pomyślał, że bardzo jej w niej do twarzy, ale powstrzymał się od komentarza.

– Miło, że pan wpadł, kapitanie Cabrillo.

Juan oparł się o framugę, dając jej do zrozumienia, że będzie to krótka wizyta.

– Dbają tu o panią?

– Mam wszystko, czego mogłabym sobie zażyczyć. Dysponujecie fantastycznym wyposażeniem. Chciałabym mieć podobne na moim statku.

– Przywilej wiążący się z naszą profesją – odparł Cabrillo. Chciał, żeby nadal brała ich za przemytników, więc zmienił temat. – Jak przypuszczam, skontaktowała się już pani ze swoim pracodawcą i przyjaciółmi, aby dać im znać, że jest pani cała i bezpieczna.

– Tak, dziękuję, że mi pan na to pozwolił.

– Nie ma już potrzeby utrzymywać tego w tajemnicy. Spiskowcy wiedzą, że przeżyła pani katastrofę statku. – Nie dodał jednak, skąd o tym wie. – W każdej chwili może pani nas opuścić, ale dopóki nie zakończymy naszej operacji, może pani grozić śmiertelne niebezpieczeństwo.

– Niedługo będę musiała. Moja firma nalega, abym złożyła zeznania.

– Mam nadzieję za kilka dni zdobyć więcej dowodów na to, że za ataki na statki odpowiada admirał Ruiz. To oczyści panią z wszelkich zarzutów ze strony firmy.

– To właśnie z powodu admirał Ruiz chciałam z panem rozmawiać. W moim kraju kapitanowie statków tworzą pewną dość ściśle powiązaną wspólnotę. Jeden z nich powiedział mi, że widział Ruiz w niewielkim porcie Carúpano na wschodnim wybrzeżu Wenezueli. Rozmawiałam też z kilkoma przyjaciółmi służącymi w marynarce. Nie mają o niej najlepszego zdania. Według ich informacji wraz ze swym sztabem opuściła kwaterę główną, by wspólnie z marynarką kubańską obserwować manewry morskie koło Bahamów, w których uczestniczą Stany Zjednoczone i kilka państw z rejonu Karaibów.

– Co robiła w Carúpano?

– Nie wiadomo, z wyjątkiem tego, że widziano ją, jak po cywilnemu wchodziła na pokład małego frachtowca. Uwagę mojego rozmówcy zwróciła rządowa limuzyna, którą przyjechała.

– Wie pani może, jaki ładunek przewoził ten statek?

Pokręciła przecząco głową.

– Tylko tyle, że były to kontenery.

– Dziękuję za informacje. Prawdopodobnie ma to jakiś związek z przemytem. Poinformuję panią, jeśli dowiemy się czegoś więcej na ten temat.

Juan życzył jej dobrej nocy i poszedł do sali konferencyjnej. Kiedy pojawił się w drzwiach, Murph właśnie opisywał Ericowi spotkanie z łodzią podwodną.

– I wtedy podprowadziłem juniora pod spadające elementy konstrukcji „Roraimy” – mówił z rękami założonymi z tyłu głowy. – Oczywiście ROV uległ zniszczeniu, ale nie miałem wyboru.

Eddie podjął dalszą opowieść.

– Dzięki juniorowi uniknąłem zmiażdżenia, ale i tak zostałem przysypany. Trzymałem w rękach kasetkę z negatywami i nie mogłem się ruszyć, mając świadomość, że bomba w beczce zaraz wybuchnie. To Linc pomógł mi się wydostać z pułapki. Miałem kompletnie zdrętwiałe nogi, więc musiał mnie holować, dopóki nie wróciło mi w nich krążenie.

– Szkoda, że nie zdążyłem wciągnąć cię całego za ten fragment koralowca, zanim doszło do eksplozji – dorzucił Linc, pałaszując jabłko. – Lekarka zakazała ci schodzić pod wodę przez kilka tygodni.

Jedyną szkodą, jaką odnieśli, było pęknięcie błony bębenkowej u Eddiego.

Juan zajął miejsce u szczytu stołu.

– Wszyscy spisaliście się na medal. Chyba nie powinienem od dzisiaj opuszczać statku, bo gotowiście sobie pomyśleć, że doskonale poradzicie sobie beze mnie.

– Nie ma mowy – zaoponował Max. – Cały czas oblewałem się potem.

– Domyślam się, że trudno było ci utrzymać swój plan w całkowitej tajemnicy, ale postąpiłbym tak samo. A gdzie są owoce waszej ciężkiej pracy?

– Kevin Nixon i jego technicy otworzyli kasetkę – powiedziała Linda. – Wykonano ją z ocynkowanej blachy i uszczelniono parafiną, więc nie przerdzewiała i woda nie dostała się do środka. Były w niej cztery szklane negatywy.

Odsłoniła biały obrus, na którym spoczywały cztery szklane płytki o wymiarach szesnaście i pół na jedenaście centymetrów, pokryte emulsją zawierającą bromek srebra, która zachowała się w doskonałym stanie. Dwie płytki miały pęknięcia przechodzące przez środek, pozostałe były nienaruszone.

– Jeśli chcecie, możecie obejrzeć oryginały – kontynuowała Linda. – Radzę jednak ich nie dotykać. Nie chodzi tylko o to, że są bardzo delikatne, ale stwierdziliśmy ich śladową radioaktywność. Nie znaczy to, że stwarzają jakiekolwiek zagrożenie – wyjaśniła, widząc, jak Hali nieznacznie odsuwa się od stołu – ale lepiej zachować ostrożność. Zeskanowaliśmy je do postaci cyfrowej, dzięki czemu na zdjęciach widać więcej szczegółów.

Opuściła ekran i włączyła rzutnik. Pierwsze zdjęcie przedstawiało mężczyznę w ciemnym płaszczu, trzewikach i kapeluszu z szerokim rondem, stojącego na nabrzeżu. Miał poważny wyraz twarzy, ale jego oczy lśniły intensywnym blaskiem, wyraźnie dostrzegalnym nawet na starej fotografii. Na burcie statku, widocznego za jego plecami, znajdował się napis „Roraima".

– Facet wygląda na zadowolonego – stwierdził Murph, spoglądając na Erica. – Czy to jest Günther Lutzen?

– Nie wiem. Nie mamy żadnej jego fotografii.

– Prawdopodobnie to on – podjęła Linda – ale nie możemy tego w żaden sposób potwierdzić. Wyświetlam fotografie w odwrotnej kolejności, żeby prześledzić jego podróż wstecz od momentu, kiedy szykował się do wejścia na pokład „Roraimy". Jak widzicie, zdjęcia mają numery w prawym dolnym rogu. Niestety, nie ma na nich żadnej informacji o miejscu, w którym zostały zrobione. Na tym nie widać żadnych szczegółów, które pozwoliłyby rozpoznać port.

Wyświetliła kolejne zdjęcie. Ich oczom ukazało się tkwiące w skalnym zagłębieniu skupisko kryształów, połyskujących w świetle magnezji, użytej podczas fotografowania. Obraz szpeciło pęknięcie, biegnące przez środek kadru.

– Wygląda to jak geoda – powiedział Eric.

– Owszem – przytaknął Murph – ale z braku jakiegokolwiek punktu odniesienia nie da się określić jej wielkości. W odróżnieniu od kryształów kwarcu w typowej geodzie, te widoczne na zdjęciu nie są idealnie przejrzyste. Wyglądają na ciemniejsze. To może być ametyst.

– Być może miały zielone zabarwienie. Metoda przechwytywania neutrin, opisana w pracy Lutzena, miała wykorzystywać kryształy zawierające selen, miedź i uran. Miedź mogła nadać im zielonkawe zabarwienie, a obecność uranu wyjaśniałaby przyczynę napromieniowania szklanych negatywów.

– Może facet kolekcjonował kamienie szlachetne – podrzucił Linc. – Cokolwiek by to miało być, najprawdopodobniej wciąż znajduje się na „Roraimie". Zaznaczam, że nie mam ochoty wracać i grzebać się dalej w tym wraku.

Na ekranie pojawiło się trzecie zdjęcie, także pochodzące z pękniętej płytki. Wyraźna rysa przedzielała na pół widoczne na obrazie wnętrze jaskini pełnej stalaktytów i stalagmitów. Na drugim planie znajdowało się wejście do korytarza, którego dalsza część ginęła w mroku.

– Nareszcie coś konkretnego – powiedział Juan, dostrzegając nikły promyczek nadziei. – To znacznie zawęża obszar naszych poszukiwań.

– Niby dlaczego? – spytał Hali.

– Bo takie groty powstają w wyniku tak zwanych procesów krasowych, zachodzących tylko w formacjach wapiennych, występujących na określonych terenach. Zatem odpada nam Martynika i wszystkie wyspy pochodzenia wulkanicznego.

Linda pokiwała głową.

– Juan ma rację. Niestety, wciąż zostaje nam sporo prawdopodobnych miejsc. Nawet jeśli będziemy trzymać się rejonu samych Karaibów, może to być gdziekolwiek, poczynając od Portoryko, aż po Meksyk i Florydę.

– Sądzę, że to może być Haiti – zasugerował Juan. – Zwróćcie uwagę, że właśnie stamtąd pochodzi nasz miłośnik tramwajów, Hector Bazin.

– Być może ostatnie zdjęcie pomoże nam potwierdzić to przypuszczenie – powiedziała Linda.

Tym razem na fotografii uchwycono grzbiety górskie, szczyty i doliny, porośnięte bujną dżunglą. Na pierwszym planie stał mężczyzna z pierwszego zdjęcia. Z promiennym uśmiechem na ustach i jedną stopą opartą dziarsko na kamieniu wskazywał widoczny za nim płytki wąwóz, w którym otwierało się wejście do jaskini. Po dnie wąwozu wiła się wstęga rzeki.

– Nie chcę wyjść na malkontenta, psującego wszystkim zabawę – zastrzegł Juan – ale w jaki sposób ta fotografia miałaby nam w czymkolwiek pomóc? Co z tego, że widać tu wejście do jaskini, skoro nie potrafimy zidentyfikować tej okolicy?

– Popatrz na grzbiet widoczny w oddali – powiedział Murph. – Widzisz ten charakterystyczny zarys? Wzrost Lutzena, jeżeli to rzeczywiście on, określiłem na podstawie poprzedniego zdjęcia z „Roraimą" w tle, i przyjąłem to jako miarę, dzięki której spróbowałem obliczyć odległość do tego pasma górskiego. Dodatkowym punktem odniesienia jest rzeka. Pomiar jest niedokładny, ale wystarczy do przeprowadzenia analizy porównawczej z naszą topograficzną mapą świata. Wiesz, tą z Narodowego Biura Rozpoznania. Ma dziesięciokrotnie wyższą rozdzielczość od tej z Narodowej Administracji ds. Oceanów i Atmosfery.

– Jak mogłem w ciebie zwątpić. Przepraszam – sumitował się Juan. – Czy to długo potrwa?

– Uruchomiłem proces kilka godzin temu, więc lada chwila powinniśmy otrzymać listę możliwych lokalizacji. I jeszcze jedno; też uznałem, że należy zacząć od Haiti. Jeśli tam nie uzyskamy żadnych trafień, wyszukiwanie znacznie się wydłuży, skoro trzeba będzie sprawdzić Republikę Dominikany, Kubę i Meksyk. Na szczęście Florydę można od razu wykluczyć, bo jest płaska jak deska.

– W porządku. Kiedy już dowiemy się, gdzie to jest, będziemy musieli opracować plan gry. Pamiętajcie, mamy mało czasu, bo już za dwa dni Kensit zamierza zrobić coś, co ma zmienić losy świata. Ponadto, zdaniem Erica, Lawrence'owi Kensitowi udało się zbudować teleskop neutrinowy, co może dodatkowo utrudnić nasze działania.

– Kto wymyślił tę nazwę? – spytał Murph.

– Ja – odparł Eric. – Co prawda Wolfgang Pauli dopiero w 1930 roku jako pierwszy wysunął hipotezę o istnieniu neutrin, ale bez wątpienia cząstki opisane dużo wcześniej przez Lutzena to to samo. Tyle tylko, że nie nadał im nazwy.

– To wspaniała nazwa – przyznał Linc. – Na czym polega jego działanie?

– O ile wiem, według teorii Lutzena, przechwycone neutrina można zrekonstruować, odtwarzając tym samym stan ośrodków, przez jakie przeszły.

– Tak jak promienie rentgena?

– Tak, ale w sposób dużo bardziej złożony. W efekcie można dzięki temu obejrzeć dosłownie każde miejsce na świecie. Co więcej, można też odtworzyć to, co było słychać w danym miejscu, bo neutrina przechodzą także przez cząsteczki powietrza, w którym rozchodzą się fale dźwiękowe.

– Pomyślcie, co wyprawiałaby NSA, mając do dyspozycji podobną technologię – powiedział Murph. – Słowo „tajemnica" straciłoby rację bytu.

– A więc uważacie, że Kensit naprawdę skonstruował takie ustrojstwo – powiedział Linc kpiąco. – Teleskop, który widzi przez ściany, w dodatku w dowolnym miejscu na świecie. To może jeszcze przy okazji rozgryzł koncepcję napędu warp?

– Wiem, jak dziwacznie to brzmi – przyznał Juan – ale wyobraźcie sobie próbę wyjaśnienia działania promieni rentgenowskich, zanim jeszcze zostały odkryte. Musimy założyć, że teleskop neutrinowy istnieje naprawdę. Kensit i Bazin potrafili przewidzieć każdy nasz ruch. Wyprzedzili nas na Jamajce, w Nowym Jorku i w Berlinie. Za każdym razem wiedzieli, gdzie się nas spodziewać. Kensit mógł obserwować nas podczas wprowadzania loginów i haseł, dzięki czemu uzyskał pełny dostęp do naszego systemu telekomunikacyjnego i sieci komputerowej.

– To dlatego kazałeś mi odciąć jakikolwiek dostęp zewnętrzny do głównego serwera. – Murph pokiwał głową.

– To prawda – potwierdził Juan. W Berlinie, rozmawiając przez jakiekolwiek łącza, ani razu nie zająknąłem się o swoich zamiarach, mimo to Bazin wiedział, dokąd się wybieram. Bardzo możliwe, że nawet w tej chwili Kensit obserwuje i podsłuchuje to zebranie.

Wszyscy zamilkli, uzmysłowiwszy sobie znaczenie tych słów. Pierwszy odezwał się Hali.

– Jak wobec tego mamy wygrać z tym gościem, skoro nie jesteśmy w stanie ukryć przed nim naszych planów?

– Kensit nie jest niepokonany – powiedział Juan. – Dowiedliście tego, niwecząc jego akcję z łodzią podwodną u brzegów Martyniki. Eric ma pewną teorię, wyjaśniającą, jak do tego doszło.

Eric odchrząknął.

– Przypuszczam, że w danym momencie może obserwować tylko jedną lokalizację. To wprawdzie pozwala mu poznać nasze plany, ale jeśli coś się zaczyna dziać w kilku miejscach naraz, musi dokonywać wyboru.

– Jest jeszcze coś, co przemawia na naszą korzyść – oznajmił Juan, patrząc w oczy swych najbliższych współpracowników. – Nasza wspólna historia. Jeśli będziemy rozmawiać o planowanych działaniach, używając kodu odwołującego się do minionych, znanych tylko nam wydarzeń, nie zdoła zrozumieć przekazu, choćby nie wiem jak długo nas podsłuchiwał. W połączeniu z pomysłem Maksa, aby do ostatniej chwili nie ujawniać naszej taktyki, daje to nam realną szansę pokonania Kensita.

Brzęknął tablet Murpha.

– Są wyniki. Mamy dwa trafienia z ponadpięćdziesięcioprocentowym prawdopodobieństwem, przy czym w przypadku jednego z nich zgodność przekracza dziewięćdziesiąt pięć procent.

Murph puknął palcem w wyświetlacz, po czym wydał jęk zawodu.

– Co się stało? – spytał Max. – Czyżby fałszywy trop?

– Nie, wszystko się zgadza. Tyle że trudno będzie wam uwierzyć, gdzie jest ta jaskinia – powiedział, przełączając widok mapy z tabletu na duży ekran.

Jaskinia oznaczona została żółtą kropką, nałożoną na satelitarny obraz okolicy, zaś pobliski grzbiet górski obwiedziono czerwoną linią. Kropka wskazywała jednak nie na porośniętą zielenią dolinę, lecz na sam środek błękitnych wód dużego zbiornika.

– Musiałeś zastosować błędny model porównawczy – stwierdził Eddie. – Przecież jaskinia nie może być na dnie jeziora.

– To jest sztuczne jezioro Péligre na rzece Artibonite w samym środku wyspy – powiedział zasępiony Murph, odczytując informacje z tabletu. – Powstało w wyniku zbudowania zapory elektrowni wodnej Péligre w 1956 roku, ponad pięćdziesiąt lat po tym, jak Lutzen odwiedził tę okolicę. Wejście do jaskini znajduje się obecnie ponad dwanaście metrów pod wodą.

Rozdział 40

Około południa „Oregon" dotarł do Puerto Plata, największego portu w północnym rejonie Republiki Dominikany. Jezioro Péligre leżało w samym środku Haiti. Prowadziła do niego kręta i zryta koleinami droga, licząca niemal czterysta pięćdziesiąt kilometrów, której pokonanie miało zabrać Lindzie i jej zespołowi siedem godzin. Dużo łatwiejsze okazało się wwiezienie do tego kraju ich środka transportu.

Zgodnie ze standardową procedurą przywozową fracht mógł zostać wyładowany dopiero po wstępnej kontroli celnej, jednak dzięki lepkim rękom kiepsko opłacanych urzędników państwowych Republiki Dominikany udało się ominąć ten problem. Po trwającym trzydzieści minut rozładunku KNOT stał na nabrzeżu, zaś „Oregon" wracał na pełne morze. Bez-problemowe przekroczenie lądowej granicy z Haiti miało zostać załatwione dzięki kolejnej hojnej łapówce.

Linda sprawdziła, czy nikt za nimi nie jedzie. Eric, zaj-mujący miejsce obok kierowcy w czteroosobowej kabinie pojazdu, potwierdził, że nie są śledzeni elektronicznie. Tego, czy Kensit obserwuje ich przez teleskop neutrinowy, wie-dzieć nie mogli. MacD i Hali siedzieli z tyłu, zajęci spraw-dzaniem wyposażenia.

Ponieważ pojazd został zbudowany według projektu Mak-sa, jemu właśnie przypadł zaszczyt ochrzczenia go. Jednak zaproponowane przez niego określenie „kołowy niezależ-ny operacyjny transporter" nie przypadło nikomu do gustu. Zamiast tego, ku jego utrapieniu, przyjęła się nazwa KNOT. Był to lądowy odpowiednik „Oregona". Z zewnątrz KNOT wyglądał jak sfatygowana ciężarówka, przewożąca beczki z paliwem, zgodnie z logo fikcyjnej firmy petrochemicz-nej zdobiącym jego bok. Inspektorzy portowi mogli nawet otworzyć tylne drzwi ładunkowe, ale raczej nie chciałoby się im wyciągać stojących tam sześciu beczek pełnych oleju napędowego, stanowiącego zapasowe paliwo pojazdu, które zwiększało jego zasięg do tysiąca trzystu kilometrów. Gdy-by jednak zdjęli pierwszy rząd beczek, ich oczom ukazałby się drugi, służący jedynie do zasłonięcia pozostałej części wnętrza pojazdu. Zgodnie z wykalkulowanym ryzykiem, jak dotąd nikt nie zawracał sobie głowy całkowitym opróż-nianiem przedziału ładunkowego.

W rzeczywistości KNOT był terenowym pojazdem ko-łowym, zbudowanym na podwoziu mercedesa unimoga, napędzanym ośmiusetkonnym silnikiem wysokoprężnym z turbodoładowaniem oraz wtryskiem podtlenku azotu, który podwyższał jego moc do ponad tysiąca koni mechanicznych.

Zarówno czteroosobowa kabina, jak i przedział ładunkowy, który mógł służyć do przewozu dziesięciu żołnierzy w pełnym rynsztunku bojowym, były opancerzone i zabezpieczały przed ostrzałem z ręcznej broni maszynowej. Dzięki samowulkanizującym się oponom oraz zawieszeniu o regulowanej wysokości z maksymalnym prześwitem sięgającym sześćdziesięciu centymetrów radził sobie praktycznie w każdym terenie, może z wyjątkiem pionowego urwiska.

W zależności od potrzeb KNOT mógł zostać skonfigurowany do zadań poszukiwawczo-ratowniczych, jako ruchome stanowisko dowodzenia bądź pojazd szturmowy. Max poświęcił sporo uwagi jego możliwościom ofensywnym i obronnym. Pod przednim zderzakiem ukryty był karabin maszynowy kaliber .30, po bokach zamontowano wysuwane wyrzutnie kierowanych pocisków rakietowych. Przez górny właz można było prowadzić zaporowy ogień z moździerza, a zamontowany z tyłu generator dymu tworzył nieprzeniknioną zasłonę za pojazdem.

W ramach ostatniej modernizacji dodano możliwość zdalnego sterowania. Przenośny moduł nadawczo-odbiorczy komunikował się z elektronicznym systemem prowadzenia pojazdu i pozwalał wykonywać wszelkie manewry z odległości ośmiu kilometrów. Operator posługiwał się obrazem z kamer, zainstalowanych z przodu i z tyłu pojazdu, które zapewniały widok zarówno w świetle dziennym, jak i w nocy.

Przez pewien czas kluczyli ulicami miasta. Jeśli Kensit wcześniej nie wycelował w nich teleskopu neutrinowego, teraz już nie zdołałby ich odnaleźć. Linda zawsze lubiła prowadzić KNOT-a ręcznie, po staremu, zwłaszcza że nie miała po temu zbyt wielu okazji. Trudno było porównać z czymkolwiek porywające uczucie kierowania z umieszczonej wysoko nad jezdnią, opancerzonej kabiny pojazdem sunącym na wielkich kołach, ze świadomością ogromnej przewagi nad pozostałymi uczestnikami ruchu drogowego.

– Myślisz, że Kensit nas teraz podgląda? – odezwał się Hali, wyrażając pytanie nurtujące ich wszystkich.

– Miejmy nadzieję, że skupił się na prezesie – odparła Linda, wyjeżdżając na szosę prowadzącą wzdłuż wybrzeża. Właśnie dlatego było ich tylko czworo, zamiast całego zespołu szturmowego. Chcieli utwierdzić Kensita w przekonaniu, że ich zadaniem jest tylko rozpoznanie, i w ten sposób odwrócić jego uwagę.

– Gotowi na odprawę? – zapytał Eric.

– Możesz zaczynać – powiedziała szybko Linda, nie chcąc okazywać zaniepokojenia. Nie podobało jej się, że mają rozmawiać otwarcie o czekającym ich zadaniu, ale w końcu trzeba było to zrobić.

– No więc wejście do jaskini jest pod wodą, ale w odległości półtora kilometra od niego znajduje się stara cementownia, usytuowana między górami a brzegiem jeziora. Od szosy prowadzi do niej zwykła polna droga. Wapień jest czymś, czego Haitańczycy mają w bród, a wyprodukowany z niego cement posłużył do budowy zapory. Po jej ukończeniu cementownia podupadła i została zamknięta, jednak dwa lata temu wznowiła produkcję pod szyldem bliżej nieznanej firmy wydmuszki.

– Jak na mój gust, to trochę dziwny zbieg okoliczności – zauważył MacD.

– Masz rację – potwierdził Eric. Zakład działa, ale z przerwami. Zdaniem CIA zyski z produkcji nie pokrywają nawet kosztów jego utrzymania, nie mówiąc o niskiej jakości cementu. Nie radziłbym nikomu budować sobie z niego domu.

– Uważasz więc, że to tylko przykrywka, maskująca drążenie tunelu do jaskini? – spytał Hali znad oparcia fotela Erica.

– Właśnie. Skoro stare wejście jest niedostępne, Kensit musiał znaleźć inną drogę. Jeśli Lutzen zostawił po sobie jakiś plan systemu jaskiń, Kensit mógł wydrążyć serię próbnych otworów w górotworze, a po znalezieniu dostępu poszerzył tunel, aby przetransportować do środka swoje urządzenia. Cementownia idealnie nadaje się do ukrycia urobku bez zwracania niczyjej uwagi.

– Może coś mi umknęło – wtrącił się MacD – ale nie rozumiem, jak Kensit zbudował swój teleskop wewnątrz jaskini, skoro znajduje się ona pod wodą?

– Albo uszczelnił grotę i usunął z niej wodę za pomocą pomp, albo mogło się okazać, że wnętrze znajduje się powyżej poziomu wód jeziora. Bywają systemy jaskiń rozwinięte pionowo, w których występują znaczne różnice poziomów.

– Mamy jakieś informacje o ewentualnej obronie cementowni? – spytała Linda.

– Nie wiemy nic na ten temat. Musimy założyć, że Bazin umieścił tam swoich ludzi z zadaniem niedopuszczenia do jakiejkolwiek ingerencji z zewnątrz.

Szczegóły ich misji rozpoznawczej zostały ustalone wcześniej na pokładzie „Oregona". Planowanie było utrudnione ze względu na podjęcie koniecznych środków ostrożności. Prowadzący odprawę Juan odwołał się do jednej z ich wcześniejszych akcji, przebiegającej w ekstremalnych warunkach zimowych. Jej celem był statek, którego nazwy nie wymienił. Oczywiście wszyscy wiedzieli, że chodziło o chińską dżonkę „Silent Sea", która zatonęła u brzegów Antarktyki. Czas rozpoczęcia jutrzejszej misji ustalono na godzinę szesnastą minus liczba liter nazwy statku. Ponieważ liter było dziewięć, faktyczny początek akcji przypadał na godzinę siódmą rano.

Mówiąc o roli, jaką miał odegrać ich zespół zwiadowczy, Juan stwierdził, że mają być dla niego tym samym, czym kiedyś była dla nich „Aggie Johnston". Tak nazywał się supertankowiec, pod którego osłoną „Oregon" podkradł się kiedyś do wrogiej fregaty u wybrzeży Libii. Zadaniem czteroosobowej grupy pod dowództwem Lindy miało więc być zapewnienie osłony prezesowi, odwracając uwagę od tego, co zaplanował.

Aby dostać się do środka z pominięciem obrońców cementowni, Juan zamierzał zastosować tę samą metodę, którą posłużył się kiedyś w Karamita. Kensit nie mógł wiedzieć, że chodziło o nieczynne już złomowisko statków w Indonezji. Zgodnie z poleceniem Juana oddział dowodzony przez Lindę miał dostarczyć dwa kompletne zestawy sprzętu nurkowego, gotowego do użytku w chwili rozpoczęcia akcji. Nie mogli zabrać ekwipunku ze statku, nie mając pewności, że nie są obserwowani. Wobec tego ustalono, że kupią odpowiednie wyposażenie po drodze na miejsce, licząc na to, że Kensit nie będzie spuszczał oka z „Oregona". Linda uważała, że używanie kupnego sprzętu jest ryzykowne, dlatego zamierzała sprawdzić go dokładnie, aby upewnić się, że będzie działał bez zarzutu.

– Daleko jeszcze? – zapytała.

Eric zerknął na GPS, a potem skręcił głowę w bok i pokazał kierunek.

– To będzie tu, po lewej.

Nad sklepem umieszczono szyld z napisem „Buceo De Diego", obok którego namalowano tradycyjny znak nurkowy – czerwoną flagę z białym ukośnym pasem. Podobno mieli tu najlepszy sprzęt możliwy do kupienia poza Santo Domingo.

Wszyscy czworo wysiedli z KNOT-a i weszli do sklepu. Pomieszczenie nie było zbyt obszerne, ale jego ściany obwieszono najnowocześniejszymi butlami, regulatorami, płetwami i kamizelkami wypornościowymi.

Atletycznie zbudowany sprzedawca, który sam wyglądał na nurka, zajęty był rozpakowywaniem kartonu pełnego masek.

– *Buenos dias* – przywitał ich, po czym dodał po angielsku: – Czym mogę państwu służyć?

Nic dziwnego, żadne z nich nie wyglądało na miejscowego.

– Dobrze, że zna pan angielski – odetchnęła Linda, całkiem jak turystka, której ulżyło, że nie będzie musiała posługiwać się łamanym hiszpańskim.

– Odwiedza nas sporo Amerykanów. Jesteście zainteresowani podmorską wycieczką?

– Owszem, ale wolimy ponurkować sami, dlatego chcielibyśmy kupić sobie sprzęt – odrzekła i wyciągnęła z kieszeni gruby zwitek banknotów.

Na ten widok sprzedawca zerwał się na równe nogi, zapominając o nierozpakowanych maskach.

– Nie będziecie żałować – oznajmił, przy czym starał się omijać wzrokiem plik amerykańskich dolarów. – Mamy tu w Dominikanie najpiękniejsze rafy koralowe na świecie.

– Właściwie – zaczęła Linda, wskazując na uprząż do nurkowania w konfiguracji bocznej typu Nomad – to zamierzamy popróbować nurkowania jaskiniowego.

Rozdział 41

Mimo bezchmurnego nieba pokład starego, siedemdziesięciometrowego frachtowca „Reina Azul", czyli „Błękitna Królowa", mocno kołysał się na niespokojnym morzu, wzburzonym przez sztorm, którego centrum znajdowało się na wschód od Nikaragui. Dayana Ruiz zatęskniła za swą smukłą fregatą „Mariscal Sucre", która jak nóż cięłaby wysokie fale, jednak jej zadanie wymagało zakamuflowanego działania. Osobiście dobrała sobie załogę spośród najbardziej zaufanych ludzi, którzy współpracowali z nią w przemytniczym procederze. Mundury marynarki wojennej zostawili na lądzie, w Wenezueli.

Jako powód nieobecności w sztabie Ruiz podała obserwację manewrów morskich UNITAS z pokładu kubańskiej fregaty. Pewien admirał z Kuby, który był winien Ruiz przysługę, miał zapewnić jej niepodważalne alibi.

Dziesięć godzin dzieliło statek od Haiti. Doktor zapewnił ją, że „Oregon" pojawi się gdzieś koło zachodniego brzegu wyspy, ale nie wyjaśnił, skąd o tym wiedział. Cała ta sytuacja wytrąciła ją z równowagi. Trudno było pogodzić się jej z tym, że ktoś usiłował utrzymać ją w niewiedzy. Informacja jest równoważna z władzą, a wobec Doktora praktycznie nie dysponowała ani tą pierwszą, ani drugą. Jednakże krótkie filmy wideo ukazujące „Oregona" wraz z załogą, które od czasu do czasu jej przysyłał, potwierdzały rzetelność jego informacji, a jednocześnie za każdym razem wzbudzały jej coraz większy gniew. Na najnowszym filmie statek wychodził z Puerto Plata kursem zachodnim w kierunku Haiti. Tym razem była przekonana, że będzie to ich ostatnie spotkanie.

Nie było mowy o tym, aby wykorzystać „Mariscal Sucre" do walki poza obszarem wenezuelskich wód terytorialnych, zwłaszcza że Ruiz zaplanowała przeprowadzenie ataku tak blisko wybrzeża innego kraju. Jedyną alternatywą pozostawało użycie podstępu. „Reina Azul", rozwijająca maksymalną prędkość piętnastu węzłów i niemająca żadnych możliwości obronnych, była bez szans w bezpośrednim pojedynku z „Oregonem", ale na pokładzie, całkiem na widoku, wiozła sekret, który umożliwiał Ruiz zwycięstwo w tym starciu.

Zlustrowała horyzont, na którym nie widać było żadnej jednostki. Prymitywny radar pokładowy potwierdził jej obserwacje. Byli sami.

– Rozpocząć próbę – poleciła stojącemu obok komandorowi, pełniącemu rolę dowódcy statku.

Rozkaz został przekazany dalej. Ruiz skupiła wzrok na szarym kontenerze, przymocowanym do pokładu. Z zewnątrz nie różnił się niczym od pozostałych kontenerów na statku, ale zawierał ukrytą niespodziankę.

– Zajmowanie pozycji bojowej – oznajmił głos w interkomie.

Wierzch wielkiej metalowej skrzyni rozchylił się na boki. Cztery zielone prowadnice rurowe długości dwóch trzecich kontenera drgnęły i zaczęły się unosić, pchane w górę ramieniem hydraulicznego podnośnika. W każdej prowadnicy tkwił rosyjski przeciwokrętowy pocisk manewrujący 3M-54 Klub-K z trzystukilogramową głowicą bojową. Turboodrzutowy silnik utrzymywał go w locie na wysokości nieprzekraczającej dziesięciu metrów nad wodą aż do chwili, gdy zbliżył się do celu na odległość pięciu kilometrów. Wówczas uruchamiany był wielostopniowy silnik rakietowy na paliwo stałe, nadający mu prędkość naddźwiękową, co czyniło go bardzo trudnym do uniknięcia bądź zestrzelenia. Admirał Ruiz miała do dyspozycji cztery takie pociski.

Ten objęty tajemnicą system uzbrojenia miał być sprzedany komórce Hezbollahu, planującej ataki na izraelską żeglugę. Jeden z zestawów przetrwał dzieło zniszczenia dokonane przez Juana Cabrilla, a teraz miał posłużyć do posłania jego statku na dno Morza Karaibskiego.

– Meldować – warknęła Ruiz, kiedy wyrzutnia zatrzymała się pionowo w pozycji bojowej, praktycznie niewidoczna dla postronnego obserwatora zza kontenerów ustawionych piętrowo wokół niej.

– Wszystkie systemy działają prawidłowo – oznajmił oficer broni rakietowej, siedzący na stanowisku ogniowym w ciasnym wnętrzu kontenera. – Jest tylko jeden problem, pani admirał. System naprowadzania jest całkowicie uzależniony od radaru statku, a ten z kolei jest zbyt prymitywny, aby dostarczyć dokładne dane, zwłaszcza jeśli w rejonie ataku znajdzie się kilka innych jednostek. Wybór celu może nastąpić dopiero w powietrzu, dlatego za każdym razem będziemy mogli odpalać tylko po jednym pocisku.

– Co?! – wrzasnęła Ruiz. – To niedopuszczalne!

– Przykro mi, pani admirał – zabrzmiała wypowiedziana niepewnym głosem odpowiedź – ale nie jesteśmy w pełni zaznajomieni z obsługą tego systemu uzbrojenia.

– Trudno – burknęła ze złością Ruiz. – Zaatakujemy, kiedy w pobliżu „Oregona" nie będzie żadnego statku.

– Tak jest, pani admirał.

– W porządku. Zamknijcie teraz tę skrzynię – rzuciła Ruiz i zwróciła się do komandora. – Nawiązaliście łączność ze statkami, mającymi służyć nam za osłonę?

Oficer przytaknął kiwnięciem głowy.

– Spotkamy się z nimi na wodach Canal de la Gonâve koło Port-au-Prince. Wiedzą tylko tyle, że mają płynąć burta w burtę z nami.

– Doskonale. Po dotarciu na pozycję odpalenia pocisków proszę trzymać w gotowości łódź motorową. Kiedy „Oregon" pójdzie na dno, zatopimy „Reinę Azul" i towarzyszące nam statki. Zanim ktokolwiek zdoła się zorientować, zdążymy bez przeszkód odlecieć z Haiti.

Dzięki fałszywym paszportom nikt nie powinien ich powiązać z całą sytuacją.

Przez twarz Ruiz przemknął mimowolny uśmiech. Ten niezwykły widok wyraźnie zdeprymował komandora, a ona tylko delektowała się złośliwą satysfakcją, że wkrótce zniszczy Juana Cabrilla wraz z „Oregonem", wykorzystując przeciwko niemu jego podstępną taktykę.

W pobliżu wyjścia z podziemnego kompleksu „Wartownika" naturalnie chropawy, pobrużdżony skalny korytarz gwałtownie przechodził w gładkościenny, zaoblony tunel, będący wytworem ludzkich rąk. Za każdym razem, gdy przekraczał ten próg w drodze powrotnej, Bazin zawsze oddychał z ulgą, choć za nic nie przyznałby się do tego przed nikim. Labirynt połączonych jaskiń ciągnął się całymi kilometrami i nie wiadomo było, gdzie się kończył. Od czasu znalezienia groty zwanej Oz nikt nie zadał sobie trudu, by to sprawdzić, dlatego Bazin odczuwał dziwny niepokój na myśl, że mógłby zabłądzić w zimnych i wilgotnych podziemiach.

Świetlówki rozmieszczono w regularnych odstępach wzdłuż ścian tunelu. Pod samym jego sklepieniem biegł gruby kabel zasilający teleskop „Wartownika". Podstawowym źródłem prądu była elektrownia wodna, ale ze względu na częste awarie konieczne okazało się zainstalowanie w jednym z budynków zespołu generatorów, napędzanych silnikami wysokoprężnymi. Na wypadek, gdyby zawiodły oba źródła zasilania, w samej jaskini Oz umieszczono baterię akumulatorów, zapewniających ponad dwugodzinną pracę teleskopu.

Gdy Bazin zbliżał się do wyjścia, sprawdził, czy jego telefon odzyskał zasięg, komunikując się ze światem poprzez łącze internetowe, udające nieistniejącego lokalnego operatora sieci komórkowej. Stwierdziwszy obecność sygnału, wybrał numer Kensita.

– Jak wygląda sytuacja? – usłyszał w ramach powitania.

– Dyżurny inżynier nie spodziewa się żadnych problemów technicznych w działaniu „Wartownika".

W budowie „Wartownika" brała udział liczna ekipa inżynierów i techników, ale teraz zostało ich tylko kilku w celu bieżącej obsługi i konserwacji. Pozostałych wywieziono z zasłoniętymi oczami, tak samo zresztą, jak wcześniej ich przywieziono, nie pozwalając im zabrać ze sobą żadnych notatek, bez względu na to, czy zostały zapisane na nośnikach elektronicznych, czy tradycyjnie na papierze. Bazin wiedział, że Kensit planuje jeszcze raz skorzystać z ich wiedzy i umiejętności. Każdy z nich odpowiadał jedynie za niewielką część projektu, przy czym żaden nie znał haseł, koniecznych do uruchomienia urządzenia. Gdyby orientowali się w działaniu całości, Bazin już dawno sam by ich wynajął, zabił Kensita i przejął nadzór nad całą operacją. Skoro nie mógł tego uczynić, musiał przedzierzgnąć się w lojalnego podwładnego, będącego prawą ręką Kensita.

Wystarczała mu rola drugiego najpotężniejszego człowieka na świecie. Przynajmniej na razie.

– Co z zasilaniem? – spytał Kensit.

Bazin mijał właśnie buczące generatory, rozmieszczone w tym samym budynku, w którym znajdowało się wejście do tunelu.

– Generatory dieslowskie mają pełny zapas paliwa, akumulatory zostały naładowane do maksymalnej pojemności. Wszystko przygotowane do rozpoczęcia jutrzejszej operacji.

– Natychmiast po jej zakończeniu przystępujemy do likwidacji.

– Jak długo potrwa doprowadzenie „Wartownika 2" do pełnej sprawności?

– Wczorajsze testy wypadły zadowalająco, więc powinniśmy uwinąć się z tym w niecałe trzy miesiące od wydrążenia tunelu wejściowego do nowej jaskini. Ściągniemy z powrotem wszystkich inżynierów i techników, ale tym razem zostaną tam na stałe.

– A co z pracownikami fizycznymi?

– Poradziłeś sobie z Haitańczykami, więc jestem pewien, że w Meksyku też nie będziesz miał problemu ze znalezieniem ludzi do machania kilofem i łopatą. Pamiętaj, że jutro musisz za wszelką cenę bronić „Wartownika" do dziewiątej rano. Na tę godzinę zaplanowanie jest przechwycenie samolotu wiceprezydenta.

Air Force Two miał przelatywać niemal dokładnie nad tym miejscem, kiedy drony strącą go na ziemię.

– Znamy już najnowsze plany Juana Cabrilla?

– Sprawia wrażenie, jakby szykował się do frontalnego ataku, uważam jednak, że spróbuje prześliznąć się przez naszą obronę.

– W jaki sposób?

Kensit zawahał się.

– Nie wiem. Wyładowali na ląd dużą ciężarówkę, która wygląda, jakby służyła do przewozu paliwa. W każdym razie ma na boku logo jakiejś firmy petrochemicznej. Prześlę ci zdjęcie, żebyś wiedział, czego się spodziewać.

– Gdzie ona teraz jest?

– Straciłem ją z oczu, bo cały czas pilnuję Juana Cabrilla i „Oregona". Zabrały się nią tylko cztery osoby, więc nie może stwarzać poważniejszego zagrożenia.

Bazin musiał ugryźć się w język, żeby powstrzymać się od komentarza. Przekonany o swych nieograniczonych możliwościach Kensit stał się zdecydowanie zbyt pewny siebie. Bazin wiedział, że nie wolno lekceważyć przeciwnika, zwłaszcza takiego jak załoga „Oregona", która już wcześniej potrafiła zaleźć za skórę jemu samemu i jego ludziom.

– Dam ci znać, kiedy Cabrillo ruszy do ataku. Wykorzystaj ten czas na rozstawienie ludzi i przygotowanie obrony.

– Tak jest. Szykuję dla niego niespodziankę wraz z pańską przyjaciółką, admirał Ruiz.

– Jeśli zdarzy się coś istotnego, prześlę ci esemesa. Nie będę dzwonił aż do rozpoczęcia ataku dronów – powiedział Kensit i się rozłączył.

Bazin zatrzymał się koło sąsiedniego budynku. Jego grube mury wzniesiono z cementu własnej produkcji. Wszedł do środka, mijając dwóch najemników stojących na warcie w przedsionku. Przyłożył twarz do szyby, za którą widać było żałosne sylwetki Duvala i pozostałych kopaczy. Przez szczeliny w drzwiach czuć było odór niemytych ciał i smród z koszy na śmieci, rozstawionych w pomieszczeniu. Ludzie byli w fatalnym stanie, od kilku dni dostawali tylko minimalne ilości pożywienia i wody, ledwie wystarczające do utrzymania się przy życiu. Duval nawet się nie poruszył, tylko spojrzał na niego wymownie. Bazin dobrze znał ten wzrok z dzieciństwa. Duval patrzył tak za każdym razem, kiedy nie podobało mu się to, co zrobił jego młodszy współlokator.

Bazin kiwnął głową z zadowoleniem. Głód i pragnienie spełniły swoje zadanie. Robotnicy przymusowi nie stanowili już żadnego zagrożenia, ale wciąż żyli, dzięki czemu będzie ich można zapędzić do tuneli i zamknąć tam tuż przed wysadzeniem „Wartownika" w powietrze. Kopacze, dzięki którym powstała pierwsza wersja teleskopu neutrinowego, mieli zostać zlikwidowani wraz z nim.

Bazin musiał zrobić jeszcze jeden przystanek, zanim zbierze swych ludzi, by omówić z nimi plan obrony. Wszedł do dużej hali, do której kiedyś wjeżdżały betoniarki po nową porcję ładunku. Po betoniarkach nie było nawet śladu, zamiast nich stały tam cztery wyprodukowane w RPA wozy bojowe typu Ratel, pamiętające jeszcze wojnę w Angoli. Wystarał się o nie Kensit, korzystając z uprzejmości i przemytniczych interesów admirał Dayany Ruiz. Każdy z sześciokołowych, lekko opancerzonych pojazdów był uzbrojony w szybkostrzelne dwudziestomilimetrowe działko oraz dwa karabiny maszynowe kaliber 7,62 milimetra.

Bazin umyślił sobie, że zainauguruje ich użytkowanie, kiedy wjedzie nimi do Port-au-Prince, aby obalić rząd w ramach planowanego przez siebie zamachu stanu. Teraz jednak będzie musiał wypróbować je w walce z Juanem Cabrillem i jego załogą, jeśli odważą się zaatakować. Zastanawiał się, jakie obrażenia powoduje w ludzkim ciele przeciwpancerna amunicja. Uśmiechnął się na myśl, że oto Cabrillo patrzy prosto w otwór lufy działka, kiedy on pociąga za spust.

Do szczęścia brakowało Kensitowi tylko prażonej kukurydzy. Siedząc na swym stanowisku do zdalnej obserwacji, oglądał najbardziej realistyczne i nieprzewidywalne, transmitowane na żywo widowiska telewizyjne, jakie kiedykolwiek wyemitowano. Gdyby się znudził, zawsze mógł zmienić kanał. Akurat teraz z uwagą śledził swój ulubiony program: *The Juan Cabrillo Show*.

W sali konferencyjnej „Oregona" Cabrillo właśnie dyskutował z czwórką swoich współpracowników. Byli to Eddie
Seng, Franklin Lincoln, Mike Trono i Gomez Adams. Kapitan „Oregona" z podziwu godną wytrwałością starał się dopaść go za wszelką cenę, ale jego wysiłki były daremne, bo
Kensit mógł najzwyczajniej w świecie przypatrywać się ich
rozmowom i działaniom w czasie rzeczywistym.

– Polecimy tam helikopterem. Start na pół godziny przed
rozpoczęciem akcji – zakomunikował Cabrillo.

– Przygotuję maszynę – powiedział Adams, pilot śmigłowca. Wyglądał wytwornie jak jakiś model z żurnala, przez co
Kensit chwilami odnosił wrażenie, jakby oglądał serial te-
lewizyjny, tyle że z nieograniczonym budżetem.

– Eddie, zajmiesz się przygotowaniem wyposażenia. Ma
być takie jak wtedy, gdy zamierzaliśmy wtargnąć na tery-
torium Argentyny.

Odkąd dowiedzieli się o teleskopie neutrinowym, zaczęli
używać hermetycznego dialektu, z mnóstwem odwołań do
wcześniejszych akcji. Kensit z ochotą zagłębiłby się w lekturę
ich starych raportów, ale udało im się skutecznie zablokować dostęp do bazy danych „Oregona", a „Wartownik" nie
potrafił przeglądać plików na dysku komputera.

– Technicy już pracują nad skompletowaniem naszego
sprzętu – zameldował Seng. – Zajrzę do nich po zakończeniu odprawy.

– Dobrze. – Cabrillo kiwnął głową. – Naszą operację ma
cechować prostota działania. Miejsce lądowania wskażę
Gomezowi, kiedy znajdziemy się w pobliżu celu. Rozdzie-
limy się i spróbujemy dostać się do cementowni w dwóch
zespołach. Jeden utworzą Eddie i Linc, a drugi Trono i ja.
Po wylądowaniu ekipa dowodzona przez Lindę podzieli się
z nami informacjami, uzyskanymi podczas rozpoznania.

Kensit już wcześniej sprawdził ich radia, ale zastosowali
w nich sprzętowe szyfrowanie transmisji z wykorzystaniem

algorytmów skokowej zmiany częstotliwości, przez co Bazin nie będzie mógł podsłuchać ich rozmów bez jego pomocy.

– Po schwytaniu Kensita i przejęciu teleskopu neutrinowego wyłączamy go do czasu, gdy połapiemy się, o co w tym wszystkim chodzi.

Słysząc to, Kensit się uśmiechnął. Cabrillo nie ma najwyraźniej pojęcia, że jest na pokładzie jachtu, oddalonego od miejsca akcji o setki kilometrów.

Cabrillo popatrzył po twarzach swoich ludzi.

– Jakieś pytania?

– Wszystko jasne – oświadczył Lincoln.

Trono zawtórował mu kiwnięciem głowy.

– *No problemo.*

Kensit podziwiał naturalną swobodę, z jaką wszyscy zmierzali ku nieuchronnemu przeznaczeniu.

– W porządku – powiedział Cabrillo. – Jest godzina dwudziesta pierwsza. Za godzinę powinniśmy dotrzeć na miejsce w Bahia de Grand Pierre. Po sprawdzeniu sprzętu spróbujcie przespać się choć parę godzin.

Zgodnie pokiwali głowami. Kensit rzucił okiem na mapę. Bahia de Grand Pierre okazała się odosobnioną zatoką na zachodnim wybrzeżu Haiti. Było to trafnie wybrane miejsce. Nawet w świetle dziennym nie było komu zauważyć startującego stamtąd helikoptera. W dodatku zatoka znajdowała się w odległości zaledwie osiemdziesięciu kilometrów od cementowni, co odpowiadało około dwudziestu minutom lotu.

Czterej mężczyźni opuścili salę konferencyjną. Cabrillo siedział bez ruchu ze wzrokiem wbitym w stół. Sprawiał wrażenie, że namyśla się przed podjęciem trudnej decyzji. Nagle zadarł głowę i spojrzał prosto na Kensita, jakby dokładnie wiedział, gdzie znajduje się obiektyw obserwującej go kamery.

– Lawrence Kensit – zaczął – mam ci coś do powiedzenia.

Kensit, co było do niego zupełnie niepodobne, zareagował niemal przerażeniem. Mógł się spodziewać, że Cabrillo w końcu zwróci się bezpośrednio do niego, ale wrażenie i tak było niesamowite.

– Nie wiem, czy mnie w tej chwili widzisz i słyszysz – ciągnął Cabrillo. – Być może gadam sam do siebie, ale jeśli gdzieś tam jesteś, to powinieneś się o czymś dowiedzieć.

Zaskoczenie minęło, Kensit usadowił się wygodnie w fotelu. Pomiędzy nimi dwoma powstała niemal namacalna więź.

Złowieszczy wyraz twarzy Cabrilla przywodził na myśl ekspresję cyrkowego tygrysa, którego treser szturchnął kijem o ten jeden raz za dużo. Przenikliwe spojrzenie przewiercające się przez teleskop zmroziło krew w żyłach Kensita.

– Powiem to tylko raz i więcej się do ciebie nie odezwę. Być może uważasz się za geniusza, ale nie jesteś nieomylny. Popełniłeś wielki błąd, atakując ludzi z mojej załogi. Są dla mnie jak rodzina. Samotnik taki jak ty może nie mieć świadomości, jak ważna jest rodzina, niemniej z powodu twoich postępków nasz konflikt nabrał osobistego charakteru. Nic sobie nie robię z przewagi, jaką rzekomo masz nade mną, i przysięgam, że cię dopadnę. A wtedy przekonasz się, jak szybka i sowita będzie moja odpłata. – Cabrillo wstał i wyszczerzył zęby w uśmiechu. – Śpij dobrze, Kensit. To być może twoja ostatnia noc.

Tłumiąc chichot, Cabrillo ruszył do drzwi.

– To było bardziej zabawne, niż myślałem.

Ale Kensitowi nie było do śmiechu. Próbował z całych sił potraktować słowa Cabrilla jako czcze pogróżki, mimo to po raz pierwszy od rozpoczęcia prac nad „Wartownikiem" poczuł autentyczny niepokój.

Rozdział 42

Pierwszy brzask zajaśniał nad wzgórzami, ogołoconymi teraz z gęstego lasu, jaki Linda zapamiętała z fotografii Günthera Lutzena z 1902 roku. Roślinność, która zajęła jego miejsce, składała się z gmatwaniny karłowatych drzewek i krzewów, porastających szczyty i wąwozy wokół jeziora Péligre.

Leżąc na brzuchu na skalnym występie, Linda i Eric mieli doskonały widok na oddaloną o niecałe pięćset metrów na wschód cementownię, której zabudowania dochodziły do samego brzegu jeziora. Żaden powiew nie marszczył gładkiej tafli wody, w której odbijały się postrzępione chmury, podświetlone promieniami porannego słońca.

Zostawili KNOT-a półtora kilometra stąd i dotarli pieszo do tego miejsca przez bezludną okolicę. Linda zlustrowała cały widoczny obszar wojskową lornetką typu Steiner 20x80. Było już dość widno, żeby dojrzeć szutrową drogę prowadzącą na zachód wraz ze stojącymi równolegle do niej słupami linii wysokiego napięcia z pobliskiej elektrowni wodnej. Zauważyła kilku mężczyzn, pełniących służbę wartowniczą na obrzeżach terenu, oraz paru innych, przechadzających się między budynkami.

– Możesz dokonać wstępnej oceny sił obrońców?

– Jak dotąd naliczyłam dziesięciu ludzi, ale w tych budynkach można z łatwością zakwaterować cały pułk. Co z KNOT-em?

Eric przebiegł palcami po kontrolerze zdalnego sterowania i zerknął na zegarek.

– Wszystko gra, ale nie dam rady jednocześnie kierować i obsługiwać uzbrojenia. Jeśli Hali i MacD zaraz nie wrócą, będziesz musiała dzielić uwagę pomiędzy obserwację a prowadzenie ognia.

Nagły szelest w krzakach za ich plecami momentalnie podbił tętno Lindy do niebotycznych wartości. Obróciła się gwałtownie, unosząc karabin gotowy do strzału.

– Uszy nas pieką – powiedział MacD. Tuż za nim z zarośli wyłonił się Hali.

Linda opuściła broń.

– Podłożyliście pakunek, tak jak było umówione?

MacD zajął pozycję obok niej, wspierając na dwójnogu karabin snajperski Barrett kaliber 12,7 mm.

– Jest schowany tak, że nikt go nie zauważy, choćby na nim stanął.

– Zostawiliśmy włączony sygnalizator – dodał Hali, kładąc się po drugiej stronie. – Prezes powinien namierzyć go bez trudu.

– Ten grzbiet wygląda stamtąd niemal dokładnie tak, jak na fotografii Lutzena, z tą różnicą, że teraz nie ma na nim ani jednego drzewa.

– Z braku innych źródeł energii mieszkańcy zapewne wykarczowali lasy, by wykorzystać drewno na opał – stwierdziła Linda. – Wierzchnia warstwa gleby zsuwa się z ogołoconych zboczy prosto do jeziora i powoduje ograniczenie mocy elektrowni.

– Wygląda na to, że mają dość prądu do oświetlenia terenu cementowni.

– I do zasilania teleskopu neutrinowego – dodał Eric, omiatając teren lunetą termowizyjną. – Budynek stojący obok kopuły wyróżnia się znacznie zwiększoną sygnaturą cieplną.

– Muszą tam mieć generatory dieslowskie. Nie mogą polegać wyłącznie na elektrowni, która od dawna działa w kratkę. Z danych CIA wynika, że zdarzają się wyłączenia trwające do kilku godzin.

– Zatem to ma być nasz cel numer dwa? – zapytał Hali.

– Tak – przytaknęła Linda, spoglądając na zegarek. Była punkt siódma.

Uniosła radio do ust.

– Świstak do Ważki, jaka jest twoja ostateczna decyzja?

– Ważka do Świstaka – usłyszeli głos prezesa, przebijający się przez łoskot wirnika śmigłowca – wszystko przebiega zgodnie z planem. Zezwalam na rozpoczęcie akcji.

– Świstak potwierdza i wykonuje. Przesyłka dostarczona.

– Zrozumiałem. Jeśli nie nawiążemy łączności w ciągu czterdziestu minut, przerwijcie akcję.

To było sporo czasu, więc nie będzie im łatwo zapewnić zajęcie Bazinowi i jego najemnikom. Jednak zadanie, jakiego podjął się prezes, miało zastraszająco wąski margines błędu. Linda zerknęła na swoich ludzi akurat w chwili, gdy MacD z dezaprobatą pokręcił głową. Zgadzała się z jego osądem, ale to ona była tu dowódcą.

– Świstak potwierdza.

W szeregach Korporacji pokutował przesąd, że życzenie komuś szczęścia może przynieść pecha, dlatego Linda zakończyła słowami:

– Udanego polowania. Bez odbioru.

– Do dzieła, Eric – powiedziała. – Zaczynamy fajerwerki.

Eric skinął głową Halemu, który trzymał już w gotowości własny kontroler z wyświetlaczem, po czym poruszył niewielkim dżojstikiem. Obraz z kamery umocowanej z przodu KNOT-a drgnął i po chwili w samym centrum pojawił się jeden ze słupów napowietrznej linii energetycznej.

– Odpalam pierwszą – zameldował Hali i stuknął palcem w kontroler.

Z wyrzutni KNOT-a zeszła rakieta. Trafiony słup złamał się, a zerwane przewody runęły w dół, sypiąc iskrami. W ślad za nimi poleciało poziome ramię, do którego były przymocowane.

– Co za kretyn wyłączył światło? – spytał złośliwie Hali.

Linda skierowała lornetkę na cementownię. Lampy zamigotały, a potem znów zajaśniały pełną mocą. Dostrzegła kilku najemników, rozglądających się nerwowo na boki.

– Zniszczyć cel numer dwa – rozkazała.

Eric wychylił dżojstik maksymalnie do przodu. Poderwał napędzany ośmiusetkonnym silnikiem pojazd, który błyskawicznie nabierał prędkości. Linda przeniosła wzrok na drogę i ujrzała KNOT-a wyjeżdżającego zza wzniesienia.

– Cel namierzony – poinformował Hali.

– Ognia! – zakomenderowała Linda.

Dwa granaty moździerzowe wyleciały przez otwartą pokrywę KNOT-a, zatoczyły w powietrzu niewidoczny łuk i spadły na budynek mieszczący generatory. W środku musiały być też zbiorniki paliwa, bo w ślad za wybuchami obu granatów nastąpiła kolejna, o wiele potężniejsza eksplozja.

Tym razem światła pogasły na dobre.

Najemnicy rozbiegli się we wszystkich kierunkach, rozglądając się za napastnikami. To, co widziała, nie przypominało kontrolowanego chaosu, lecz najprawdziwszy totalny bałagan.

Poprzez narastający huk wystrzałów dobiegł ją warkot zbliżającego się śmigłowca. MD 520N nadlatywał od strony jeziora, sunąc nisko tuż nad powierzchnią wody.

Kiedy od miejsca lądowania dzieliło go zaledwie kilkaset metrów, Linda wydała kolejny rozkaz.

– Postawić zasłonę dymną.

Palce Halego zatańczyły po pulpicie kontrolera.

– Odpalam.

Moździerz splunął kolejno trzema granatami, które przeleciały obok cementowni i wylądowały po przeciwnej stronie, nad samym brzegiem jeziora. Trafiły dokładnie tam, gdzie powinny, i natychmiast zaczęły emitować gęsty, biały dym.

Linda była pod wrażeniem. Choć przygotowania prowadzono niemal w biegu, wszystko wskazywało na to, że operacja rozwija się zgodnie z planem. Udało im się odciągnąć uwagę obrońców od śmigłowca. Teraz ludzie Bazina wycofają się na stanowiska obronne i będą czekać na szturm, który nie nastąpi.

Znów popatrzyła na cementownię. Jej uwagę przyciągnął jakiś ruch przy jednym z budynków. Na widok wyjeżdżających z niego pojazdów natychmiast zdała sobie sprawę, że od tej chwili nic już nie będzie przebiegało tak, jak sobie zaplanowali.

Szybkim ruchem sięgnęła po radio.

– Świstak do Ważki, informuję o pojawieniu się bojowych wozów piechoty uzbrojonych w dwudziestomilimetrowe działka.

– Ważka do Świstaka, dzięki za info. Czekam na tę złą wiadomość.

– Jeden z nich kieruje się do waszego miejsca lądowania.

Puszki po red bullu walały się u stóp Kensita. Przez ostatnie dwadzieścia godzin wstał ze swego fotela tylko raz, aby otworzyć drzwi, kiedy ktoś z załogi złożonej z ludzi Bazina przyniósł mu posiłek. Na szczęście miał spory zapas pustych butelek po wodzie mineralnej, dzięki czemu nie musiał chodzić do toalety.

Drony właśnie wystartowały z bazy Tyndall na Florydzie i teraz mknęły nad Everglades. Szóstka bezpilotowych QF-16 była eskortowana przez dwa standardowe myśliwce F-15, uzbrojone w rakietowe pociski powietrze-powietrze. Kensit na razie nie przejął nad nimi kontroli, ale dane z ich systemów nawigacyjnych, wyświetlane na ekranie jego komputera, pokazywały ich dokładną pozycję, więc nie musiał w tym celu używać „Wartownika".

Znając kod transpondera Air Force Two, mógł też śledzić jego lot nad rejonem Indii Zachodnich. Start przyspieszono o pół godziny, dlatego do przechwycenia go przez drony miało dojść nieco wcześniej, o ósmej trzydzieści rano. Gubernator Washburn zamierzał dołączyć do Kensita, by obserwować zniszczenie samolotu wiceprezydenta.

Mając zbliżające się ku sobie samoloty na ekranie komputera, Kensit mógł podglądać działania Juana Cabrilla za pomocą „Wartownika". Cabrillo, Eddie Seng, Franklin Lincoln i Mike Trono, ubrani w zielone mundury maskujące, dopasowane odcieniem do roślinności otaczającej cementownię, odlecieli śmigłowcem z „Oregona", którego dowództwo przejął Max Hanley. Wszyscy czterej byli uzbrojeni po zęby, między innymi w karabiny szturmowe i granatniki RPG. Ze względu na hałas w kabinie helikoptera, znacznie utrudniający podsłuchiwanie rozmów, Kensit postanowił obserwować go z zewnątrz. Po wylądowaniu zamierzał trzymać się Cabrilla, by informować Bazina o jego posunięciach.

– Śmigłowiec zbliża się od wschodu do cementowni – powiedział do mikrofonu, zintegrowanego ze słuchawkami.

– Posłałem tam ratela, ale zestrzelenie helikoptera będzie praktycznie niemożliwe z powodu tego cholernego dymu.

Kensit wyprostował się na fotelu.

– Jakiego dymu?

A potem ujrzał, jak śmigłowiec zatacza łuk i kieruje się prosto na zasnuty dymem brzeg. Na niebie pojawiły się smugi dwudziestomilimetrowych pocisków, które nawet nie zbliżyły się do lądującej maszyny. Zanim Kensit zdołał przeniknąć teleskopem do wnętrza kabiny, śmigłowiec zniknął w kłębach gęstej białej mgły. Dziesięć sekund później pojawił się znowu, ale w kabinie nie było już pasażerów.

Kensit wbił się wirtualną kamerą teleskopu neutrinowego w dym, ale było to jak patrzenie przez mleczne szkło. Czasem migał mu przed oczami fragment munduru i nic ponad to.

Zmienił punkt odniesienia tak, aby obserwować miejsce lądowania pionowo z góry, jednak biała chmura zdążyła się już rozprzestrzenić na powierzchni większej od trzech boisk futbolowych i pokryła cały teren cementowni, od brzegu jeziora aż po najbliższy pagórek, porośnięty gęsto listowiem, które zapewniało idealną osłonę kryjącym się pod nim ludziom. Zwiększył pułap akurat w tym momencie, by ujrzeć ratela, zbliżającego się do granicy zadymionego obszaru, i wtedy nagle uświadomił sobie, że Juan Cabrillo zniknął jak kamfora.

Rozdział 43

Juan i Trono musieli się zanurzyć pod powierzchnię jeziora, zanim dym się rozwieje, inaczej cała operacja by się nie powiodła. Gdyby Kensit choćby podejrzewał, co planują, kazałby Bazinowi potroić liczbę strażników w grocie z teleskopem neutrinowym, zamiast rzucić wszystkie siły do odparcia ataku, który był dosłownie tylko zasłoną dymną.

Z ręką Trono na swoim ramieniu, żeby trzymali się razem w gęstym dymie, Juan używał swojego telefonu do naprowadzania ich na sygnał z pakunku podłożonego przez zespół Lindy. Po ominięciu kilku krzaków jeżyn nie do przebycia znaleźli go pod krzewem, który został starannie wykopany, a później wsadzony z powrotem.

Sprzęt do nurkowania jaskiniowego był tak zapakowany, żeby mogli go szybko włożyć.

Ratel strzelał od czasu do czasu ze swojego działka i karabinów maszynowych w dym, ryjąc ziemię i kosząc pobliskie drzewa, więc Juan i Trono zanieśli swój ekwipunek na krawędź wody i ubrali się szybko, żeby nie dostać jakąś zabłąkaną kulą.

Po niecałych dwóch minutach byli gotowi i wchodzili do wody. Zatopili ubrania w jeziorze, żeby nie zostawiać po sobie żadnych śladów. Z bronią przewieszoną przez plecy, zanurkowali.

Juan się cieszył, że Linda zrozumiała jego zaszyfrowane instrukcje. Podczas pewnej operacji w Indonezji dostał się na złomowisko statków Karamita, przepływając w akwalungu pod ogromnymi wrotami, przez które wprowadzano towarowce do nielegalnego cięcia na części. Linda wiedziała, że Juan chce zrobić to samo w cementowni – przepłynąć przez zanurzone teraz wejście do jaskini, żeby dotrzeć do groty z teleskopem neutrinowym od tyłu, gdzie jej nie pilnowano.

Juan dużo ryzykował, gdy zdecydował się zastosować tę metodę infiltracji. Samo znalezienie wejścia do groty w jeziorze stanowiło wyzwanie, nie wspominając o drodze przez zalane jaskinie w poszukiwaniu właściwego korytarza prowadzącego do teleskopu. Nie wiedział nawet, czy wystarczy im powietrza na pokonanie tej trasy.

Powodzenie akcji zależało od całkowitego zaskoczenia. W razie zdemaskowania przewaga liczebna przeciwnika w grocie równała się klęsce, a odwrót nie wchodził w rachubę.

Szukanie wejścia do groty mogłoby im zająć dni w normalnych okolicznościach, ale Juan korzystał z tego samego urządzenia, które umożliwiło im znalezienie puszki ze zdjęciami. Wyjął licznik Geigera i opadł na dwanaście metrów, głębokość, na jaką oceniali położenie groty pod powierzchnią jeziora. Mieli nadzieję, że promieniowanie cząstek stałych w grocie przenikające przez wodę wskaże im właściwym kierunek.

Muł ograniczał im widoczność do sześciu metrów, ale też chronił przed wykryciem sponad powierzchni. Licznik Geigera, ustawiony na maksymalną czułość, nie rejestrował nic powyżej poziomu naturalnego promieniowania.

Na podstawie zdjęcia Juan był pewien, że grota jest blisko cementowni, więc płynął w tamtą stronę. Omiatał licznikiem przestrzeń przed sobą w poszukiwaniu choćby minimalnego wzrostu odczytu.

Pokonali kolejne trzydzieści metrów, gdy Juan zobaczył nieco większe wychylenie wskazówki. Zatrzymał się i przesunął licznikiem w górę i w dół.

Ich cel był trzy metry nad nimi. Juan się wzniósł i otworzyła się przed nim ziejąca czeluść otoczona skałami o wyglądzie upiornych zębów. Przeoczyłby tę czarną dziurę bez detektora radiacji. Dał znak Tronowi, który przytaknął, i włączyli lampy nurkowe, gdy zapuścili się w ciemność. Z limitu czterdziestu minut zużyli już dziesięć.

Ukryty pod krzakiem Linc czekał, dopóki ratel nie zbliżył się na niecałe sto metrów. Z tej odległości nie mógł chybić. Uniósł ręczny granatnik przeciwpancerny RPG-7, często pokazywany w wiadomościach na całym świecie, i nacisnął spust. Pocisk z napędem rakietowym wystrzelił z wyrzutni i trafił w pojazd opancerzony, powodując wybuch amunicji w środku i zamieniając go w wielką kulę ognia.

– Jeden z głowy, trzy do załatwienia – powiedział, rozpłaszczając się z powrotem na ziemi.

– Ładny strzał – pochwalił Eddie, kiedy się odczołgiwali – choć moja babcia też by nie spudłowała z tej odległości.

Linc się zatrzymał, żeby załadować ich ostatni granat.

– Nie wiedziałem, że twoja babcia też ma medal snajpera marynarki wojennej.

Eddie uśmiechnął się szeroko.

– Jest całkiem zdolna.

Za osłoną drzew i dymu popędzili na niski pagórek, gdzie znaleźli zagłębienie.

Następny ratel jechał w ich stronę. Kierowca musiał ich wypatrzyć i dziurawił ziemię przed nimi dwudziestomilimetrowymi pociskami, toteż żaden z nich nie mógł się podnieść i zniszczyć pojazdu z granatnika.

– Drobna pomoc byłaby mile widziana – odezwał się Eddie do mikrofonu ze słuchawkami, takiego samego, jaki nosiła Linda. – Jesteśmy dokładnie tam, gdzie ratel orze nowe pole swoją bronią.

– Widzę was – odrzekła Linda. – Jesteśmy w drodze.

Sekundy później przeraźliwe wycie poprzedziło uderzenie rakiety z KNOT-a. Rozerwała na kawałki drugi pojazd opancerzony. Dwa z głowy, dwa do załatwienia.

Z oddali dobiegła kanonada innego działka. Linc wyjrzał zza brzegu pagórka i zobaczył, że KNOT obrywa.

Dwa pociski roztrzaskały przednią szybę, trzeci oderwał część maski. Eric dodał gazu i wtrysnął podtlenek azotu do cylindrów. KNOT pomknął drogą, gdy pociski z działka rozrywały drzewa po jej obu stronach. Minął wychodnię i ukrył się za nią.

Ratel nie podjął pościgu, zapewne spodziewając się zasadzki, kiedy tylko będzie odsłonięty. Czekał poza zasięgiem strzału z działkiem wycelowanym tam, gdzie powinien się pojawić KNOT.

Impas.

– Linda, co z dzieckiem Maksa? – zapytał Eddie.

– Dostanie szału, jak zobaczy, co z nim zrobiliśmy – odparła. – Eric mówi, że system celowniczy padł. Może strzelać z moździerzy, ale na ślepo. Została mu jedna rakieta plus mnóstwo amunicji do kaemu, ale pociski kaliber trzydzieści nie przebiją pancerza ratela. Może nimi strzelać, ale będzie musiał mieć widok z kamer pokładowych, żeby celować.

– To nie brzmi zbyt dobrze. Może powinniśmy...

– Zaczekaj – przerwała mu Linda – coś się dzieje.

Dym się podnosił i Linc mógł rozróżnić środkową część cementowni. Uniósł lornetkę i zobaczył, jak uzbrojeni najemnicy kopią i wypychają brudnych mężczyzn w podartych ubraniach z jednego z budynków i ustawiają ich w dwuszeregu przed cementownią. Ocenił, że jest ich sześćdziesięciu. Czwarty pojazd opancerzony zajął pozycję za nimi.

– Co to za faceci? – spytał Linc pod nosem.

– Przymusowi robotnicy – odparł Eddie. – Wierz mi, że potrafię takich rozpoznać.

Linc wiedział, że to nie przesada, bo Eddie sam tego doświadczył.

Megafony w cementowni zapiszczały.

– Linda Ross – powiedział z kreolskim akcentem ktoś, kto musiał być Hectorem Bazinem – wiesz, kim jestem. A ja wiem, gdzie jesteś ty i twoi ludzie.

Eddie i Linc spojrzeli na siebie. Kensit wyśledził Lindę swoim teleskopem neutrinowym.

– Wasz atak jest bezcelowy. Przekaż Cabrillowi i reszcie jego ludzi, żeby zaprzestali tej bezsensownej akcji.

– Przynajmniej nie wie, gdzie jest reszta zespołu – zauważył Linc.

– Zadzwoniłem do haitańskiej policji – ciągnął Bazin. – Będą tu z setką ludzi za dwadzieścia minut. Wycofajcie się natychmiast, bo wszyscy zginiecie. Jeśli spróbujecie prowadzić dalej natarcie, będziecie musieli przejść przez tych niewinnych ludzi.

– Możecie go zdjąć? – zapytał Lindę Eddie.

– Nie – zaprzeczyła. – MacD nie ma strzału. Bazin jest schowany.

– Wycofajcie się natychmiast, bo zginiecie – powtórzył Bazin.

Następny pisk zasygnalizował koniec jego przemowy.

– Musimy dać prezesowi więcej czasu – powiedział Linc.

– Ta gadka o policji to chyba nie blef – odparł Eddie. – On może mieć cały batalion na swojej liście płac Nie widzę dla nas wielu opcji, chyba że jakoś się tam dostaniemy, ale zarośla kończą się kawał drogi przed terenem cementowni.

Linc spojrzał na nieruchomego ratela i pogłówkował.

– Kensit nie wie, gdzie jesteśmy my dwaj, tak?

Eddie zmarszczył brwi.

– Wygląda na to.

– Więc możemy się wkraść do cementowi, jeśli uda nam się wsiąść do tego ratela.

Eddie zerknął na pojazd opancerzony i z powrotem na Linca z nagłym zrozumieniem.

– *Powrót Jedi?*

– Zgadza się. Kiedy Chewie i Han przejmują kontrolę nad Walkerem i wywabiają dowódcę bazy na zewnątrz. Jeśli uda nam się wsiąść do ratela, możemy zrobić to samo. Podjechać do nich, załatwić drugi, zanim się zorientują, że to my, i wykosić resztę z nich z tego dużego paskudnego działka.

– Podoba mi się to – odparł Eddie. – Musimy tylko wymyślić, jak się tam dostać niepostrzeżenie.

– Może uda nam się ściągnąć go do nas – powiedział Linc i włączył radio. – Linda, nic nie mów. Słyszeliśmy całą gadkę Bazina i mamy plan. Mam nadzieję, że widziałaś *Powrót Jedi?*

Rozdział 44

Kiedy Juan i Trono płynęli, odczyt na liczniku Geigera rósł, wprawdzie dużo poniżej niebezpiecznego poziomu, ale wystarczająco, by wskazywać im właściwy kierunek. Mimo to natrafiali na ślepe zaułki i przejścia zbyt ciasne do pokonania i musieli się wycofywać, co znacznie skracało czas, jaki im pozostał. Groził im brak powietrza, jeśli wkrótce nie zawrócą. Dlatego nurkowanie jaskiniowe jest uważane za jeden z najniebezpieczniejszych sportów na świecie.

Dotarli do kieszeni powietrznej i się wynurzyli. Miejsca wystarczało akurat na ich dwie głowy.

– Jak u ciebie z powietrzem? – zapytał Juan.

– Zbliża się do połowy.

– U mnie też. Promieniowanie jest coraz silniejsze, ale nie wiem, jak daleko musimy dopłynąć. Przynajmniej się wznosimy. Jeśli nie wynurzymy się nigdzie indziej za pięć minut, wracasz.

– Chyba wracamy.

– Kensit planuje coś na dziś, więc musimy dostać się do jego teleskopu, zanim to się stanie.

– Więc zostaję z tobą. Jeśli uważasz, że nam się uda, to mi wystarczy.

Juan widział, że Trono nie zamierza puścić go dalej samego, bez względu na to, co powie, więc nie dyskutował.

– Dobra. Jeśli nie znajdziemy jakiegoś suchego miejsca za pięć minut, zawracamy.

Włożyli z powrotem maski i ruszyli. Juan próbował wyobrazić sobie, jak Günther Lutzen wspinał się przez te jaskinie ponad sto lat temu tylko z liną i latarnią, niosąc swój wielki aparat fotograficzny całą drogę. Mógł eksplorować groty tygodniami, zanim natknął się na tę, która potwierdziła jego teorie.

Pięć minut później Juan wciąż nie widział oznak, że zbliżają się do groty nazwanej przez Lutzena Oz. Płynął dalej, licząc na to, że on i Trono potrafią zużyć mniej powietrza w tamtą stronę niż w tę.

Ryzyko się opłaciło, gdy światło jego lampy odbiło się od lustrzanego połysku na styku wody z powietrzem. Skierował się tam w nadziei, że nie jest to po prostu następna kieszeń powietrzna.

Wynurzył głowę. Zamiast stłumienia dźwięku swojego automatu oddechowego przez bliskość pęcherza powietrza, usłyszał jego chrypienie odbijające się echem od szeroko rozstawionych ścian i wysokiego sklepienia.

Wyjął ustnik, obrócił się o trzysta sześćdziesiąt stopni i nie zobaczył ani śladu światła. Dał znak Trono. Wpełzli na wilgotny wapień i pozbyli się całego sprzętu nurkowego poza mokrymi skafandrami. Zdjęli z pleców pistolety maszynowe MP-5 z tłumikami, idealne do walki z bliskiej odległości pod ziemią. Wytrząsnęli wodę z luf i komór zamkowych i poszli według wskazań licznika Geigera.

Kręte jaskinie często się rozchodziły w wielu kierunkach, ale zawsze tylko w jednym było silniejsze promieniowanie. Po trzecim rozwidleniu Juan zauważył światło w oddali. Trzymał osłoniętą latarkę wycelowaną w ziemię, żeby ich nie zobaczono.

Z odległości pięćdziesięciu metrów Juan dostrzegł, że blask zaczyna się odbijać od zielonych kryształów w wapiennych ścianach i sklepieniu wokół nich. Lutzen musiał tutaj sfotografować kryształy.

Kiedy się zbliżyli do upiornie zielonego światła z głównej groty, rozdzielili się i przywarli plecami do ścian po obu stronach przejścia, żeby nie być na widoku jak najdłużej. Nie mogli się wkraść do tak jasno oświetlonej jaskini. Musieli polegać na całkowitym zaskoczeniu i liczyć na to, że większość uzbrojonych strażników jest w cementowni.

Juan odłożył licznik Geigera i wyciągnął trzy palce do Trono, który przyciskał MP-5 do ramienia. Juan odliczył niemo na palcach. Kiedy zacisnął pięść, obaj wtargnęli do groty.

Juan skoncentrował się najpierw tylko na ludziach w środku. Dwaj biali siedzieli na krzesłach przy konsoli w koszulach z krótkimi rękawami i spodniach khaki. Natychmiast uznał, że nie są groźni. Przeniósł wzrok na ruch jakieś trzydzieści metrów dalej po drugiej stronie jaskini, która okazała się większa, niż myślał.

Dwóch ludzi pilnowało wejścia do tunelu, który musiał prowadzić do cementowni. Obaj byli w mundurach maskujących, trzymali karabiny szturmowe i wyglądali na znudzonych.

Juan i Trono pojawili się tak nagle, że para najemników nie zdążyła zareagować. Juan wpakował serię trzech pocisków w tego z prawej, Trono w tego z lewej. Stłumione wystrzały odbiły się echem w grocie, ale nie mogły dotrzeć aż do wyjścia.

Juan zlustrował resztę jaskini. Czysto. Przerażeni siedzący podnieśli ręce do góry bez rozkazu i Juan w końcu mógł zobaczyć grotę w pełnej krasie.

Środek zajmował sprzęt elektroniczny, przewody z nierdzewnej stali i naukowe gadżety, co przypominało mu wnętrze reaktora jądrowego. Całe urządzenie sięgało od podłogi do sufitu i miało wielkość tira. Maszynę otaczał metalowy pomost kratownicowy, który umożliwiał dostęp do niej z poziomu powierzchni. Kilka dużych skrzyń z napisami „Ostrożnie. Aparatura naukowa" stało przy wejściu do tunelu.

To musiał być teleskop neutrinowy. Konstrukcja była skomplikowana i elegancka.

Ale mimo zdumiewającego wyglądu, to nie teleskop budził największy podziw w grocie.

Resztę przestrzeni wielkości katedry przecinały półprzezroczyste zielone kryształy. Jeśli Eric miał rację, były selenami z miedzianymi zanieczyszczeniami. Juan nagle się zorientował, że to je sfotografował Lutzen. Nie udokumentował istnienia geody, tylko samej jaskini.

Zmyliło ich to, że nikt z nich nie wyobrażał sobie ogromu samych kryształów. Wiele z tych tworów, pięknych i poszarpanych ukośnych filarów o krawędziach ostrych jak nóż, miało wielkość sekwoi. Niektóre zwisały ze sklepienia, inne sięgały do podłoża. Między nimi leżały wielkie stosy kryształów w kształcie sopli. Juan obrócił się dookoła, gapiąc się na wspaniałość miliarda faset.

Günther Lutzen miał całkowitą rację. Juan naprawdę czuł się tak, jakby wszedł do Szmaragdowego Miasta krainy Oz.

Rozdział 45

Piętnaście minut zajęło Lincowi i Eddiemu doczołganie się do miejsca za rogiem, gdzie nie byli widoczni z cementowni. Zajęli pozycję w rowie dziesięć metrów od drogi z granatnikiem teraz na brzuchu Linca.

– Jestem gotowy – powiedział do Eddiego.

– Ja też.

Eddie połączył się przez radio z Lindą.

– Pokaż im kozła ofiarnego.

– Kieruje się w waszą stronę.

KNOT wypadł z kryjówki i przyspieszał, aż ich minął. Stanowił łatwy cel dla kanoniera w ratelu. Gdy tylko pojazd opancerzony się ukazał, kaem w zderzaku KNOT-a zaterkotał, ale serie odbijały się od ratela. KNOT zawrócił w miejscu na żwirze, kiedy dwudziestomilimetrowe pociski z działka zagwizdały obok. Znów minął Linca i Eddiego i prawie dotarł za osłonę wychodni, gdy dym buchnął z tyłu. KNOT skręcił gwałtownie z drogi i zniknął w dole skarpy nad jeziorem.

Ratel ruszył w pościg, jak przewidywali. Jego dowódca najwyraźniej uważał, że trafił KNOT-a, i chciał się upewnić.

Pojazd opancerzony przejechał z rykiem obok rowu Linca i Eddiego i zahamował na szczycie skarpy. Wrak KNOT-a wciąż dymił. Boczne drzwi ratela się otworzyły, czterech ludzi w mundurach maskujących i hełmach wysypało się z pojazdu i wycelowało karabiny szturmowe w KNOT-a.

Linc i Eddie wyskoczyli z kryjówki i pobiegli do mężczyzn.

– Rzućcie broń! – krzyknęli jednocześnie w prymitywnym kreolskim, którego MacD nauczył ich przez radio.

Najemnicy Bazina byli albo odważni, albo za głupi, żeby sobie uświadomić swoje położenie. Przykucnęli obok ratela i unieśli karabiny do strzału.

Dostali tylko jedno ostrzeżenie. Eddie z wprawą skosił trzech z nich, Linc rozwalił czwartego z pistoletu. Ale kierowca w ratelu się nie poddał. Cofnął pojazd i obrócił działko, żeby wypalić do nich.

Linc pokręcił głową na ten idiotyzm. Włożył pistolet do kabury, oparł granatnik na ramieniu i nacisnął spust, zanim działko w nich wycelowało. Pocisk przeciwczołgowy rozerwał pojazd opancerzony na kawałki.

Linc rzucił pustą wyrzutnię i kopnął żwir z frustracją.

– I po naszym planie *Powrót Jedi* – powiedział.

– Pomysł był dobry – pocieszył go Eddie i połączył się z Lindą. – Jakie uszkodzenia KNOT-a?

– Żadnych – odrzekła. – Eric tak nim kierował, że całkowicie chybili. Zasłona dymna zadziałała tak, jak się spodziewaliście.

KNOT wjechał na skarpę w rzedniejącym dymie.

Linc i Eddie podeszli do najemników. Cztery trupy.

Eddie przyjrzał się największemu zabitemu, a potem Lincowi, jakby ich porównywał.

– Co ty kombinujesz? – spytał Linc.

– Z daleka mógłbyś uchodzić za Haitańczyka.

– Pewnie tak, ale nie mamy już ratela.

– Ale wciąż mamy KNOT-a. Załóżmy, że najemnicy go zdobyli i przyjechali nim. Dopóki będą myśleli, że jesteś jednym z nich, możemy mieć w zasięgu wzroku ostatniego ratela. W KNOT-cie została jedna rakieta.

Linc się zastanowił i skinął głową.

– Pomysł mi się podoba, ale potrzebujemy czegoś, żeby go sprzedać.

– Czego?

Linc podniósł jeden z radiotelefonów najemników i zaczął ściągać mundur z najmniej zakrwawionego żołnierza.

– Musimy jeszcze raz skorzystać ze znajomości języka MacD.

Bazin próbował wywołać trzeciego ratela przez radio i odbierał tylko zakłócenia. Wyjrzał przez ukryte okno w głównym budynku, ale zobaczył tylko pióropusz dymu nad wzgórzem.

Jeśli ratel został zniszczony, wciąż niczego to nie zmieniało. Gdyby Cabrillo i jego ludzie zaatakowali, zagroziliby życiu sześćdziesięciu zakładników. I czołowe natarcie byłoby samobójstwem. Miał jeszcze jednego ratela i ludzi na zewnątrz.

Jakiś pojazd wyjechał zza wzgórza, ale nie brakujący ratel. To była ciężarówka, którą Korporacja nazywała KNOT. Już miał kazać ostatniemu ratelowi otworzyć ogień, gdy zobaczył, że jeden z jego ludzi stoi w otworze dachowym KNOT-a, macha bronią i krzyczy triumfalnie. Dostrzegł dwóch innych w kabinie, prowadzących swoją zdobycz do cementowni.

Mężczyzna w otworze dachowym trzymał radiotelefon przy ustach. Bazin słuchał swojego, ale głos prawie ginął w hałasie wiatru i silnika. Krzyczał po kreolsku, że zdobyli ciężarówkę Amerykanów i żeby nie strzelać.

– Wycofać się – rozkazał przez radio reszcie swoich ludzi.

Kensit dostarczył mu informacje o Lindzie Ross i jej ludziach, ale miał ich na oku tylko chwilami, kiedy mógł się oderwać od operacji drona. Bazin nie protestował, bo kontrolował sytuację i haitańska policja była w drodze jako jego wsparcie.

Kiedy zdobyty KNOT się zbliżył, Bazin zadzwonił do Kensita, żeby go zawiadomić, że jego usługi nie będą już potrzebne i może się skoncentrować na zniszczeniu Air Force Two.

– Co tam się dzieje, do cholery?! – wrzasnął Kensit, gdy odebrał telefon.

Zaszokował Bazina, który nigdy nie słyszał go tak wściekłego.

– O czym pan mówi? Zdobyliśmy pojazd Korporacji. To koniec.

– Żaden koniec! Nic nie widzę. Coś się stało z „Wartownikiem". Ekran mi zgasł i nie mogę się skontaktować z żadnym z techników. Próbuję teraz odzyskać łączność. Rusz tyłek na dół i zobacz, co się tam dzieje. I nie trać więcej czasu. Ustaw samodestrukcję. Będę potrzebował godzinę na dokończenie operacji. Idź!

Rozłączył się.

Bazin już miał się odwrócić i pójść do tunelu, kiedy sobie uświadomił, że Kensit nie mógł obserwować, co się działo podczas walki między ratelem a KNOT-em.

Wyjrzał przez okno z rosnącą zgrozą. KNOT był już tak blisko, że zobaczył twarze mężczyzn i zauważył dwie rzeczy jednocześnie: kierowca KNOT-a miał w czole dziurę od kuli, a krzyczący po kreolsku człowiek w otworze dachowym nie był jednym z jego ludzi. To musiał być Franklin Lincoln.

Uniósł radio, żeby kazać swoim siłom otworzyć ogień, ale za późno. Rakieta wystrzeliła z boku KNOT-a i trafiła w ostatniego ratela. Wybuch rozerwał pojazd na kawałki i rozrzucił załogę wokół niego.

Bazin usłyszał, jak Lincoln krzyczy do zakładników, żeby padli. Dali nura na ziemię i kaem w zderzaku KNOT-a posiekał najemników jak maszynka do mięsa. Eddie Seng dołączył do Lincolna i otworzył ogień z dachu KNOT-a. Dwaj następni z jego ludzi padli od kul snajpera. Reszta się rozpierzchła i ukryła. Ich przegrana była tylko kwestią czasu.

Bazin się wściekł na Kensita, że nie potrafi utrzymać swojej drogocennej maszyny na chodzie wtedy, kiedy jest najbardziej potrzebna. Wiedział, że usterka techniczna tak skomplikowanego urządzenia jest nieunikniona. Pozostało mu dostać się do „Wartownika", uruchomić samodestrukcję i uciec motorówką, którą trzymał w jednym z budynków nad wodą. Chociaż nigdy nie zakładał, że cementownia się zawali, zawsze się przygotowywał na najgorsze, więc miał też ukrytego SUV-a po drugiej stronie jeziora.

Co do najemników, to za pieniądze, które ciągnął od baronów narkotykowych, zawsze mógł zatrudnić więcej ludzi. A kiedy „Wartownik 2" zacznie działać, kupi sobie ich tylu, ilu będzie chciał. Haiti nadal pozostanie jego.

Ale nie mógł pozwolić, żeby „Wartownik 1" wpadł w ich ręce nietknięty. Kensit sprytnie zainstalował samodestrukcję, coś więcej niż zwykły ładunek wybuchowy do zniszczenia sprzętu. Urządzenie można zastąpić. To grota Oz z jej unikatowymi właściwościami naturalnymi była prawdziwym skarbem. Ktoś mógłby ją w końcu oczyścić i zbudować replikę „Wartownika".

Kensit zabezpieczył przed tym samego „Wartownika". Urządzenie miało ponaddwukilogramowy rdzeń z kobaltu 60 z zużytej aparatury medycznej do skupiania neutrin. Sama jaskinia była teraz lekko radioaktywna, ale nie niebezpieczna. Jednak zdetonowanie rdzenia w grocie spowodowałoby groźny wzrost promieniowania na pokolenia. Zbudowanie w niej następnego teleskopu neutrinowego byłoby niemożliwe.

Gdy na zewnątrz trwała walka, Bazin wziął granatnik z zapasu broni, na wypadek gdyby helikopter Korporacji próbował go ścigać przez jezioro. Uzbrojony w pistolet maszynowy Uzi, poszedł tunelem do groty Oz, żeby uruchomić sekwencję zniszczenia „Wartownika 1" na zawsze.

Rozdział 46

Dwaj technicy udawali głupich i odpowiadali na pytania Juana po rosyjsku. Ale zaszokował ich, kiedy zapytał płynnie w tym języku, gdzie jest Kensit. Rozwodził się też nad tym, co się z nimi stanie, jeśli nie będą współpracowali. Stracili odwagę, przeszli na angielski i powiedzieli mu, że Kensit jest na jakimś jachcie, gdzie monitoruje przekaz z teleskopu neutrinowego, który nazwał „Wartownikiem".

Jeden z ekranów na panelu sterowniczym pokazywał to, co widział gdzieś daleko Kensit. Juan był zdumiony, gdy zobaczył zbliżenie Lindy, a potem ujęcie KNOT-a pędzącego w kierunku pojazdu opancerzonego Ratel.

Juan najpierw kazał im całkowicie wyłączyć obraz. Bez tego jego załoga miała szansę opanować sytuację. Ekran nagle pociemniał, z pewnością przyprawiając Kensita o apopleksję. Telefon na konsoli dzwonił uporczywie, ale Juan zabronił Rosjanom odebrać.

Potem wpadł na lepszy pomysł.

– Wiecie, jak działa to urządzenie? – zapytał ich.

Kiedy się zawahali, on i Trono wycelowali lufy swoich MP-5 w ich twarze.

– Umiemy je obsługiwać – odrzekł jeden z techników – ale to wszystko.

– Wiecie, gdzie jest Kensit?

Rosjanin szybko przytaknął i wskazał monitor pokazujący długość i szerokość geograficzną.

– Tam trafia sygnał – wyjaśnił.

– Czas na demo – oznajmił Juan. – Pokaż mi przytulną kryjóweczkę Kensita.

Technik skinął głową i przysunął się do konsoli. Manipulował nerwowo przyrządami, dopóki nowy obraz nie pojawił się na ekranie. Ujęcie z góry pokazywało biały trzydziestometrowy jacht płynący leniwie po lazurowym morzu. Gwałtowny najazd w dół przypominał nurkowanie samolotu kamikaze. Wirtualna kamera przeniknęła pod pokład i zatrzymała się w kabinie z taką samą konsolą, jak w grocie.

– Obróć dookoła – polecił Juan. – Sfilmuj to, Mike.

Trono uniósł telefon do nagrania wideo.

W kabinie był chlew, puste puszki i talerze z jedzeniem walały się na podłodze. Na ścianie wisiała mapa Meksyku z pinezką wbitą w jakiś punkt na Jukatanie opisany gryzmo-łami jako druga faza. Papiery z zanotowanymi równaniami zaściełały biurko. Jakiś dziennik leżał na końcu blatu. Na okładce było wypisane starannie nazwisko Günthera Lutzena.

Kamera się przemieszczała, aż znieruchomiała na Kensi-cie. Patrzył wytrzeszczonymi oczami prosto na ekran, jakby ich widział.

Ale nie mógł ich widzieć. Monitorował przekaz z „War-townika", więc w rzeczywistości oglądał samego siebie na swoim ekranie. Zaczął poruszać ustami.

– Pogłośnij – rozkazał Juan.

Technik to zrobił i usłyszeli piskliwy głos Kensita.

– ...nie mógłby się tam dostać. Jeśli to ty, Cabrillo, to chcę, żebyś wiedział, że się spóźniłeś. Jeśli przeżyjesz resz-tę dnia, w co wątpię, przekonasz się, jak mało zdziałaliście. A teraz czas się pożegnać.

Obraz zniknął z ekranu.

– Co się stało? Przywróć to! – zażądał Juan.

– Nie możemy – zaprzeczył technik, cofając się. – Kensit zdalnie steruje oprogramowaniem. Pewnie zablokował nam możliwość obsługi „Wartownika" i wyłączył przekaz w cza-sie rzeczywistym do tej konsoli. Ale tam, gdzie jest, może dalej obserwować to, co widzi „Wartownik", i sterować tym.

– Co on dziś planuje?

Znów się zawahali, ale Juan poznał, że wiedzą. Cofnęli się jeszcze bardziej, jakby chcieli dotrzeć do wyjścia i uciec.

– Mówcie – warknął. – Już!

– Okej, okej – odrzekł jeden z nich, podnosząc uspoka-jająco ręce. – Zamierza zestrzelić...

Seria pocisków posiekała torsy obu techników. Strzelec był w tunelu do cementowni. Juan i Trono nie zginęli tylko dlatego, że zasłaniał ich „Wartownik".

Dali nura za jeden z selenowych filarów. Juan ledwo się otarł o niego, a ostra jak brzytwa krawędź rozpruła mu mokry skafander. Chowanie się w tej jaskini nie wyglądało zachęcająco.

Juan zobaczył odbicie Bazina w wielkim krysztale. To on zabił dwóch techników. Garbił się teraz nad konsolą. Jedną ręką pisał na klawiaturze, w drugiej trzymał uzi wycelowane w ich kierunku. Granatnik stał oparty o konsolę obok niego.

Juan pokazał Tronowi, żeby spróbował go zajść od strony wejścia do tunelu, okrążając ogromny teleskop.

– Wiem, co kombinujesz, Cabrillo! – zawołał Bazin. – Ja też spróbowałbym mnie tak zajść. To się nie uda.

– Dlaczego?! – odkrzyknął Juan. – Bo Kensit ci mówi, gdzie jesteśmy?!

– To niesamowita przewaga, co?

– Moi ludzie są na zewnątrz. Nie uciekniesz.

– Na twoim miejscu bardziej bym się martwił tą bombą.

Juan obserwował, jak Bazin pisze, i uświadomił sobie, co uruchamia.

– Zainstalowaliście tu sobie staromodny mechanizm samodestrukcyjny?

– To najnowocześniejsza technika – odparł Bazin. – Radzę wam wrócić tą samą drogą, którą tu przyszliście, jeśli nie chcecie też ulec samodestrukcji.

Nacisnął zamaszyście ostatni klawisz.

– Gotowe. *Au revoir, mon capitaine.*

Wziął granatnik i cofnął się wolno, ale Juan nie zamierzał pozwolić mu uciec. Nie miał go na linii strzału, ale i tak by nie nacisnął spustu. Bazin był mu potrzebny żywy, żeby z niego wyciągnąć, co jest celem Kensita.

Zaczekał, aż Bazin będzie pod kryształowym stalaktytem, który wisiał jak kandelabr. Wpakował cały trzydziestonabojowy magazynek w kryształ i ostre kawałki pokaleczyły Bazina w stu miejscach.

Bazin rzucił granatnik, żeby się zasłonić przed następnymi odłamkami, ale otworzył ogień z pistoletu maszynowego.

Krew zalewała mu oczy. Kiedy iglica trafiła w pustą komorę, Juan zaatakował.

Spodziewał się, że Trono zrobi to samo, ale następne strzały padły z tunelu. Żołnierze Bazina musieli przybiec mu na ratunek. Trono odpowiedział ogniem i zatrzymał ich. Juan został z Bazinem jeden na jednego.

Rzucił się na niego i powalił go na metalowy pomost. Bazin się przechylił i Juan walnął go mocno w nerki.

Zapomniał, że Bazin wie o nim więcej niż jakikolwiek przeciwnik w przeszłości.

Kiedy Bazin przyjmował jego ciosy, złapał go za protezę. Wiedział dokładnie, jak noga bojowa jest przypasana, i szarpnął klamry mocujące ją do łydki Juana. Proteza się odłączyła i Juan upadł. Zdołał ją wyrwać Bazinowi, ale teraz nie mógłby podjąć pościgu.

Bazin wytarł oczy, dobrnął do uzi i wyciągnął magazynek. Zanim Juan zdążył otworzyć nogę i wyjąć colta defendera, Bazin popędził przez grotę w poszukiwaniu kryjówki, gdzie mógłby załadować broń, żeby wykończyć Juana.

Juan strzelił, żeby uciekający Bazin nie dał nura za najbliższą kryształową kolumnę. Wydało mu się, że go drasnął w nogę w przejściu, którym on i Trono weszli z podwodnej jaskini.

Juan usłyszał charakterystyczny trzask wciskanego magazynka i zauważył, że teraz on jest pod niebezpiecznym kandelabrem. Gdyby Bazin spróbował tej samej sztuczki ze strzelaniem w sklepienie groty, Juan byłby łatwym celem.

Choć chciał Bazina żywego, nie miał wyboru. Przetoczył się i porwał granatnik. Balansując na kikucie, wycelował w przejście i nacisnął spust.

Pocisk przeciął powietrze na jęzorze ognia i uderzył w sklepienie. Wapień runął w dół i cały otwór się zawalił. Kiedy pył opadł, stało się jasne, że droga do podwodnej jaskini jest zablokowana. Bazin zniknął.

Już kiedy naciskał spust, Juan pomyślał, że strzał z granatnika może wywołać reakcję łańcuchową zawalania się sklepienia. Wstrzymał oddech, gdy wiele dużych kryształów zatrzęsło się i zatrzeszczało. Kilka kawałków oderwało się nieszkodliwie i zapanował spokój.

Juan szybko przymocował nogę, żeby pomóc Tronowi odeprzeć pozostałych najemników, ale gdy tylko ją przypasał i wstał, zorientował się, że strzały ucichły.

Trono wyłonił się ostrożnie zza filara.

– Specjalna dostawa dla Juana Cabrilla! – dobiegł z tunelu do cementowni baryton Linca. – Damy ci pudełko czekoladek, jeśli nas nie zastrzelisz.

– Wchodźcie! – odkrzyknął Juan. – Umieramy z głodu!

Linc wmaszerował w światło i szczęka mu opadła na widok „Wartownika" i ogromnych kryształów w grocie Oz.

– Tak musieliśmy wyglądać, kiedy tu weszliśmy – powiedział Juan do Trona.

– Nie wiem, czy kiedykolwiek widziałem, żeby zaniemówił – odrzekł Mike.

– Wszystko na zewnątrz załatwione? – zapytał Juan Linca.

– Pięciu ostatnich się poddało, jak zobaczyło, że reszta ich kumpli padła. Jest dramat. Bazin kazał sześćdziesięciu ludziom wykopać tunele tu na dół. Prawie ich zagłodził na śmierć. Linda organizuje jedzenie dla nich.

Przywołał gestem kogoś za sobą.

– Jest ze mną ktoś, kogo powinieneś poznać.

Eddie wprowadził zaniedbanego, ale dumnego Haitańczyka. Mężczyzna pogapił się na jaskinię z rozdziawionymi ustami, potem mocno uścisnął dłoń Juanowi, kiedy go przedstawiono.

– Jacques Duval, zastępca komendanta policji haitańskiej – powiedział. – Jak rozumiem, to panu mogę podziękować za ratunek.

– Musi pan podziękować całemu zespołowi – odparł Juan. – Nie jestem Samotnym Strażnikiem. Choć jak się zastanowić, to nawet on nie był samotny. Tonto ratował mu skórę cały czas.

Zdezorientowany Duval przechylił głowę. Nie zrozumiał aluzji Amerykanina.

– Gdzie jest Hector Bazin?

Juan wskazał tony zwalonej skały po drugiej stronie jaskini.

– Przysypany tam.

Duval przytaknął smutno i jednocześnie z satysfakcją.

– Tak musiało być. Jeszcze raz dziękuję. Muszę teraz przejąć dowodzenie policją, która myśli, że przybywa na ratunek Hectorowi.

– Posłuchają pana?

– Nie będą mieli wyboru. Nie został tu nikt inny, żeby nimi dowodzić.

Odwrócił się na pięcie i odmaszerował.

– Twardy facet – stwierdził Juan.

– Poza wodą – odrzekł Eddie – nie poprosił o nic dla siebie, tylko dla swoich ludzi.

Juan przytaknął ze zrozumieniem. Zrobiłby to samo. Tacy przywódcy zwykle pokonują w końcu takich ludzi jak Bazin.

– Dajcie tu Erica – polecił. – Mamy następny problem.

Dwie minuty później Linc i Eddie byli z powrotem na dworze, a Eric siedział przy konsoli „Wartownika” i usiłował rozgryźć, jak wyłączyć samodestrukcję, której timer pokazywał już tylko pięćdziesiąt trzy minuty.

– Dasz radę to rozbroić? – spytał Juan.

Eric pokręcił głową.

– Bałbym się spróbować. Kensit mógł zainstalować pułapkę, żeby po wprowadzeniu błędnego kodu nastąpiła eksplozja.

– A co z wyciągnięciem wtyczki?

– Nic z tego. Zasilanie zewnętrzne już padło i wygląda na to, że podtrzymanie akumulatorowe jest zintegrowane z maszyną. Jakakolwiek próba odłączenia prądu też może spowodować wybuch. Obawiam się, że nie ma sposobu, żeby zapobiec eksplozji.

Juan przeczesał włosy palcami, sfrustrowany brakiem opcji.

– Technicy powiedzieli, że Kensit chce coś zestrzelić. Musimy wykombinować co i jak ma to zrobić.

– Wygląda na to, że ta samodestrukcja to niezależny system – podsumował Eric. – Może uda nam się zobaczyć, co Kensit robi?

Przeniósł się tam, skąd Juan widział stanowisko robocze Kensita.

Juan pokręcił głową.

– Już tego próbowaliśmy. Kensit to zablokował.

– Możesz opisać, co robili technicy?

– Nie muszę – odparł Juan i przywołał gestem Trono. – Pokaż mu swoje nagranie.

Trono puścił wideo. Po minucie Eric go powstrzymał i postukał w klawiaturę. Pusty ekran nagle ożył i pokazał Kensita, który znów mówił, ale tym razem taśma przewijała się wstecz.

Juan ścisnął ramię Erica.

– Dobra robota.

– Zauważyłem na nagraniu Trona, że technik chyba nacisnął klawisz odtwarzania – wyjaśnił Eric. – To zrozumiałe, że byłyby kolejne polecenia nagrywania. Biorąc pod uwagę nasze przypuszczenie, że Kensit może obserwować tylko jedno miejsce w danym momencie, jest logiczne, że musi nagrywać wszystko, co obserwuje, żeby móc to cofnąć i obejrzeć znowu na wypadek, gdyby coś przeoczył w czasie rzeczywistym. Możemy nie widzieć, co „Wartownik" teraz obserwuje, ale możemy zobaczyć, co obserwował w przeszłości.

– Lepsze to niż nic. Cofaj dalej, dopóki nie zobaczymy czegoś oprócz nas.

Eric przyspieszył przewijanie wstecz. Przeleciał ujęcia walki KNOT-a z ratelem, Lindy i zespołu na wzgórzu nad cementownią, lądowania helikoptera, i tak dalej. Zwolnił na widok samolotu na tle błękitnego nieba.

Juanowi zmroziło krew w żyłach. Natychmiast rozpoznał biało-niebieski 747, gdy zobaczył napis „UNITED STATES OF AMERICA" na kadłubie.

Chwycił telefon Trona i wystartował sprintem do wyjścia z tunelu. W biegu przez ramię krzyknął:

– Zostańcie tu, jak długo będziecie mogli, i sprawdźcie, co Kensit obserwował!

Nie czekał na odpowiedź. Był już prawie na drugim końcu tunelu, zanim złapał sygnał, żeby zawiadomić Gomeza, że ma ich natychmiast zabrać i błyskawicznie przerzucić z powrotem na „Oregona".

Musiał zatopić pewien jacht.

Rozdział 47

Kensit był zaszokowany, że zaatakowano grotę i że wciąż nie może się skontaktować z nikim w obiekcie, łącznie z Bazinem, ale musiał dokończyć operację. Przynajmniej odzyskał kontrolę nad „Wartownikiem" – do czasu jego samodestrukcji za niecałe pół godziny. Ale kiedy Brian Washburn zostanie wiceprezydentem, zyska potężnego sojusznika w rządzie, który będzie go chronił podczas budowy „Wartownika 2".

Kontrolerzy naziemni w Tyndall nie wiedzieli, że steruje dronami QF-16 od godziny. Blisko za nimi leciały dwa załogowe F-15 i cała formacja zbliżała się do Bahamów. Nadszedł czas, żeby skierować je na kurs przechwycenia Air Force Two.

Wyłączył przekaz wideo i transmisję danych z wszystkich sześciu dronów do Tyndall. Żałował, że nie może zobaczyć min operatorów po utracie połączenia, ale nie mógł oderwać wzroku od bezzałogowców. Miał teraz widok z odległości pół kilometra za ostatnim samolotem. Wszystkie osiem maszyn tworzyło klin w powietrzu i dzieliło je zaledwie kilkadziesiąt metrów.

Kontrolerzy z pewnością kontaktowali się już z pilotami myśliwców i dostawali odpowiedź, że nic się nie dzieje i że to musi być jakaś awaria łączności.

Kensit przeszedł na ręczne sterowanie Przepiórką 6, dronem najbliżej F-15 z lewej. Bezzałogowiec skręcił nagle w lewo, uderzył w dziób myśliwca i oderwał go. Dron QF-16 eksplodował od zapłonu paliwa w zewnętrznym zbiorniku, wybuch dosięgnął F-15 i rozerwał go. Pilot w kokpicie nie miał szans.

Kensit szybko przełączył się na sterowanie Przepiórką 5 po drugiej stronie formacji. Spróbował tego samego manewru, ale pilot prawego F-15 był czujniejszy. Strzelił serią z działka M61 Vulcan do Przepiórki 5, ale trafił Przepiórkę 4. Pociski posiekały jej ogon i dron opadł korkociągiem do Morza Karaibskiego.

Przepiórka 5 odbiła w prawo i zawadziła o koniec skrzydła F-15, który próbował zrobić unik. Skrzydła drona i myśliwca się złamały i obie maszyny stanęły w ogniu. Pilot się katapultował i zniknął Kensitowi z widoku.

Kensit odetchnął z ulgą. Najtrudniejszą część operacji miał za sobą. Gdyby jeden z F-15 uciekł, mógłby zestrzelić rakietami resztę dronów. Teraz nie było żadnych myśliwców na tyle blisko, żeby strącić bezzałogowce, zanim przechwycą samolot wiceprezydenta.

Trzy pozostałe drony wystarczyły aż nadto do wykonania zadania. Nawet jeden powinien bez problemu zniszczyć nieuzbrojonego 747.

Zadowolony z siebie Kensit wypił kolejny łyk red bulla i wprowadził kurs do trzech autopilotów. Dopalacze się rozjarzyły i drony pomknęły z prędkością ponaddźwiękową ku swojemu przeznaczeniu.

Dzięki zapasowemu mundurowi polowemu w helikopterze Juan zdjął mokry skafander, zanim on, Linda i Hali wylądowali na „Oregonie". Podczas lotu Juan wprowadził Maksa i Murpha w sytuację. Statek był gotowy do drogi, gdy tylko Gomez posadził śmigłowiec. Juan zadzwonił do Langstona Overholta, żeby go ostrzec przed tym, co widział na ekranie „Wartownika".

Pobiegli do centrum operacyjnego i ledwo Juan usiadł w Fotelu Kirka, kazał Lindzie wziąć kurs na ostatnią znaną pozycję Kensita, miejsce na północny zachód od Haiti ponad sto mil morskich od nich. Według współrzędnych z nagrania wideo w telefonie Trona jacht wydawał się płynąć na wschód. Ale ponieważ Kensit wiedział, że „Wartownik" został odkryty i mogą widzieć, gdzie on jest przez połączenie jego jachtu z teleskopem nuetrinowym, prawdopodobnie zmienił kierunek, żeby się oddalić od nich.

Juan zerknął w tył na Maksa i uśmiechnął się szeroko, szczęśliwy z powrotu na pokład.

– Silniki na obrotach? – zapytał.

– Jesteśmy gotowi do ostrego startu – odrzekł Max.

– To daj pełny gaz.

– Tak jest.

Silniki magnetohydrodynamiczne rozkręciły się do maksymalnej mocy, strumienie wody wytrysnęły za rufą i „Oregon" wystrzelił z zatoki Bahia de Grand Pierre.

– Kanonier! – zawołał Juan do Murpha, używając jego ksywki od stanowiska obsługi uzbrojenia. – Za ile będziemy mieli cel w zasięgu exoceta?

– Przy tej szybkości najwcześniej za czterdzieści minut. Jak dostaniemy dokładne współrzędne od Erica, będziemy musieli być nawet bliżej, żeby potwierdzić identyfikację jachtu.

– Hali, połącz się z Erikiem. Chcę wiedzieć, czy ma więcej informacji dla nas. Potem, jak będziemy rozmawiali, zadzwoń do Overholta i daj mi znać, jak go złapiesz.

Eric nawiązał z nimi wcześniej łączność przez linię naziemną groty Oz i jego głos dobiegł z głośników w centrum operacyjnym.

– To coś jest niesamowite.

– Masz radochę, człowieku – odrzekł Murph.

– Mógłbym spędzić tygodnie na studiowaniu tej techniki.

Juan spojrzał na chronometr statku.

– Zostały ci dwadzieścia trzy minuty, więc podaj nam najważniejsze fakty.

– Jasne. Okej, udało nam się zlokalizować Kensita, ale będziemy znali jego pozycję, tylko dopóki tu jesteśmy i „Wartownik" jest połączony z jego jachtem. Potem nam zniknie.

Podał Lindzie nowe współrzędne.

– Skręcił na północny zachód – powiedział Murph. – Będziemy tam dopiero za pięćdziesiąt minut.

– To duży problem – odparł Eric.

– Dlaczego? – spytał Juan.

– Bo Kensit przejął sześć bezzałogowych myśliwców QF-16 ponad godzinę temu. Wystartowały z bazy sił powietrznych Tyndall i lecą w naszym kierunku. Powinny być teraz prawie dokładnie nad Kensitem.

Juan triumfalnie walnął pięścią w poręcz fotela.

– Tak zamierza go zestrzelić.

– Mam Overholta na linii – zawiadomił Hali.

– Dawaj go.

Hali skinął głową.

– Lang, skontaktowałeś się z prezydentem? – zapytał Juan.

– Nie chodzi o prezydenta – odrzekł Overholt. – Dziś rano jest w Chicago. Ale wiceprezydent Sandecker wraca z Brazylii.

– Gdzie jest jego samolot?

– Właśnie przeleciał nad Haiti.

– Musisz kazać pilotowi zawrócić. Lawrence Kensit zamierza strącić Air Force Two dronami, które porwał.

– O, mój Boże – wyszeptał Overholt. – Właśnie dostaliśmy meldunek, że urwał się przekaz danych z sześciu dronów lecących w kierunku Bahamów na pokaz podczas ćwiczeń morskich UNITAS. Nie można się skontaktować ani z bezzałogowcami, ani z pościgowcami.

– Jeśli drony są zmodyfikowanymi F-16, to namierzą i dopadną Air Force Two, chyba że zabraknie im paliwa, zanim go przechwycą.

– Trudno będzie przekonać Siły Powietrzne, że samolot wiceprezydenta mają zestrzelić ich maszyny, ale zobaczę, co da się zrobić.

Rozłączył się.

– Załapałeś, Eric? – spytał Juan.

– Tak, i może uda mi się pomóc. Przesyłam kody transponderów dronów i Air Force Two Halemu, żebyście mogli je wytropić. Wziąłem je z panelu zdalnego sterowania Kensita.

– Dobra robota.

– Tamto ujęcie z nagrania Trona może też pokazać Murphowi, jak przerwać połączenie Kensita z dronami, jeśli wykombinuje, jak Kensit nimi steruje.

Juan skinął głową do Murpha i rzucił mu telefon Trona. Murph złapał go jedną ręką i zaczął ładować wideo z komórki do komputera statku.

– Na koniec mam jeszcze jedną kłopotliwą sprawę dla was – ciągnął Eric.

– Nie krępuj się – zachęcił Juan, kręcąc głową. – I tak nie mamy co robić.

– Znalazłem wideo z admirał Ruiz nagrane ostatniej nocy.

– Gdzie?

– Nie wiem. Zaczyna się ujęciem trzech statków z góry, potem jest najazd w dół na mostek i Ruiz rozmawiająca przez telefon. Według napisu w sterowni statek się nazywa „Reina Azul". Myślę, że ona rozmawia z Kensitem, a on ją obserwuje.

„Błękitna Królowa", pomyślał Juan.

– Możesz nam odtworzyć rozmowę?

– Tak, ale będziecie słyszeli tylko Ruiz. Puszczam.

Juan natychmiast rozpoznał mroczny głos, który groził mu zaledwie tydzień temu u wybrzeża Wenezueli. Przestawała mówić, kiedy słuchała Kensita.

– „Są wystrzeliwane z kontenera... Nie, nawet „Oregon" będzie miał problem z unikami przed nimi. Nie bez powodu są nazywane Zabójcami Lotniskowców... Bez obaw. Kapitanowie »Maracaibo« i »Valery« myślą, że wchodzimy do Port-au-Prince po duży ładunek cementu dla Puerto Cabello... Przez podstawioną spółkę. Nie mają pojęcia, że jestem na pokładzie... Kazałam moim ludziom przymocować bomby do ich kadłubów w nocy. Nie będzie ocalonych ani świadków... Więc oczekuję, że pan dostarczy... Tak, będziemy tam na czas".

– To tyle – odezwał się Eric.

– Niedobrze – stwierdził Murph przy oglądaniu wideo Trona. – Zabójcami Lotniskowców nazywają rosyjskie pociski przeciwokrętowe 3M-54 Klub. Bardzo trudno je zestrzelić, bo przyspieszają do trzech machów w czasie końcowego podejścia do celu i mają wektorowany ciąg do wysokokątowych manewrów obronnych.

Dla Juana brzmiało to coraz gorzej.

– Damy radę trafić w nie z gatlingów?

– Jak będziemy mieli szczęście, ale to nic pewnego. Klub ma ponad trzy razy większą szybkość niż nasze exocety. Według mnie działko Metal Storm jest naszą największą szansą.

– Po co jej dwa inne statki? – zapytał w zamyśleniu Max. – Bezpieczeństwo w ilości?

Juan przytaknął.

– Żywe tarcze. Ruiz wie, że nie zaatakujemy, dopóki nie będziemy wiedzieli, który statek zatopić.

– Ale będziemy wiedzieli, jak tylko wystrzelą. Tamte wydechy strasznie dymią.

– Coś nam umyka – powiedział Juan. – Linda, włącz radar i wypatruj konwoju trzech statków. Będę sterował stąd. Kanonier, przygotuj uzbrojenie obronne.

Murph opuścił maskownice kierowanych radarem działek Gatling i podniósł metal storm do poziomu jego stanowiska na pokładzie.

– Uzbrojenie gotowe.

Juan zastanowił się nad nazwami dwóch wspomnianych przez Ruiz statków. Maracaibo to duże jezioro w Wenezueli. To miało sens, że Ruiz ochrzciła towarowce nazwami miejsc w swoim kraju. Możliwe, że ich gość Maria Sandoval zna kapitana jednego ze statków, który mimowolnie posłuży Ruiz za przynętę. Mówiła, że kapitanowie wenezuelskich statków to zżyta grupa.

– Hali, zaproś tutaj kapitan Sandoval – polecił.

Max się zdziwił.

– Po tym, jak sprzedaliśmy jej historyjkę, że jesteśmy przemytnikami? Przestanie w nią wierzyć, jak zobaczy, co tu mamy.

– Czuję, że nie zostało nam dużo czasu. Musimy ją nakłonić do rozmowy przez telefon satelitarny. Każemy jej przyrzec pod przysięgą, że będzie milczała, jeśli to cię uspokoi.

Max wzruszył ramionami.

– To wiążąca umowa, jeśli o mnie chodzi.

– Już idzie – zawiadomił Hali. – Daję transpondery na ekran.

Wyświetliła się mapa Morza Karaibskiego z częścią Kuby, Bahamów i Haiti. Symbole trzech czerwonych samolotów na północ od Kuby zbliżały się wolno do niebieskiego na północny wschód od Haiti.

– Ten niebieski to Air Force Two. Czerwone to trzy drony.

– Co się stało z resztą bezzałogowców? – spytał z zaciekawieniem Juan.

– Musiały się rozbić, bo inaczej odbieralibyśmy sygnał od nich.

– Murph – powiedział Juan – chcę usłyszeć, że potrafisz unieszkodliwić te drony.

Skoncentrowany Murph garbił się nad swoją konsolą i nie zareagował.

– Murph – przynaglił Juan po kilku sekundach.

Murph w końcu podniósł głowę.

– Wygląda na to, że on steruje jednym dronem ręcznie, a dwa pozostałe lecą na autopilocie.

– Możesz przerwać sygnał?

– Nie, i nie mogę przejąć tego sterowanego ręcznie. Zresztą i tak nie miałbym tu właściwego ustawienia do manewrowania nim. Ale może uda mi się przeprogramować autopilota.

– Zrób to. Przy ich obecnej szybkości dogonią Air Force Two za dziesięć minut.

Marię Sandoval wprowadzono do centrum operacyjnego. Wytrzeszczyła oczy na widok ultranowoczesnej sterowni.

– Kim wy naprawdę jesteście? – zapytała ze zdumieniem.

– Pozytywnymi bohaterami, pani kapitan – zapewnił Juan, kiedy wstał, żeby ją przywitać. – Potrzebuję pani pomocy. Nie mogę wyjaśnić wszystkiego, co się teraz dzieje, ale wydaje się, że pani znajoma admirał Ruiz zamierza spróbować nas zatopić, i muszę wiedzieć, gdzie ona jest. Zna pani kapitanów towarowców „Maracaibo" i „Valera"?

– „Maracaibo" nie – zaprzeczyła. – Ale „Valerą" dowodzi Eduardo Garcia. Spotkałam go kilka razy, kiedy dokowaliśmy w Puerto Cabello. To dobry kapitan, choć trochę dziwny.

– Musimy z nim koniecznie porozmawiać. Przekażę panią Halemu i on pomoże pani skontaktować się z kapitanem Garcią. Lepiej, żeby ktoś znajomy zapytał go o to, co chcemy wiedzieć.

– Mam nadlatujący pocisk! – zawołała Linda.

– Co? Z jakiego kierunku?

– Znad wyspy Gonâve na południu. Statek wystrzeliwujący musi być schowany za nią. Nasz radar nic nie widział, dopóki pocisk nie znalazł się nad wyspą.

Juan zaklął pod nosem. Ruiz stosowała przeciwko niemu taką samą taktykę, jak on przeciwko niej z „Washingtonem", kiedy rozdzielała ich wyspa. Nie mógł odpowiedzieć własnymi pociskami, bo nie miał namiaru na cel, podczas gdy ona najwyraźniej znała pozycję „Oregona" dzięki „Wartownikowi" Kensita.

– Kanonier! Przygotuj się!

Murph nie podniósł wzroku, pisząc gorączkowo na klawiaturze.

– Jestem trochę zajęty próbą uratowania wiceprezydenta.

– Max, do broni.

Max natychmiast zajął stałe miejsce Murpha na stanowisku obsługi uzbrojenia. Pocisk pokonywał już ostatni odcinek drogi do celu z prędkością ponaddźwiękową. Max wdusił przycisk aktywacji gatlinga.

Działające na tej samej zasadzie, co system artyleryjski Phalanx Marynarki Wojennej, sześciolufowe działko nabrało pełnych obrotów i zaczęło wystrzeliwać dwudziestomilimetrowe wolframowe pociski przeciwpancerne z jazgotem przemysłowej piły mechanicznej przecinającej sekwoję. Radar w kopule nad gatlingiem, wyglądającej jak droid R2-D2, usiłował namierzyć nieuchwytny cel, ale przy tak ogromnej prędkości miał z tym problem.

Max prowadził ogień również z działka Metal Storm, wystrzeliwując pięćset pocisków w mgnieniu oka. Wolframowy grad wreszcie dosięgnął rakiety siedemset trzydzieści metrów od „Oregona".

Większość kluba została rozerwana i spadła do morza, ale duża część, rozpędzona do prędkości ponaddźwiękowej, poleciała dalej. Metalowe fragmenty uderzyły w statek.

– Meldunek o uszkodzeniach – zażądał Juan.

Max sprawdził widok z kamer zewnętrznych.

– Żadnego przebicia kadłuba, ale straciliśmy radar gatlinga. Ładuję ponownie metal storm.

– Następny pocisk w drodze! – ostrzegła Linda. – Dwie minuty do celu.

– Obracam nas o sto osiemdziesiąt stopni, żebyśmy mogli użyć gatlinga na sterburcie – oznajmił Juan i wykonał manewr. – Przygotuj exoceta, Max.

– Najpierw musimy mieć cel – odparł Max. – Moglibyśmy trafić jakikolwiek statek po drugiej stronie wyspy bez współrzędnych pozycji tego, który strzela.

Juan spojrzał na Marię. Patrzyła na niego z zaszokowaną miną, trzymając słuchawkę z mikrofonem przy uchu.

– Proszę się pospieszyć – powiedział tylko.

Rozdział 48

Kapitanowie „Maracaibo" i „Valery" wysyłali przez radio rozpaczliwe SOS o statku pomiędzy nimi, który wystrzeliwuje pociski, gdy drugi klub mknął nad wyspą oddzielającą Ruiz od „Oregona". Ruiz widziała po bezsilności swojego przeciwnika, że jej plan wynajęcia statków do rejsu obok „Reiny Azul" przynosi zamierzony skutek. Cabrillo nie miał cojones, żeby strzelać do niej na ślepo, kiedy po obu jej stronach były towarowce z Bogu ducha winnymi załogami oddalone o niecałe ćwierć mili morskiej. Mimo tego wszystkiego, co wchodziło w grę, był za słaby, żeby zaryzykować zatopienie cywilnego statku.

Obserwowała „Oregona" na monitorze pokazującym obraz z kamery po drugiej stronie wyspy szerokości trzynastu kilometrów. Kensit uprzedził ją, że będzie zbyt zajęty, żeby przekazywać jej w czasie rzeczywistym informacje o pozycji „Oregona", więc w środku nocy wysłała dwóch ludzi do ustawienia kamery z nadajnikiem o dużej mocy na odludnej plaży po przeciwnej stronie wyspy. Kiedy statek Cabrilla wpłynął w kadr jedynym kursem, jaki mógł wziąć z Bahia de Grand Pierre, zaatakowała.

Jak ostrzegła ją obsługa wyrzutni, sterowanie pociskiem ograniczała pozycja kontenera na starym towarowcu, więc mogli wystrzeliwać rakiety tylko pojedynczo. Ruiz najpierw się wściekła, ale teraz bawiło ją, jak „Oregon" broni się przed pociskami. Supernowoczesny statek nie mógł ich strącać bez końca. Jeden klub musiał trafić.

– Przygotował pan łódź do ewakuacji? – zapytała kapitana.

– Tak jest, pani admirał – odrzekł. – Jest przycumowana do lewej burty.

– A co z bombami? Chcę zatopić wszystkie trzy statki, jak tylko zniszczymy „Oregona".

– Wszystkie są gotowe do zdetonowania.

Wręczył jej zdalny detonator.

– Doskonała robota, kapitanie – pochwaliła. – Zajmie pan wysokie stanowisko w moim rządzie, kiedy zostanę prezydentem.

Nadawanie SOS trwało, ale nie obawiała się, że jakieś władze przybędą na ratunek. Haiti miało symboliczną straż przybrzeżną i marynarkę wojenną, więc mogli najwyżej wysłać policyjną motorówkę lub poprosić o pomoc Republikę Dominikany. Ruiz i jej ludzie dawno znikną, zanim ktokolwiek się zmobilizuje.

Drugi klub poszybował w kierunku „Oregona" i była pewna, że ten trafi. Ale pocisk eksplodował za jego rufą w gradzie ognia obronnego i zasypał statek szczątkami. Płomienie się pojawiły na pokładzie i tym razem miała satysfakcję, że są prawdziwe, a nie sztuczne, jakie widziała u wybrzeża Puerto La Cruz.

Była tylko rozczarowana, że Cabrillo nie wie, kto zaraz zatopi jego ukochany statek. Ale ona wiedziała i tylko to się liczyło.

Czas to kończyć.

– Odpalić trzeci pocisk – rozkazała przez radio obsłudze wyrzutni.

– Ostatni zniszczył metal storm – zameldował Max. – Zostały tylko dwa gatlingi.

– Ustawię nas pod kątem, żeby oba mogły ostrzeliwać następny pocisk – odrzekł Juan i odwrócił „Oregona" ku wyspie Gonâve. – Jak pani idzie, Mario?

– Mam kapitana Garcię na jego telefonie satelitarnym – oznajmiła triumfalnie. – Jest bardzo zdenerwowany. O co mam go zapytać?

– Czy może się skontaktować z kapitanem „Maracaibo", ale nie przez radio.

Przekazała pytanie.

– Tak, on też ma telefon satelitarny.

– Dobrze. Niech się zatrzymają i podadzą mi swoje dokładne współrzędne GPS, co do centymetra. I niech pani ich zapyta, czy są jakieś inne statki w okolicy.

Wyglądała na zdezorientowaną, ale zapytała Garcię.

Juan odwrócił się do Maksa.

– Wprowadzisz je do komputera sterującego exoceta.

Max zmarszczył czoło, potem przytaknął ze zrozumieniem.

– Żeby wiedział, w kogo nie trafić?

– Zgadza się.

Juan spojrzał na mapę i zobaczył, że drony i Air Force Two są już blisko siebie.

– Murph, jak stoisz z dronami? Zostało nam tylko pięć minut.

– Prawie mam. Muszę to zrobić za pierwszym razem, bo inaczej Kensit mnie odetnie na amen.

– Dobra. Walcz.

– Mam współrzędne! – zawołała Maria i podała je Maksowi, który wprowadził dane do komputera sterującego.

– Trzeci pocisk! – krzyknęła Linda. – Dwie minuty do celu.

– Exocet gotowy!

– Ognia!

Exocet został wystrzelony z wyrzutni, jego silnik turboodrzutowy zaskoczył i pocisk przeciwokrętowy pomknął nad wodą. Jego radarowy wysokościomierz utrzymywał go zaledwie trzy metry od powierzchni.

– Klub jest minutę od nas – zameldowała Linda.

– Max, spróbuj wziąć go w krzyżowy ogień z gatlingów. To nasza jedyna szansa.

Jazgot przemysłowych pił mechanicznych dobiegł z obu burt statku, gdy działka zaczęły walić wolframowymi pociskami do nadlatującej rakiety. Smugi serii pląsały w powietrzu, kiedy klub robił uniki przed nimi. Ale po dwudziestu sekundach ciągłego ostrzału cel został w końcu trafiony i eksplodował wśród pomarańczowych płomieni.

– Uff – odsapnął Max i otarł czoło. – W bębnie gatlinga numer dwa zostało trzydzieści nabojów. Wątpię, żebyśmy mogli strącić następny pocisk.

– Czas exoceta do celu?

– Nie jestem pewna – odrzekła Linda. – Jest teraz nad wyspą, więc już go nie widzimy na radarze.

– Mario – powiedział spokojnie Juan – może pani zapytać kapitana Garcię, czy widzi nasz pocisk?

Kiedy Ruiz zobaczyła odpalenie pocisku z „Oregona" na obrazie z kamery na brzegu, przypuszczała, że to rozpaczliwa próba zestrzelenia jej kluba i że się nie powiodła, gdy się minęły.

Kiedy pocisk przeleciał nad południowym wybrzeżem wyspy i miała lepszy widok, rozpoznała rakietę przeciwokrętową Exocet.

Źle oceniła Cabrilla. W desperacji musiał strzelić w ciemno w nadziei, że przypadkiem trafi w jej statek. Tymczasem pocisk mknął prosto na „Valerę". Ruiz pogratulowała sobie w duchu, że zabrała ze sobą dwa statki na wabia, i przygotowała się do wydania rozkazu odpalenia ostatniego kluba, żeby wykończyć „Oregona".

Jej postawa zmieniła się w jednej przerażającej chwili. Kierowany czyjąś niewidzialną ręką, exocet zmienił nagle kurs prosto na „Reinę Azul".

Kapitan zaczął wydawać rozkazy manewrów unikowych, ale wiedziała, że to na nic. Bez środków obrony jej statek mógłby równie dobrze mieć wymalowaną tarczę strzelniczą na burcie.

Pocisk trafił w śródokręcie i wyrwał ogromną dziurę w burcie towarowca. Ruiz mogłaby zdążyć do łodzi ratunkowej, gdyby nie ładunki wybuchowe, które kazała rozmieścić na statku, żeby go zatopić. Ich eksplozje zatrzęsły towarowcem.

Ostatnim uczuciem Ruiz była mieszanina furii i zazdrości, że okazała się drugim najlepszym taktykiem w sytuacji, kiedy powinna odnieść pewne zwycięstwo. Czwarty pocisk Klub wybuchł w wyrzutni, unicestwiając sterownię i wszystkich w środku.

Maria zerwała słuchawkę z mikrofonem, kiedy usłyszała ogłuszający huk, i Juanowi serce zamarło na myśl, że exocet trafił w niewłaściwy cel. Potem przyłożyła słuchawkę z powrotem do ucha i zapytała niepewnie:

– Kapitanie Garcia, jest pan tam?

Po chwili napięcia skoczyła na równe nogi i krzyknęła z radością:

– Garcia mówi, że to był celny strzał! „Reina Azul" została rozerwana na kawałki i idzie na dno. On i kapitan „Maracaibo" poszukają rozbitków, ale nie spodziewa się żadnych.

Juan odetchnął z ulgą, ale jeszcze nie zamierzał świętować.

– Murph, zostały ci trzy minuty.

– Im mniej mam czasu, tym lepiej mi idzie – odparł z żartobliwym przejęciem. – I *voilà*!

Dwa przekazy wideo pojawiły się na głównym ekranie obok mapy. Każdy pokazywał błękitne niebo i chmury płynące poniżej.

– To z dronów? – spytał Juan.

– Z dwóch, które kontroluję. Kensit steruje jednym, ale ja zarządzam autopilotami pozostałych. Rzecz w tym, że on o tym nie wie. Ale mimo to QF-16 w trybie manualnym jest zbyt zwrotny. Przegrałbym bezpośrednią walkę powietrzną na sto procent. Więc powstaje pytanie, jak się zderzę z jego dronem, zanim strąci Air Force Two?

Juan spojrzał na mapę. Bezzałogowce zbliżały się do samolotu wiceprezydenta na północny wschód od Kuby. Zauważył, że są również blisko pozycji Kensita. Zapewne czekał z podnieceniem, aż Air Force Two spadnie obok jego jachtu.

– Spróbujmy dwustronnego podejścia. Jeśli z jednej się nie uda, to może z drugiej. Myślisz, że zauważy zmianę kursu jednego drona na autopilocie, jeśli będzie niewielka?

Murph potarł podbródek w zamyśleniu.

– Pewnie nie. Zwłaszcza jeśli coś odwróci jego uwagę.

– Więc zaprogramuj jednego drona na kolizję w zwolnionym tempie, zmniejszanie odległości między nimi z prędkością trzydziestu centymetrów na sekundę. Zanim się zorientuje, co się dzieje, drony się zderzą.

– Podoba mi się to. Jak go rozproszymy?

Juan się uśmiechnął.

– Znurkujemy gwałtownie drugim dronem. Zaprogramuj go na kurs przechwytujący do punktu o uaktualnionych współrzędnych, które dostajemy od Erica.

Murph spojrzał na mapę, a kiedy się odwrócił z powrotem, uśmiechał się jeszcze szerzej niż Juan, gdy wprowadzał dane.

– Niech pan się nie opiera na moim fotelu – powiedział Kensit do Washburna tonem, którym normalnie nikt się nie zwraca do kandydata na prezydenta Stanów Zjednoczonych. Nie obchodziło go to. Były gubernator znów nieumyślnie naciskał oparcie jego siedzenia w dół i dekoncentrował go. Kensit zaczynał żałować, że zabrał Washburna ze sobą, żeby zobaczył ostateczne zniszczenie Air Force Two.

– Przepraszam – odrzekł Washburn po raz drugi i cofnął się pod ścianę. – Za ile czasu pan go zestrzeli?

– Już niedługo... Jest!

Kensit wskazał punkt na tle błękitnego nieba na przekazie wideo z prowadzącego drona.

– Jest w odległości ośmiu kilometrów. Zbliżamy się z prędkością czterystu osiemdziesięciu kilometrów na godzinę, więc będziemy go mieli w zasięgu za minutę.

– A jeśli pan chybi?

– Pilot będzie próbował wykonywać manewry unikowe, ale to nic nie da. QF-16 może zataczać kręgi wokół 747, a mam trzy takie maszyny.

Jeden z dronów nagle znurkował. W tym samym momencie Kensit stracił przekaz wideo.

– Niech to szlag!

– Co? – zapytał Washburn i znów nacisnął w dół oparcie fotela, zanim je szybko puścił i powtórzył przeprosiny.

– Straciliśmy Przepiórkę 3. Musi być jakaś awaria.

– Może pan to naprawić?

– Nie warto, tak blisko celu. Został nam jeszcze zapasowy dron na wypadek, gdyby ten zawiódł.

Kensit nakierował „Wartownika" na kokpit Air Force Two i obserwował, jak dwaj piloci przygotowują się do uniku przed nadlatującymi dronami. Dostali ostrzeżenie o nich od kontrolera Sił Powietrznych i próbowali uciec, ale ich wysiłki nie miały znaczenia. Widząc i słysząc, co planują, Kensit mógł reagować z pozornie nadprzyrodzoną zwinnością.

Paliwomierz każdego drona pokazywał zapas na kwadrans, więc mógł nawet pobawić się nimi przez kilka minut, zanim je wykończy. Nieprędko miałby następną taką gratkę z odrzutowcami naturalnej wielkości.

Ale pomyślał, że lepiej nie kusić losu. Pracował prawie trzy lata na tę chwilę. Nie ma sensu ryzykować następnej takiej usterki, jaka wyeliminowała Przepiórkę 3.

Air Force Two pojawił się w kamerze drona, łatwy teraz do rozpoznania. Piloci uzgodnili, że zaczekają, aż QF-16 będą w odległości kilometra, zanim wprowadzą 747 w ciasny prawy skręt. Nie wiedzieli, że to będzie daremne.

Kensit wytarł spocone dłonie o spodnie i chwycił ster do końcowego podejścia. Uśmiechał się maniakalnie, czując władzę dosłownie w swoich rękach. Zaraz zmieni świat, jak obiecał.

Przestał się uśmiechać, gdy zobaczył dziwny obraz z kamery drona, którym sterował. Wąska pionowa krawędź wznosiła się wolno w górę kadru z prawej strony. Widok był tak osobliwy, że Kensit nie miał pojęcia, co to jest, dopóki nie wyłonił się napis „USAF".

To był ster kierunku drugiego drona.

– Nie – wyszeptał bez tchu, a potem wrzasnął: – Nie!

Przechylił swojego drona ostro w lewo.

Za późno. Hamulce aerodynamiczne drona z przodu zadziałały i spowolniły go tak gwałtownie, że znalazł się tuż przed dziobem maszyny Kensita. Spróbował zamknąć przepustnicę, ale wcześniej prawe skrzydło jego bezzałogowca przecięło ster kierunku drona przed nim. Kamera rozbłysła białym światłem i zgasła.

Kensit zmienił widok z „Wartownika", żeby zobaczyć, co jest za Air Force Two. Z drona, którym sterował, została tylko wielka kula ognia. Drugi bezzałogowiec, pozbawiony ogona, koziołkował ku powierzchni oceanu.

Kensit oparł się w fotelu, zaszokowany utratą obu dronów.

Było tylko jedno wytłumaczenie.

Cabrillo i jego załoga. Ale jak to możliwe? Ruiz powinna zatopić „Oregona".

– Co się, do diabła, stało? – zapytał Washburn z niedowierzaniem.

– Zamknij się! – krzyknął Kensit, rwąc sobie włosy z głowy. – Daj mi pomyśleć!

Obrócił ster „Wartownika" z powrotem aż na Haiti i zatokę Gonâve, gdzie miała walczyć Ruiz. Zaszokował go widok „Oregona", który był poobijany i dymił, ale płynął.

Zrobił najazd na centrum operacyjne. Juan Cabrillo siedział z zadowoloną miną w swoim Fotelu Kirka. Pomachał do mapy na ekranie przed sobą i powiedział:

– Do widzenia.

Kensit najpierw myślał, że to kolejna czcza groźba pod jego adresem, ale potem zauważył, co jest na mapie. Przepiórka 3 się nie rozbiła.

Dron leciał prosto na jego jacht.

Kensit zerwał się z fotela, przewracając go na Washburna.

– Z drogi! – wrzasnął i popędził na pokład.

Maurice wszedł do centrum operacyjnego, niosąc na srebrnej tacy świeże kubańskie cygaro Cohiba z prywatnego zapasu Juana. Cabrillo nie miał pojęcia, skąd steward weteran wiedział, że nadchodzi koniec gry, ale podziękował mu i wetknął cygaro do ust, żeby obejrzeć finał.

Biały jacht rósł na ekranie, gdy dron pikował ku wodzie z prędkością ośmiuset kilometrów na godzinę, odpowiednią do precyzyjnego namierzenia celu, który stale zmieniał pozycję.

Juan zobaczył, jak dwóch białych wypada na pokład, kiedy jacht wypełnił ekran. Obaj patrzyli z niedowierzaniem w górę na nurkujący odrzutowiec. Juan rozpoznał zdumioną i udręczoną twarz Kensita tuż przed zanikiem obrazu.

Murph wyrzucił ręce do góry i krzyknął:

– Przyłożenie!

– Zdajecie sobie sprawę, że właśnie straciliśmy jakąkolwiek szansę, żeby się dowiedzieć, jak naprawdę działa „Wartownik" – powiedział Max. – Dziennik Lutzena przestał istnieć.

Juan wzruszył ramionami.

– Lepsze to, niż żeby Kensit uciekł i sprzedał go temu, kto najwięcej da. A skoro o tym mowa... Hali, zostały dwie minuty do samodestrukcji „Wartownika". Każ Ericowi wynieść się z groty Oz.

– Powiedział mi, że robi zdjęcia urządzenia – odrzekł Hali.

– Nie obchodzi mnie to. Miał dość czasu. Nie chcę, żeby był gdziekolwiek w pobliżu, jak ono wybuchnie. Każ Eddiemu i Lincowi wywlec go stamtąd, jeśli będą musieli.

Hali się uśmiechnął.

– Może powiem im, żeby od razu to zrobili.

Kiedy Hali dzwonił, Juan otworzył srebrną zapalniczkę, którą Maurice położył na poręczy jego fotela, i zapalił zasłużone cygaro.

Hector Bazin ocknął się, gdy dudnienie zatrzęsło jego ciałem. Kiedy ustało, usiadł i pomasował bolącą głowę. Zastanawiał się, jak długo był nieprzytomny. Na rękach i twarzy miał zakrzepłą krew, co oznaczało, że zemdlał jakiś czas temu. Otworzył oczy i zobaczył tylko ciemność.

Najpierw pomyślał, że oślepł od bardzo silnego wstrząśnienia mózgu. Pogrzebał gorączkowo w kieszeni i znalazł książeczkę zapałek. Zostały tylko dwie.

Zapalił jedną i przekonał się, że nadal ma dobry wzrok. Tkwił w grocie i przypomniał sobie, skąd się tu wziął. Granat wystrzelony w jego kierunku. Wybuch. Lawina kamieni. Potem nic.

Wstał niepewnie i zobaczył, że cały otwór jaskini blokują skalne płyty, które pół tuzina mężczyzn usuwałoby przez ileś dni.

Wpadł w przerażenie, kiedy sobie uświadomił, że obudziło go drżenie wywołane samodestrukcją „Wartownika". Godzina na jego zegarku potwierdzała to. Nawet gdyby zdołał się przekopać w tamtym kierunku, zostałby śmiertelnie napromieniowany natychmiast po wejściu do komory.

Cofnął się chwiejnie od sterty kamieni. Zapałka oparzyła mu boleśnie palce i rzucił ją. W panice głupio zapalił ostatnią, potem uzmysłowił sobie swój błąd i przytknął płomień do książeczki, żeby mieć cenne światło jeszcze przez kilka sekund.

Przeżywał swój najgorszy koszmar. Labirynt przejść mógł się ciągnąć kilometrami. Nawet ze światłem odszukanie wejścia, którym dostał się tu Cabrillo, mogło mu zająć dni.

Odwrócił się i zatoczył w przeciwną stronę, zdecydowany znaleźć jakąś drogę lub znaki. Zanim przeszedł pięć metrów, potknął się o stalagmit i upadł na twarz. Książeczka zapałek wyleciała mu z ręki i zgasła.

Zapanowała tak całkowita ciemność, że zaledwie po sekundach poczuł, jak macki szaleństwa przenikają do jego umysłu. Spędzi kilka ostatnich dni swojego życia uwięziony we własnym grobie bez nadziei na ratunek czy ucieczkę.

Mając do towarzystwa tylko własny głos, Bazin zrobił jedyną rzecz, jaka mu przyszła do głowy.

Wrzasnął.

Epilog

Juan płynął powoli przez podwodną grotę. Dostali się do niej wraz z Maksem z cenoty, czyli wypełnionego wodą naturalnego zagłębienia terenu o charakterze studni krasowej. W stanie Quintana Roo na półwyspie Jukatan podobnych zagłębień było bez liku, więc w końcu skatalogowano je w bazie danych udostępnionej w Internecie. Jednakże akurat o tej cenocie, w której zeszli pod wodę, próżno było szukać jakichkolwiek informacji. Juan miał wszelkie powody, by przypuszczać, że przed nimi nikt jej jeszcze nie spenetrował.

Ze wskazań komputera do nawigacji inercyjnej wynikało, że do celu nie było daleko. Juan spojrzał na płynącego obok Maksa, który oczami wielkimi jak spodki wpatrywał się w ślepą, albinotyczną rybę zamieszkującą jaskinię. Najwyraźniej nie czuł się komfortowo w tym miejscu. Być może winny był zbyt ciasny skafander, rozciągnięty do granic możliwości na jego wydatnym brzuchu. W każdym razie Juan musiał go długo namawiać, by towarzyszył mu w nurkowaniu.

Max wolałby zostać na „Oregonie", by dopilnować naprawy systemów uzbrojenia. Uszkodzenia kadłuba, radaru gatlinga i działka Metal Storm nie były tak poważne, jak im się początkowo wydawało, więc Juan zdołał przekonać

Maksa, że załoga poradzi sobie bez niego i dokończy robotę przed udaniem się na długo oczekiwany urlop na lądzie.

Mimo to Max nie byłby sobą, gdyby nie znalazł powodu do zmartwień, dlatego podczas lotu śmigłowcem do cenoty przez cały czas marudził, że Maria Sandoval na pewno wygada się, zdradzając sekrety „Oregona". Tymczasem Juan wcale się tym nie przejmował. Armator obiecał jej, że otrzyma na powrót dowództwo swego statku, gdy tylko „Ciudad Bolívar" opuści stocznię remontową. Była wdzięczna Juanowi za uratowanie życia i wyznała mu szczerze, że gdyby nawet komuś o wszystkim opowiedziała, to i tak nikt by jej nie uwierzył.

Jedyne, na co Max na pewno nie mógł narzekać, to zarobek po zakończeniu akcji. Do nagrody od towarzystwa ubezpieczeniowego za uratowanie statku Marii doszła okrągła sumka za pokrzyżowanie szyków Kensitowi. Kiedy szczegółowy raport z wydarzeń dotarł do Langstona Overholta i stało się jasne, że to załoga „Oregona" zapobiegła zniszczeniu samolotu wiceprezydenta, bez żadnej zwłoki wypłacono im wynagrodzenie, które ze sporą nadwyżką pokryło koszty wszystkich napraw.

Ujawnienie, że Kensit, Bazin i Ruiz byli wspólnikami, wywołało wstrząs w kręgach wojskowych i w społeczności wywiadowczej Stanów Zjednoczonych. Natomiast Juana zaskoczyło to, kim okazał się człowiek, towarzyszący Kensitowi na jachcie. Pojedyncza klatka z kamery drona wystarczyła do zidentyfikowania Briana Washburna, byłego gubernatora Florydy, a zarazem naturalnego kandydata na wiceprezydenta, gdyby doszło do zniszczenia Air Force Two. Dokładne zbadanie zawartości komputera w jego biurze ujawniło usunięty plik wideo z zapisem morderstwa, jakiego dokonał na osobie szantażysty. Materiał zapewne został zarejestrowany wszystkowidzącym okiem „Wartownika".

Oczywiście nikt nie zamierzał w najbliższym czasie rekonstruować „Wartownika" w tej samej jaskini, choćby ze względu na panujący w niej obecnie śmiertelnie niebezpieczny poziom promieniowania. Początkowo obawiano się radioaktywnego wycieku do wód jeziora Péligre, ale dotychczasowe pomiary nie wykazały skażenia.

Nawet gdyby grota pozostała nienaruszona, odbudowanie „Wartownika" było niemożliwe bez wyników badań i projektów Lutzena i Kensita. Jednak Juan nie miał złudzeń, że władze Stanów Zjednoczonych zrezygnują z tego wynalazku. Był pewien, że już ruszył tajny program badań nad tym urządzeniem, skoro jego zbudowanie okazało się realne.

Ze wskazań komputera wynikało, że dotarli do wcześniej wyznaczonych współrzędnych. Juan poświecił latarką w górę i ujrzał srebrzyste migotanie, co oznaczało, że znajduje się tam powietrze. Pokazał Maksowi uniesione w górę kciuki i wynurzył się na powierzchnię.

Wsunął się na skalisty brzeg, stanowiący dno jaskini i pociągnął za sobą Maksa.

Max zerwał z twarzy maskę i wypluł ustnik regulatora.

– Wiesz co? – powiedział, a jego głos wydał się stłumiony przez panujące wokół nich egipskie ciemności. – Wolałbym teraz być na „Oregonie" i siedzieć po uszy w naprawach.

Juan roześmiał się.

– A ja sądziłem, że miałbyś ochotę to zobaczyć, zwłaszcza że umknęła ci taka okazja na Haiti.

– Myślałeś, że pałam chęcią oglądania mokrej i ciemnej jaskini? Czy uważasz mnie za Morloka?

– Owszem, przynajmniej w połowie. Zresztą zaraz zrobi się jaśniej.

Juan wyciągnął z wodoszczelnego plecaka cztery silne lampy LED-owe i rozstawił je na podłożu. Kiedy je zapalił, Max zerwał się na równe nogi.

Jaskinia była ze trzy razy większa od groty „Wartownika" na Haiti. Lampy okazały się za słabe, by oświetlić ją w całości. Każda szczelina mieniła się olśniewającym blaskiem zielonych kryształów. Niektóre układały się w rozety, inne podobne były do drzew cedrowych, wznoszących się wysoko ku sklepieniu.

– Cholera, toż to Szmaragdowe Miasto – sapnął Max, zacierając dłonie z radości. – Trafił się nam prawdziwy skarb.

– To nie szmaragdy, lecz kryształy selenu z domieszką miedzi. Same w sobie nie są wiele warte, ale dla kogoś, kto wiedziałby jak zbudować teleskop neutrinowy, to miejsce jest bezcenne.

– Jak znalazłeś tę jaskinię? – spytał Max, rozglądając się z zachwytem.

– Przeglądałem zapis wideo z podglądu stanowiska kontrolnego Kensita na jachcie i zauważyłem, że miał na ścianie mapę z napisem „druga faza". Pod spodem były podane dokładne współrzędne geograficzne i trzecia liczba, co do której domyśliłem się, że oznacza głębokość. Wtedy byłem już pewien, że Kensit wyszukał sobie inną jaskinię, a skoro miała być podobna do tej na Haiti, przypuszczałem, że zdołam znaleźć do niej wejście.

– Z tego, co wiemy, to może być jedyna taka grota na całej kuli ziemskiej.

– Być może masz rację. Jak dotąd odkryto tylko jedną podobną w północnym Meksyku. Nazywa się Jaskinia Kryształowa, ale występujące w niej kryształy są mlecznobiałe i nie mają takich właściwości, jak te z groty Oz.

Max nagle przestał napawać się cudownym widokiem i wbił wzrok w Juana.

– Zniszczyłeś jacht, bo obawiałeś się, że Kensit może sprzedać komuś swoją wiedzę, co umożliwiłoby zbudowanie nowego „Wartownika" w tej jaskini.

Juan przyklęknął i podniósł do oczu jeden z kryształów, uważając, aby się nie skaleczyć.

– Zniszczyłem go, bo Kensit musiał zapłacić za zaatakowanie moich ludzi. Ale masz rację, trochę mnie martwiło,

że jeśli przeżyje, to może kupić sobie wolność za cenę prze-
kazania tajemnic „Wartownika" i usytuowania tej jaskini.

– Nie mam ci tego za złe. Nie wolno ufać nikomu, kto
dysponuje taką technologią. Mówi się, że władza absolutna
demoralizuje absolutnie, zatem posiadanie „Wartownika"
mogłoby nawet najuczciwszego człowieka szybko zmienić
w tyrana.

– Czego zresztą byliśmy świadkami. Co więcej, jeśli jeden człowiek, taki jak Kensit, uległ demoralizacji z powodu
dysponowania ogromną władzą, to wyobraź sobie możliwe
skutki, gdyby chodziło o cały rząd?

– Kto jeszcze o tym wie?

– Nikt, poza nami dwoma. Zastanawiałem się nad po-
informowaniem Langstona Overholta, ale doszedłem do
wniosku, że czego oczy nie widzą, tego sercu nie żal. Poza
tym jaskinia znajduje się w Meksyku, więc amerykańska
administracja nie miałaby z niej większego pożytku.

– A jeśli władze Meksyku włączą się do gry?

– Sprawa bardzo się skomplikuje. Mogą zatrzymać tajem-
nicę dla siebie albo sprzedać jaskinię, komu zechcą. Jakie-
muś bogatemu konsorcjum albo kartelowi narkotykowemu.

– I tu pojawia się istotne pytanie: do kogo właściwie należy ta jaskinia?

– Do mnie.

Max popatrzył na niego z niedowierzaniem.

– Do ciebie?

– Wcześniej należała do podstawionej spółki, kontrolowanej
w całości przez Kensita. Właściciel firmy zmarł bezpotom-
nie, więc zaproponowałem niewygórowaną cenę za pozornie bezwartościowy teren, łącznie z prawem do eksploatacji
kopalin. Teraz to już kwestia podpisania kilku papierków.

– W jaki sposób Kensit znalazł to miejsce?

– Nie wiadomo – odrzekł Juan. – Mógł przeprowadzić badania geologiczne albo w jakiś sposób wykorzystać możliwości

„Wartownika". Nie dowiemy się, do czego jeszcze można go było zastosować, bo Kensit nie żyje, a cała dokumentacja uległa zniszczeniu. Kto wie, czy komukolwiek uda się zrekonstruować jego dzieło. Miejmy nadzieję, że tak się nie stanie.

– Kensit był świrem, ale zarazem geniuszem, prawda?

– Przyznam, że był bystrzejszy od każdego z nas z osobna, i to znacznie. Jego błąd polegał na tym, że uważał się za mądrzejszego od nas wszystkich razem.

Juan wyciągnął z plecaka dwa piwa Corona i jedno wręczył Maksowi. Stuknęli się puszkami i usiedli, aby nacieszyć oczy niezwykłym widokiem.

– Powiem ci coś jeszcze, przyjacielu – oznajmił Juan z uśmiechem zadowolenia. – Zawsze będę wolał zgrany zespół inteligentnych ludzi od choćby najzdolniejszego samotnego geniusza.